今すぐ使えるかんたんmini

Imasugu Tsukaeru Kantan mini Series

Windows 10 基本&便利技

2020年最新版

技術評論社

本書の使い方

How to use

- 画面の手順解説だけを読めば、操作できるようになる！
- もっと詳しく知りたい人は、補足説明を読んで納得！
- これだけは覚えておきたい機能を厳選して紹介！

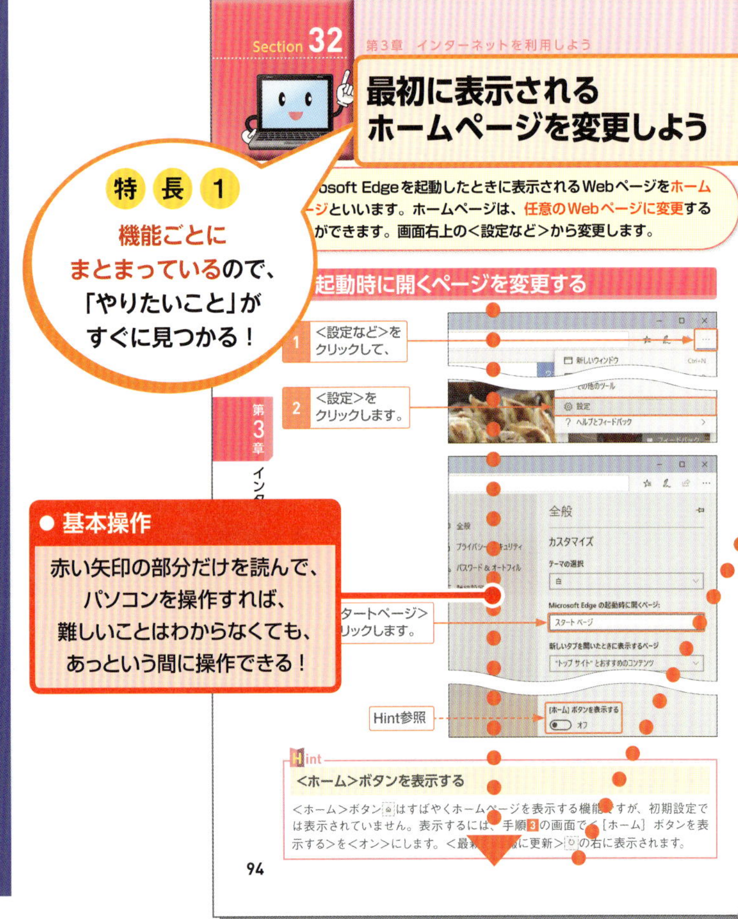

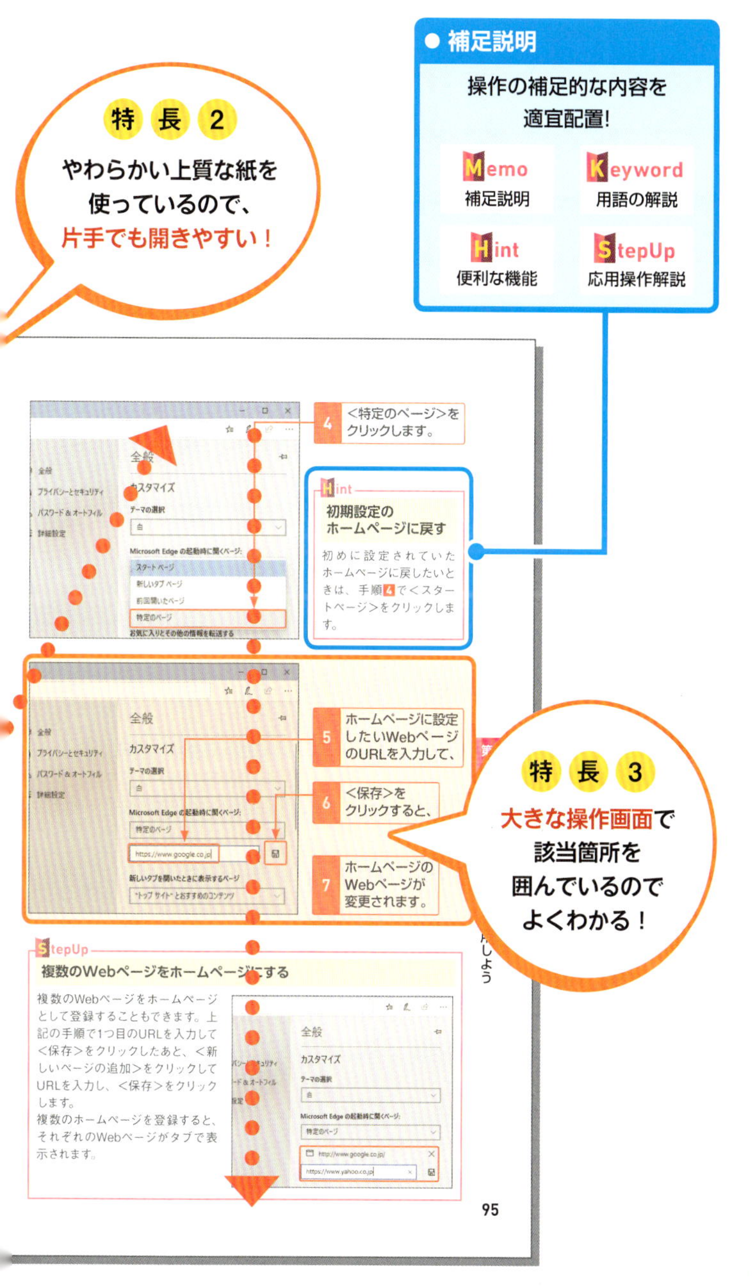

特長2
やわらかい上質な紙を
使っているので、
片手でも開きやすい！
補足説明
操作の補足的な内容を
適宜配置！
Memo
補足説明
Keyword
用語の解説
Hint
便利な機能
StepUp
応用操作解説
4 <特定のページ>を
クリックします。
Hint
初期設定の
ホームページに戻す
初めに設定されていたホームページに戻したいときは、手順4で<スタートページ>をクリックします。
5 ホームページに設定したいWebページのURLを入力して、
6 <保存>を
クリックすると、
7 ホームページの
Webページが
変更されます。
特長3
大きな操作画面で
該当箇所を
囲んでいるので
よくわかる！
StepUp
複数のWebページをホームページにする
複数のWebページをホームページとして登録することもできます。上記の手順で1つ目のURLを入力して<保存>をクリックしたあと、<新しいページの追加>をクリックしてURLを入力し、<保存>をクリックします。
複数のホームページを登録すると、それぞれのWebページがタブで表示されます。
95

パソコンの基本操作

- 本書の解説は、基本的にマウスを使って操作することを前提としています。
- お使いのパソコンのタッチパッド、タッチ対応モニターを使って操作する場合は、各操作を次のように読み替えてください。

1 マウス操作

▼クリック（左クリック）

クリック（左クリック）の操作は、画面上にある要素やメニューの項目を選択したり、ボタンを押したりする際に使います。

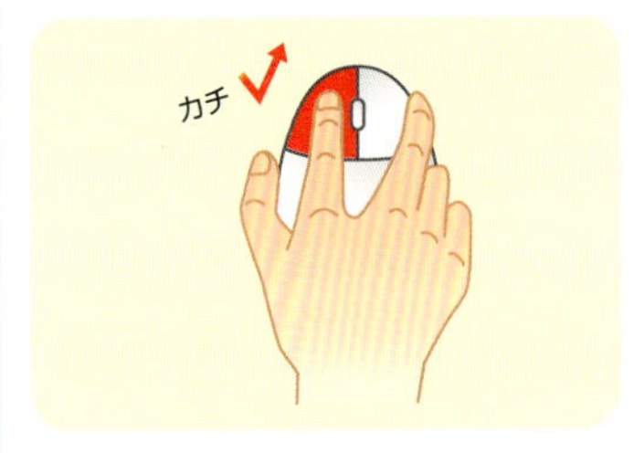

マウスの左ボタンを1回押します。

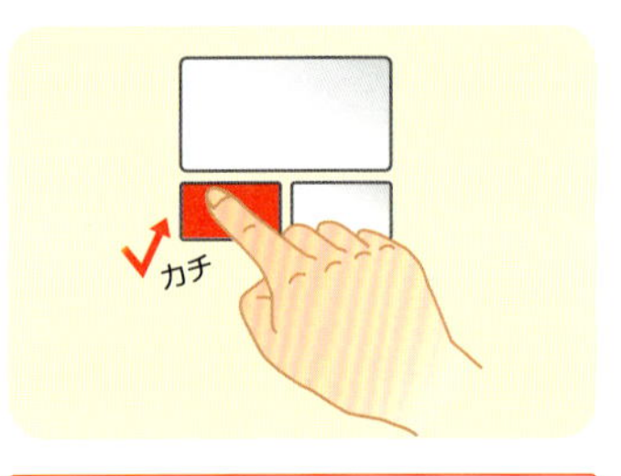

タッチパッドの左ボタン（機種によっては左下の領域）を1回押します。

▼右クリック

右クリックの操作は、操作対象に関する特別なメニューを表示する場合などに使います。

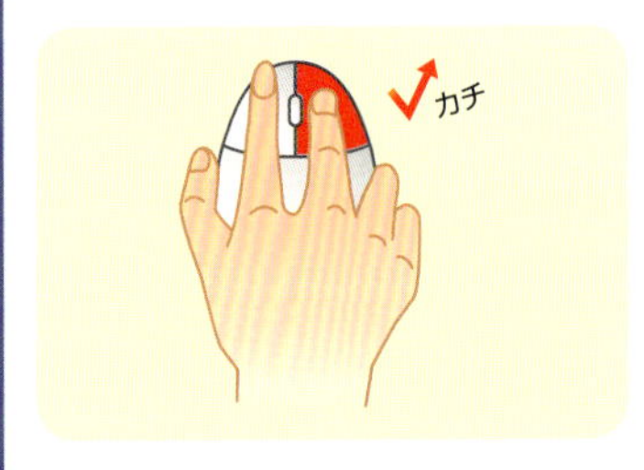

マウスの右ボタンを1回押します。

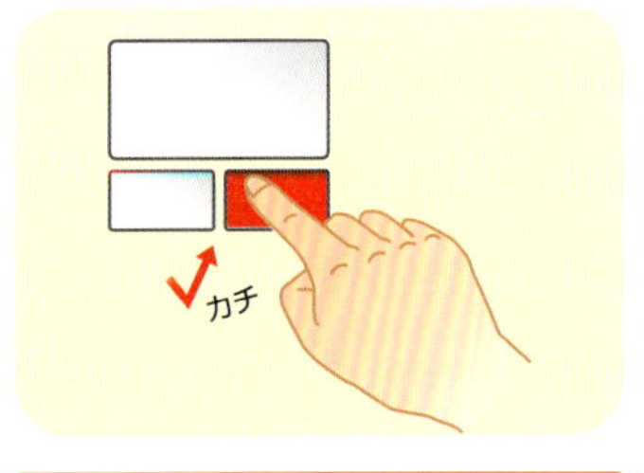

タッチパッドの右ボタン（機種によっては右下の領域）を1回押します。

▼ダブルクリック

ダブルクリックの操作は、各種アプリを起動したり、ファイルやフォルダーなどを開く際に使います。

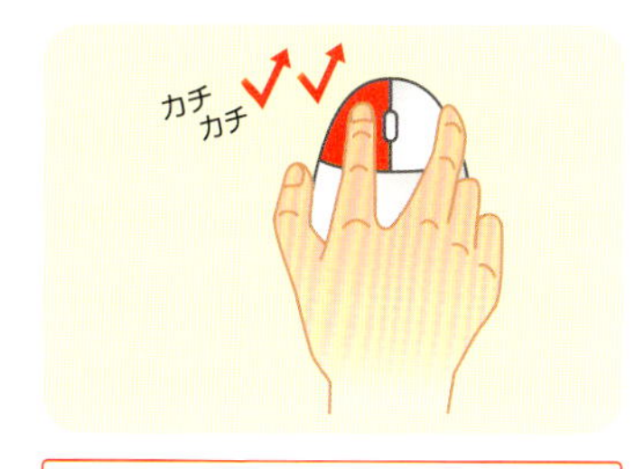

マウスの左ボタンをすばやく2回押します。

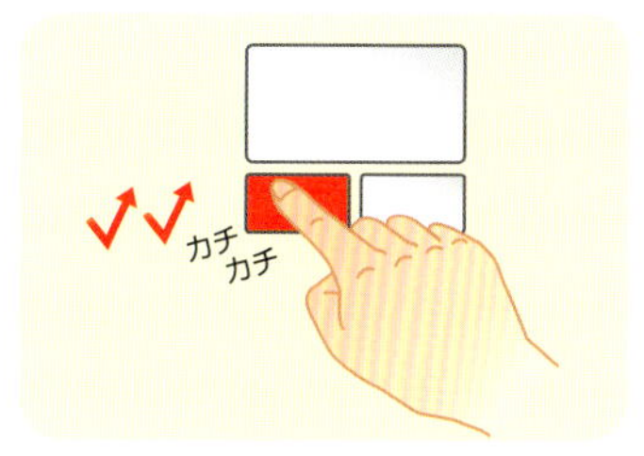

タッチパッドの左ボタン（機種によっては左下の領域）をすばやく2回押します。

▼ドラッグ

ドラッグの操作は、画面上の操作対象を別の場所に移動したり、操作対象のサイズを変更する際などに使います。

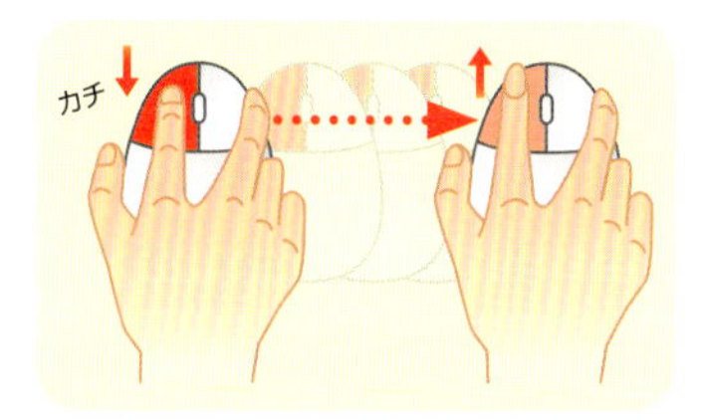

マウスの左ボタンを押したまま、マウスを動かします。目的の操作が完了したら、左ボタンから指を離します。

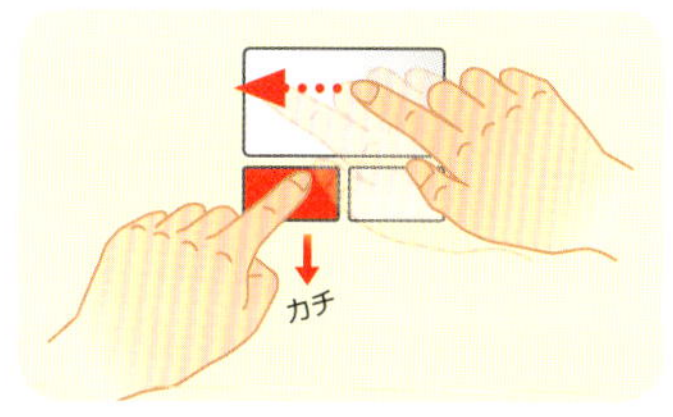

タッチパッドの左ボタン（機種によっては左下の領域）を押したまま、タッチパッドを指でなぞります。目的の操作が完了したら、左ボタンから指を離します。

Memo

ホイールの使い方

ほとんどのマウスには、左ボタンと右ボタンの間にホイールが付いています。ホイールを上下に回転させると、Webページなどの画面を上下にスクロールすることができます。そのほかにも、Ctrlを押しながらホイールを回転させると、画面を拡大／縮小したり、フォルダーのアイコンの大きさを変えたりできます。

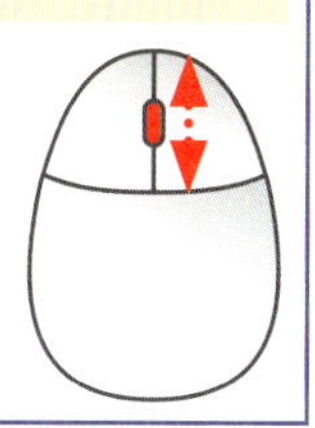

2 利用する主なキー

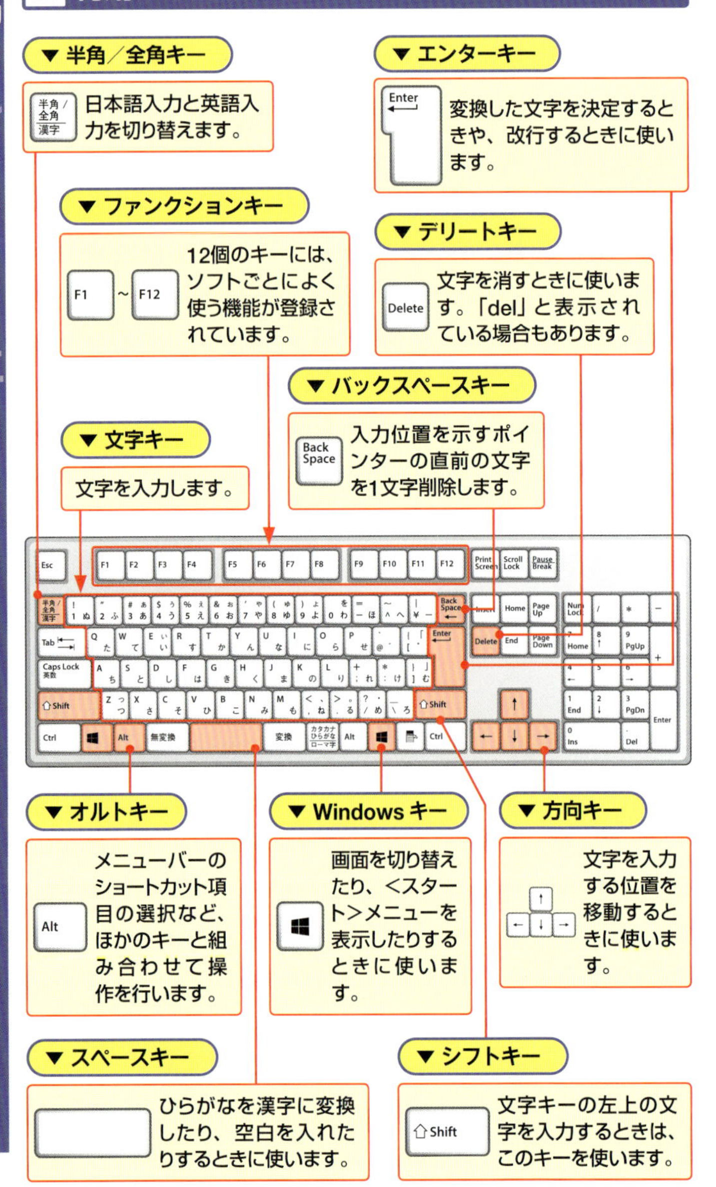
▼ 半角／全角キー
半角／全角 漢字
日本語入力と英語入力を切り替えます。
▼ エンターキー
Enter
変換した文字を決定するときや、改行するときに使います。
▼ ファンクションキー
F1 ～ F12
12個のキーには、ソフトごとによく使う機能が登録されています。
▼ デリートキー
Delete
文字を消すときに使います。「del」と表示されている場合もあります。
▼ バックスペースキー
Back Space
入力位置を示すポインターの直前の文字を1文字削除します。
▼ 文字キー
文字を入力します。
▼ オルトキー
Alt
メニューバーのショートカット項目の選択など、ほかのキーと組み合わせて操作を行います。
▼ Windows キー
画面を切り替えたり、<スタート>メニューを表示したりするときに使います。
▼ 方向キー
文字を入力する位置を移動するときに使います。
▼ スペースキー
ひらがなを漢字に変換したり、空白を入れたりするときに使います。
▼ シフトキー
Shift
文字キーの左上の文字を入力するときは、このキーを使います。

3 タッチ操作

▼タップ

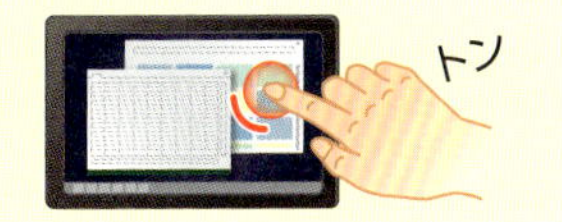

画面に触れてすぐ離す操作です。ファイルなど何かを選択するときや、決定を行う場合に使用します。マウスでのクリックに当たります。

▼ダブルタップ

タップを2回繰り返す操作です。各種アプリを起動したり、ファイルやフォルダーなどを開く際に使用します。マウスでのダブルクリックに当たります。

▼ホールド

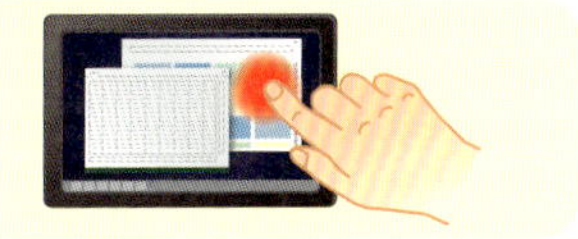

画面に触れたまま長押しする操作です。詳細情報を表示するほか、状況に応じたメニューが開きます。マウスでの右クリックに当たります。

▼ドラッグ

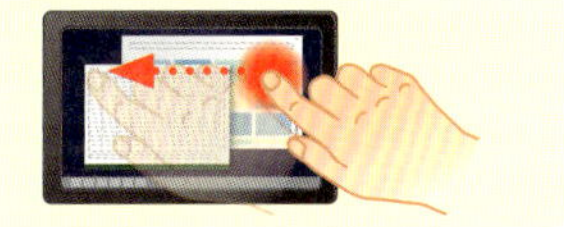

操作対象をホールドしたまま、画面の上を指でなぞり上下左右に移動します。目的の操作が完了したら、画面から指を離します。

▼スワイプ／スライド

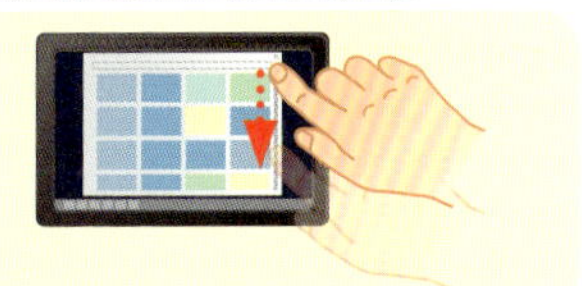

画面の上を指でなぞる操作です。ページのスクロールなどで使用します。

▼フリック

画面を指で軽く払う操作です。スワイプと混同しやすいので注意しましょう。

▼ピンチ／ストレッチ

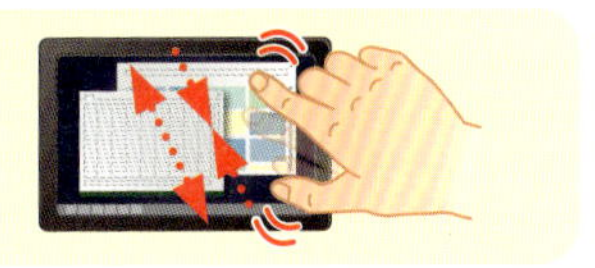

2本の指で対象に触れたまま指を広げたり狭めたりする操作です。拡大(ストレッチ)／縮小(ピンチ)が行えます。

▼回転

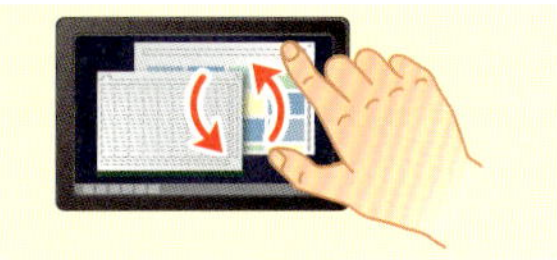

2本の指先を対象の上に置き、そのまま両方の指で同時に右または左方向に回転させる操作です。

CONTENTS 目次

第1章 Windows 10を使い始めよう

CONTENTS 目次

第3章 インターネットを利用しよう

CONTENTS 目次

第4章 メールを使いこなそう

第5章 アプリで写真・動画・音楽を楽しもう

CONTENTS 目次

第6章 生活を便利にするアプリ・サービスを使おう

CONTENTS 目次

第7章 Windows 10で役立つ技を知っておこう

ご注意：ご購入・ご利用の前に必ずお読みください

- 本書に記載された内容は、情報提供のみを目的としています。したがって、本書を用いた運用は、必ずお客様自身の責任と判断によって行ってください。これらの情報の運用の結果について、技術評論社および著者はいかなる責任も負いません。
- ソフトウェアに関する記述は、特に断りのないかぎり、2019年10月20日現在での最新情報をもとにしています。これらの情報は更新される場合があり、本書の説明とは機能内容や画面図などが異なってしまうことがあり得ます。あらかじめご了承ください。
- 本書の内容については以下のOSおよびブラウザ上で動作確認を行っています。ご利用のOSおよびブラウザによっては手順や画面が異なることがあります。あらかじめご了承ください。
  Windows 10 Pro バージョン1909　OSビルド 18363.448
  Microsoft Edge
- インターネットの情報については、URLや画面などが変更されている可能性があります。ご注意ください。

以上の注意事項をご承諾いただいた上で、本書をご利用願います。これらの注意事項をお読みいただかずに、お問い合わせいただいても、技術評論社および著者は対処しかねます。あらかじめご承知おきください。

第1章

Windows 10を使い始めよう

Windows 10の特徴と機能を知ろう

Windows 10は、パソコンやタブレットなど、**さまざまな機器に対応したOS**です。新しいスタートメニューの搭載、マウスやタッチ操作に合わせた画面など、**機能や操作が使いやすく進化**しています。

第1章 Windows 10を使い始めよう

1 スタートメニュー

<スタート>をクリックすると、スタートメニューが表示されます。Windows 10のスタートメニューの左側にはパソコンの基本的な機能とアプリの一覧が、右側には主要なアプリやコンテンツがタイル上に配置されています（Sec.03、Sec.78 参照）。

よく使うアプリがワンクリックで起動できるタイルが表示されています。

このパソコンに入っているアプリの一覧が表示されています。

スタートメニューは全画面で表示することもできます（P.207参照）。

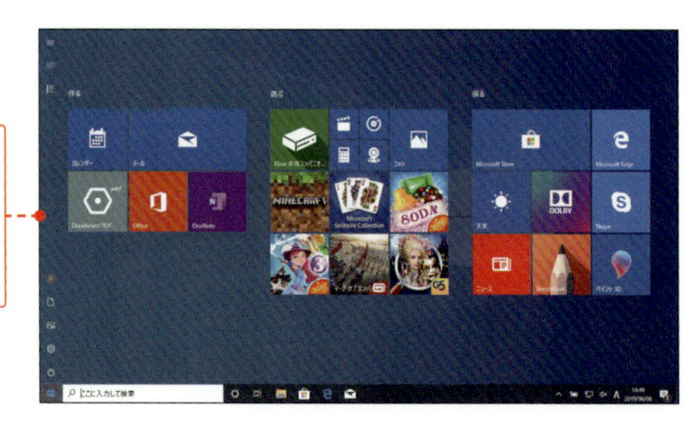

2 タスクビュー

タスクバーの＜タスクビュー＞をクリックすると、上部に「仮想デスクトップ」機能が表示されます。中央には、起動中のアプリやファイルなどのウィンドウが表示され、クリックするだけで切り替えることができます。また、下部には「タイムライン（履歴）」が表示され、表示や作業したファイルが日付や時刻単位で確認できます（Sec.17 参照）。

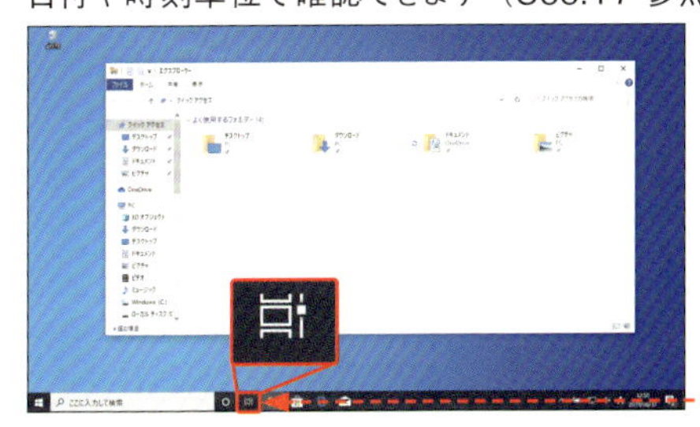

タスクバーの＜タスクビュー＞をクリックすると、タスクビューが表示されます。

仮想デスクトップ機能

仮想デスクトップは、1つのディスプレイで複数のデスクトップを利用できる機能です。それぞれのデスクトップで異なるアプリを起動して、切り替えながら作業を行うことができます。

仮想デスクトップ

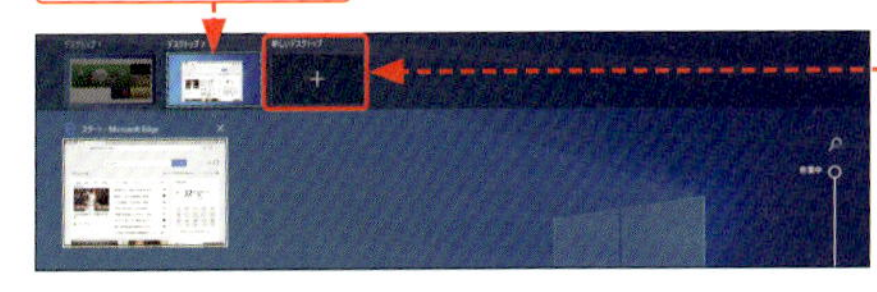

＜新しいデスクトップ＞をクリックすると、仮想デスクトップが追加されます。

タイムライン機能

タイムラインは、日付や時刻単位で、その日に開いたウィンドウやファイルの履歴などを表示します。いつ何の作業をしたのかがわかり、以前開いたWeb ページやファイルをクリックしてすばやく起動することができます。

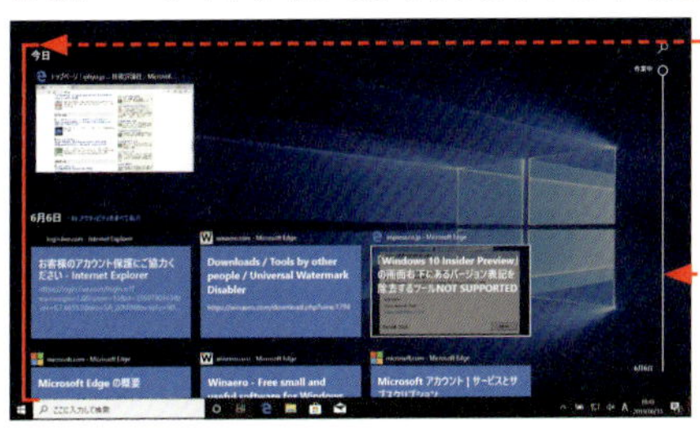

日付と開いたファイルが表示されます。

タイムライン

3 タブレットモードへの切り替え

デスクトップモードとタブレットモードの切り替えができます。通常は、使用するハードウェアによって自動的にモードが切り替わりますが、<通知>アイコンで<アクションセンター>を表示して、切り替えることもできます。タブレットモードでは、アプリが全画面で表示されます。

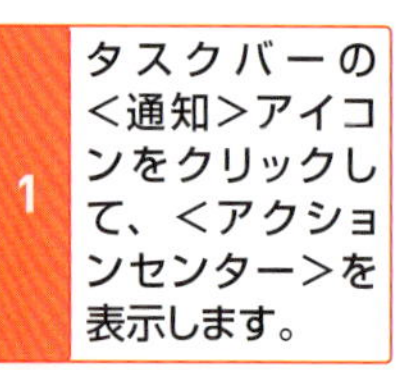

1 タスクバーの<通知>アイコンをクリックして、<アクションセンター>を表示します。

2 デスクトップモードとタブレットモードを切り替えることができます。

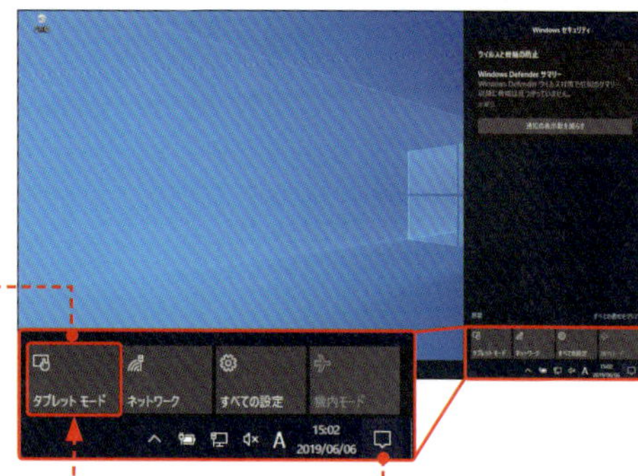

タブレットモードを使用できないパソコンの場合は、ボタンはグレー化しています。

<通知>アイコン

デスクトップモード

デスクトップモードでは、アプリがウィンドウで表示されます。

タブレットモード

タブレットモードでは、アプリが全画面で表示されます。

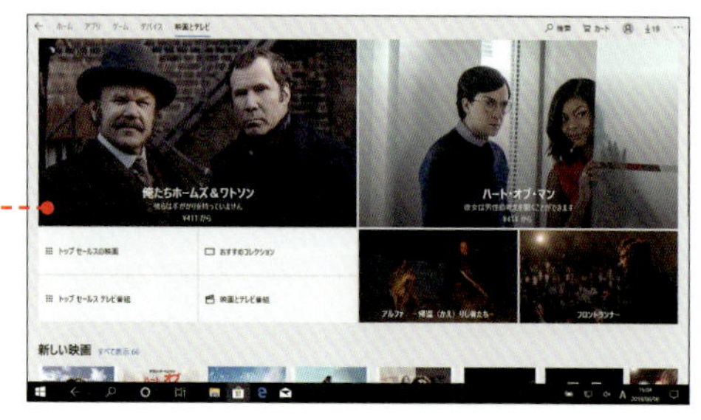

4 検索機能

2019年春のアップデートで、それまで一体だった検索ボックスとCortanaが分離しています。検索ボックスにキーワードを入力して検索します。検索ボックスをクリックすると、よく使うアプリの一覧やWeb検索履歴が表示されます。上部の項目から目的のフォルダーをクリックすると、より的確な検索が行えます。

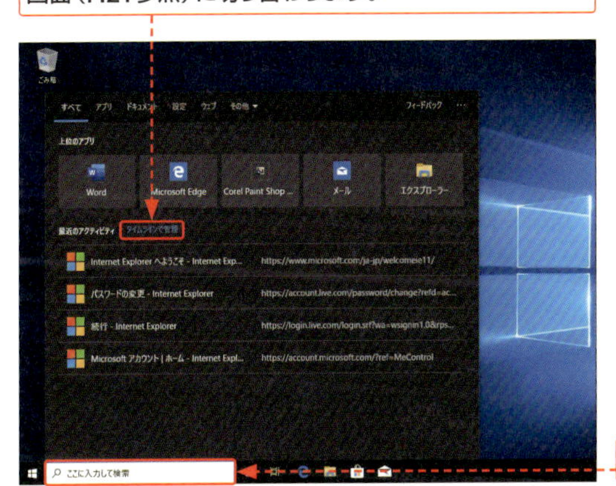

5 Cortana(コルタナ)

音声認識アシスタント機能「Cortana（コルタナ）」が利用できます。Cortanaの◯をクリックすると、マイク機能が起動して、話しかけると、内容に沿った対応をしてくれます（Sec.72参照）。

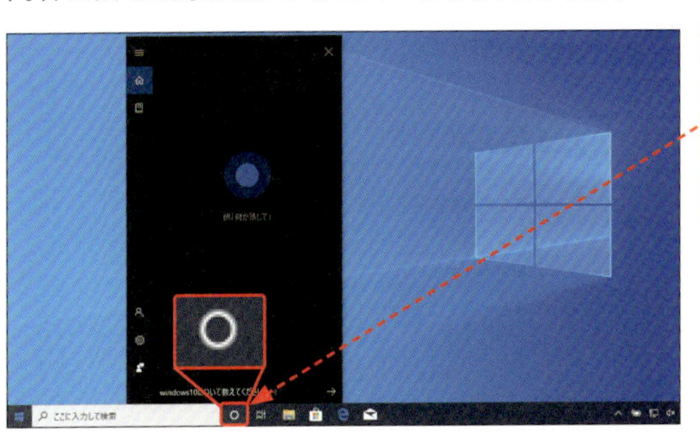

Windows 10を起動／終了しよう

パソコンの電源を入れるとWindows 10が起動するので、パスワードを入力して、Windowsにサインインします。Windows 10を終了するには、＜電源＞から＜シャットダウン＞をクリックします。

1 Windows 10を起動する

1 電源を入れると、Windows 10が起動してロック画面が表示されます。

2 画面をクリックするか、任意のキーを押します。

複数のアカウントを設定している場合は、クリックしてユーザーを選択します。

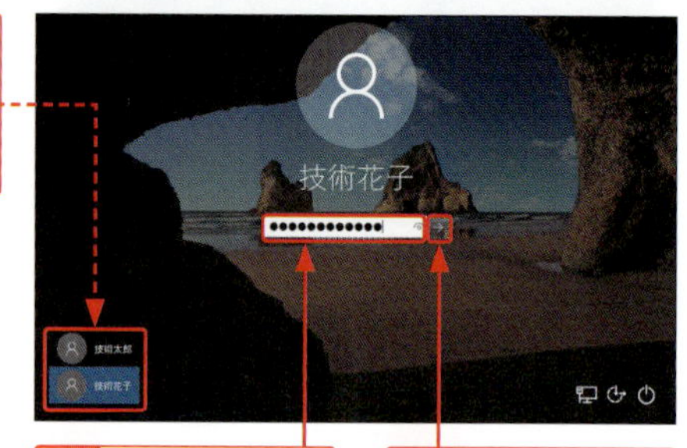

3 パスワード（またはPIN）を入力して、

4 ここをクリックするか、Enterを押すと、

5 Windows 10が起動して、デスクトップ画面が表示されます。

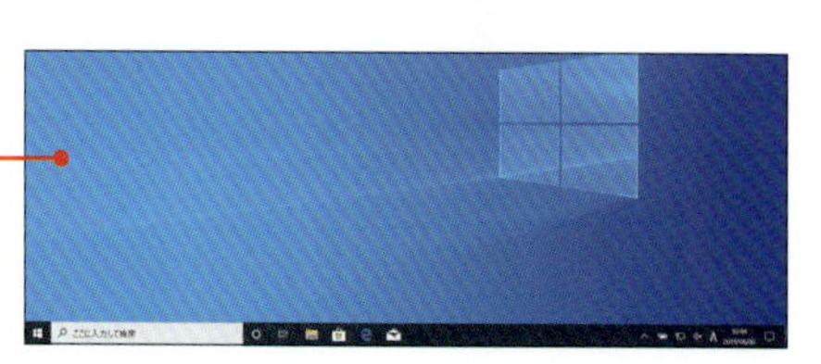

2 Windows 10を終了する

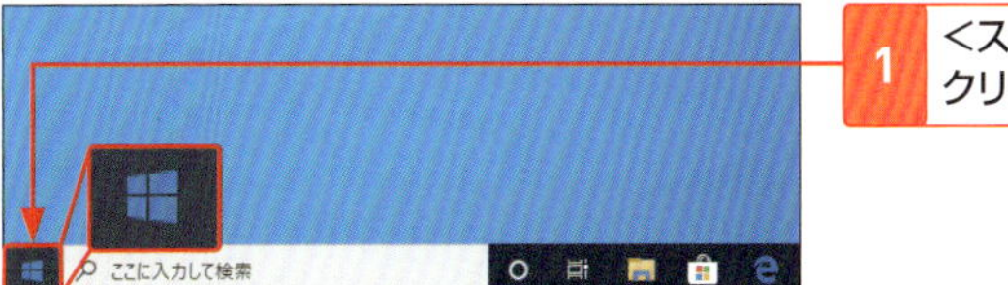

1 <スタート>をクリックします。

2 <電源>をクリックして、

3 <シャットダウン>をクリックすると、

4 Windows 10が終了して、パソコンの電源が切れます。

Memo そのほかの終了方法

<スタート> を右クリックして、<シャットダウンまたはサインアウト>にマウスポインターを合わせ、<シャットダウン>をクリックしても終了できます。

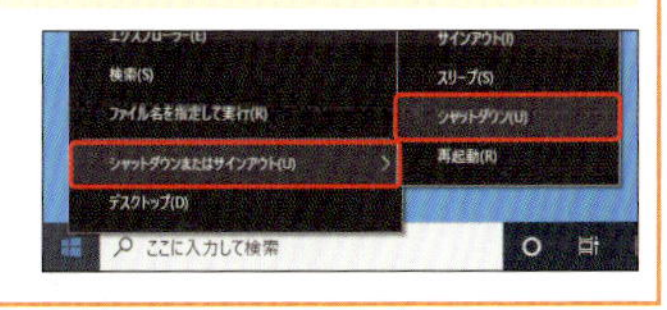

Keyword サインアウト／スリープ／再起動

上記の手順3やMemoの画面で表示される「サインアウト」「スリープ」「再起動」の機能は以下のとおりです。

項　目	機　能
サインアウト	サインインしたユーザーの操作環境だけを終了する機能です。ロック画面に戻ります。
スリープ	作業中のままパソコンの動作を一時的に停止・待機させる機能です。キーやマウスを操作すれば、すぐにもとの状態で再開できます。
再起動	起動しているすべてのアプリを終了して、パソコンを起動し直します。

スタートメニューの構成と機能を知ろう

Windows 10のスタートメニューには、左側に<電源>や<設定>などのパソコンの基本的な機能と、インストールされているアプリの一覧が、右側にはアプリのタイルが表示されます。

1 スタートメニューを表示する

1 <スタート>をクリックすると、

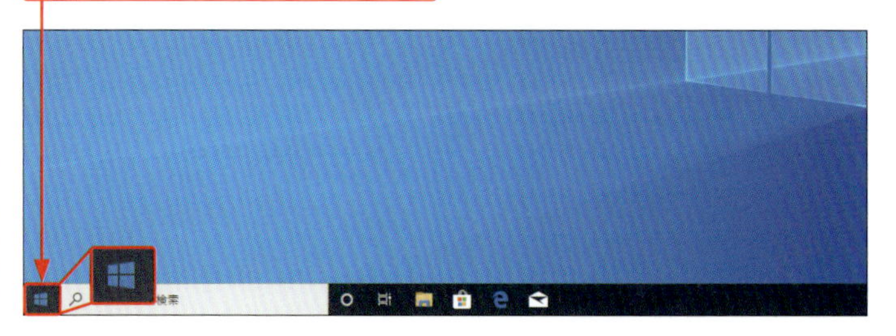

2 スタートメニューが表示されます。

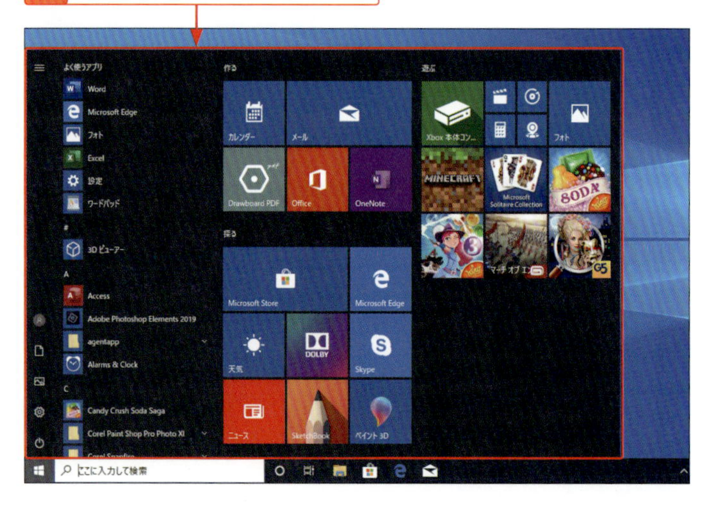

2 スタートメニューの構成と機能

ナビゲーションバー

フォルダーをワンクリックで呼び出すことができるアイコンと電源アイコンなどが表示されています(P.28参照)。

よく使うアプリ

何度も使うアプリは、自動的に表示されます(Memo参照)。アプリを探さなくてもすばやく起動できます。

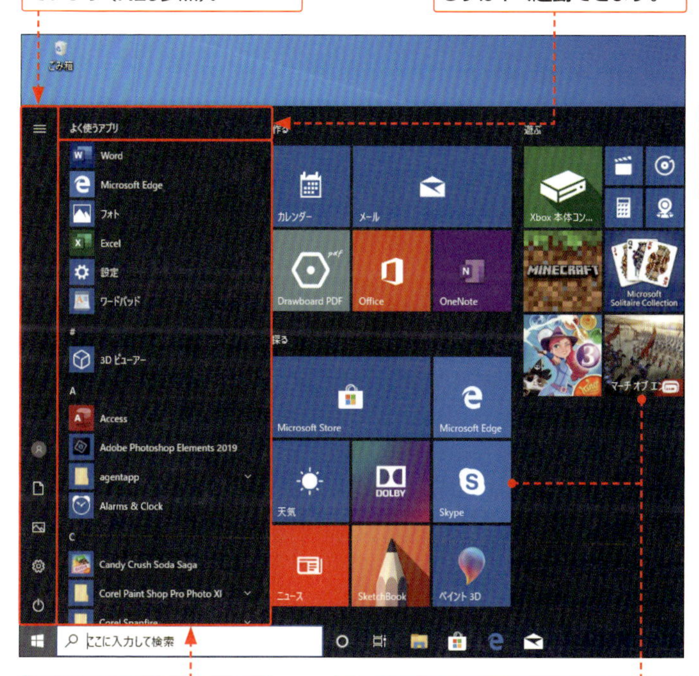

アプリの一覧

パソコンにインストールされているすべてのアプリがアルファベット順(日本語は五十音順)に表示されます。

主要なアプリやコンテンツがタイル状に配置されています。タイルは、サイズや表示の変更、移動、追加や削除などが自由に行えます(Sec.78参照)。

Memo

＜よく使うアプリ＞の表示

＜よく使うアプリ＞が表示されない場合は、＜設定＞画面(Sec.74参照)の＜個人用設定＞→＜スタート＞の＜よく使うアプリを表示する＞をオンにします。

3 ナビゲーションバーの使い方

ナビゲーションバーの<展開>アイコンにマウスポインターを近づけると、幅が広がります。

ユーザーアカウント
サインインしているユーザーにアカウント名と画像が表示されます(Hint参照)。

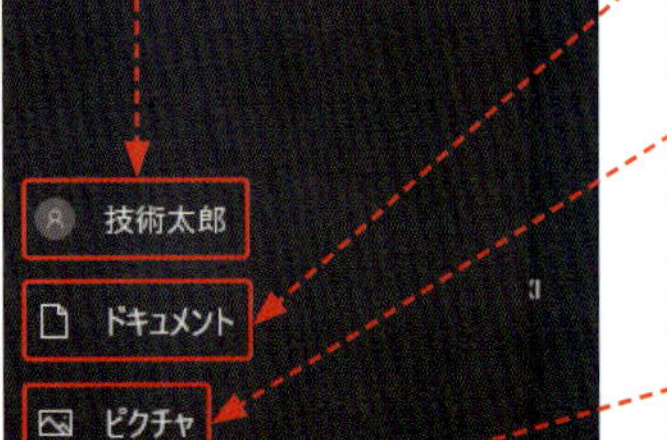

ドキュメント
エクスプローラーの<ドキュメント>フォルダーを表示します。

ピクチャ
エクスプローラーの<ピクチャ>フォルダーを表示します。

設定
Windowsの詳細な設定を変更する画面を表示します(Sec.74参照)。

電源
Windows 10の終了、または再起動、スリープを選択できます(P.25 Keyword参照)。

Hint アカウントの切り替え

複数のアカウントを設定しているパソコンでは、Windowsを使用中でもほかのアカウントに切り替えることができます。<スタート>をクリックして、ユーザーアカウントをクリックします。サインインできるアカウントが表示されるので、目的のユーザーをクリックします。ユーザーのロック画面でパスワードを入力してEnterを押します。

切り替えたいユーザーをクリックします。

＜ドキュメント＞フォルダー

作成した文書などを保存するフォルダーです。すばやくファイルを開くことができます。

＜ピクチャ＞フォルダー

写真の一覧をすばやく表示できます。

Memo

ナビゲーションバーのアイコン

ナビゲーションバーには、既定で＜ドキュメント＞と＜ピクチャ＞が表示されます。エクスプローラーを起動して、フォルダーを開く操作がここからワンクリックで実行できるので便利です。

ナビゲーションバーへの登録・削除は、＜設定＞画面（Sec.74参照）の＜個人用設定＞→＜スタート＞の＜スタートメニューに表示するフォルダーを選ぶ＞で行うことができます。なお、＜ユーザーアカウント＞と＜電源＞は削除できません。

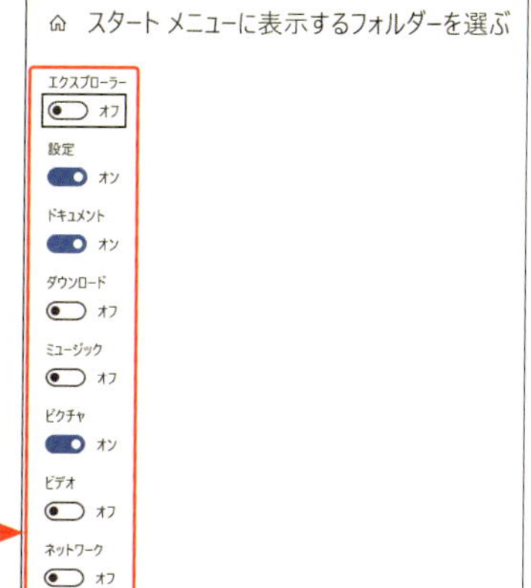

ここで表示するフォルダーを選択できます。

Microsoftアカウントで Windows 10を使おう

Windows 10にサインインするためのアカウントには、ローカルアカウントとMicrosoftアカウントがあります。パソコンの用途やほかのパソコンとの連携を考えて、アカウントの種類を選びます。

1 ローカルアカウントとMicrosoftアカウント

「アカウント」とは、パソコンを利用したり、インターネット上の各種サービスを利用するための権利のことです。Windows 10では、ローカルアカウントとMicrosoftアカウントの2種類のアカウントを利用できます。

ローカルアカウント

ローカルアカウントとは、特定のパソコンにサインインして利用するための権利です。
Windows 10やアプリケーションなどの設定は、そのパソコンのみでしか利用できません。

- ほかのパソコンとは共通設定を利用できない。
- OneDriveやOutlook.comなどの、マイクロソフトの各種サービスを利用できない。

Microsoftアカウント

Microsoftアカウントでサインインすると、マイクロソフトが提供する各種サービスや各種アプリを利用できます。また、パソコンの一部の設定がインターネット上に保存されます。

- Windows 10がインストールされているほかのパソコンにMicrosoftアカウントでサインインすれば、同じ環境で使用することができる。
- OneDriveやOutlook.comなどの、マイクロソフトの各種サービスを利用できる。

2 使用中のアカウントの種類を確認する

アカウントの種類は、＜設定＞画面の＜アカウント＞で確認することができます。また、アカウントの種類の切り替えも、この画面から行うことができます（Sec.05 参照）。

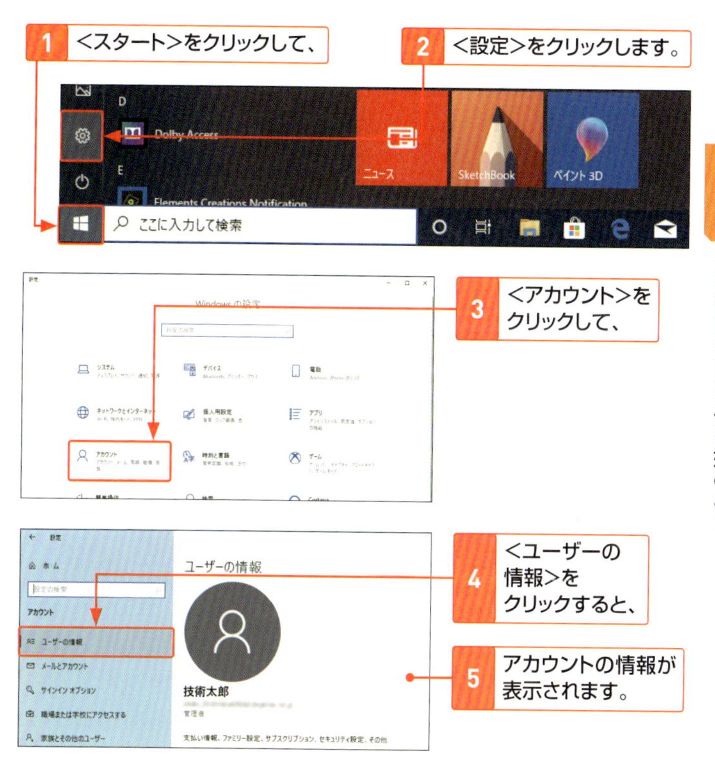

Microsoft アカウントの場合

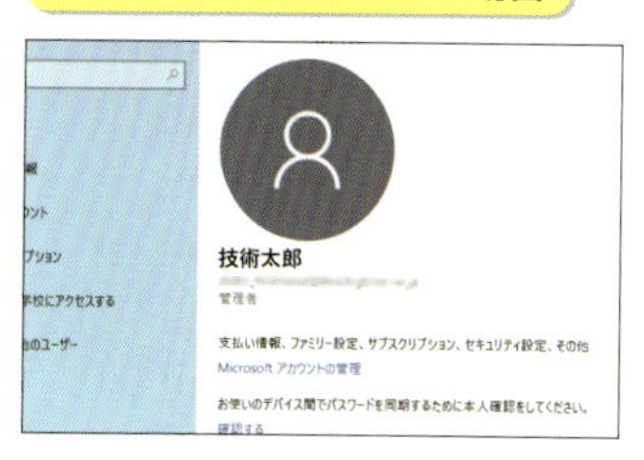

ローカルアカウントの場合

Microsoftアカウントを取得しよう

ローカルアカウントでサインインしている場合でも、Microsoftアカウントに切り替えるのはかんたんです。本書は、Microsoftアカウントでの利用を前提にしています。ここで作成しておきましょう。

1 Microsoftアカウントに切り替える

ローカルアカウントでサインインしています。

1 <スタート>をクリックして、

2 <設定>をクリックします。

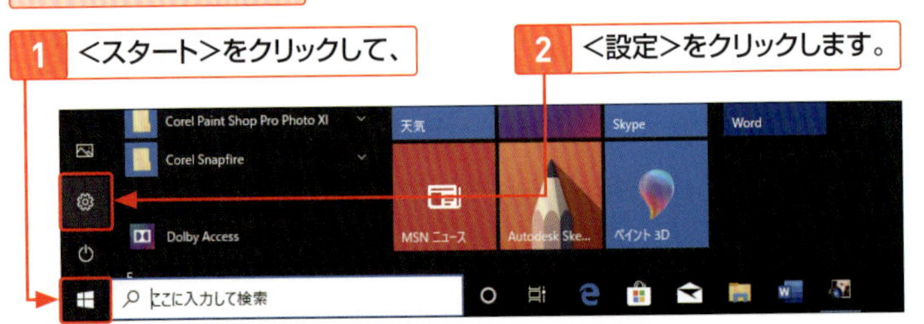

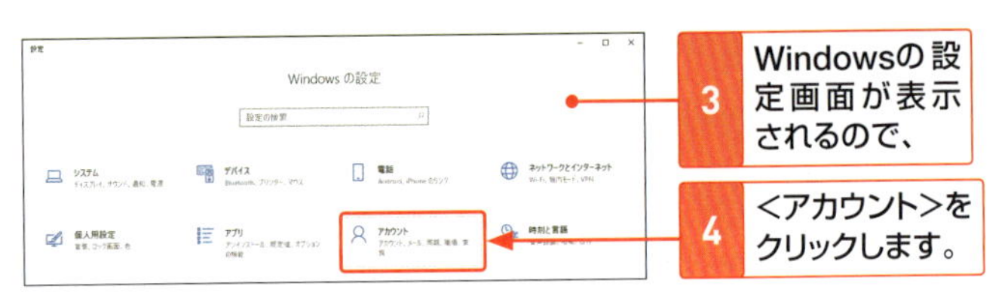

3 Windowsの設定画面が表示されるので、

4 <アカウント>をクリックします。

5 <ユーザーの情報>を クリックして、

6 <Microsoftアカウントでのサインインに切り替える>をクリックします。

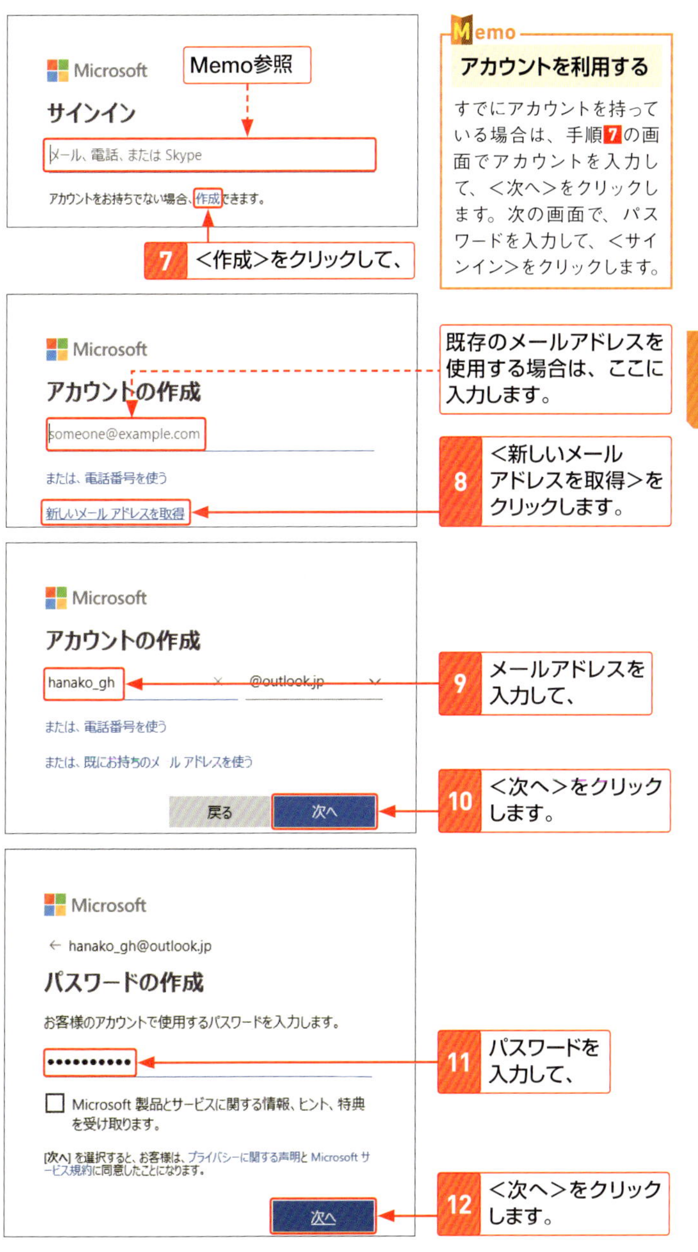

7 <作成>をクリックして、

既存のメールアドレスを使用する場合は、ここに入力します。

8 <新しいメールアドレスを取得>をクリックします。

9 メールアドレスを入力して、

10 <次へ>をクリックします。

11 パスワードを入力して、

12 <次へ>をクリックします。

Memo

アカウントを利用する

すでにアカウントを持っている場合は、手順**7**の画面でアカウントを入力して、<次へ>をクリックします。次の画面で、パスワードを入力して、<サインイン>をクリックします。

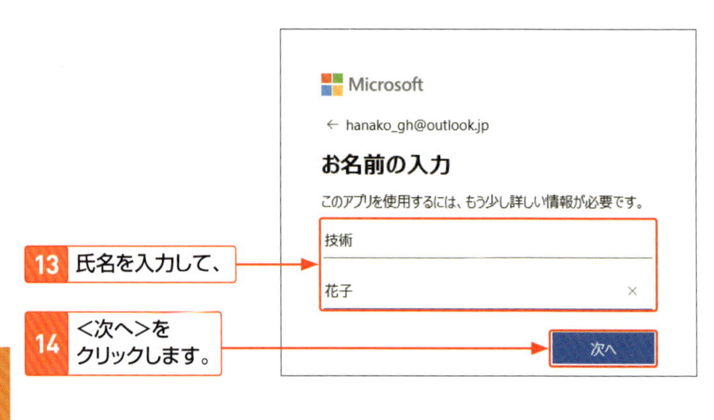
Microsoft
← hanako_gh@outlook.jp
お名前の入力
このアプリを使用するには、もう少し詳しい情報が必要です。
技術
花子
次へ
13 氏名を入力して、
14 <次へ>をクリックします。

第1章

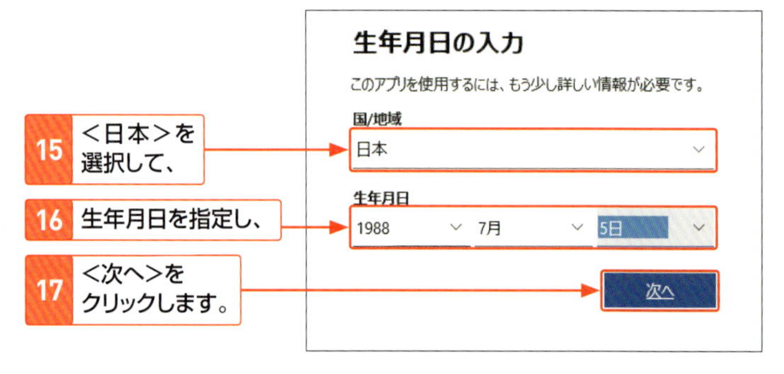
生年月日の入力
このアプリを使用するには、もう少し詳しい情報が必要です。
国/地域
日本
生年月日
1988
7月
5日
次へ
15 <日本>を選択して、
16 生年月日を指定し、
17 <次へ>をクリックします。

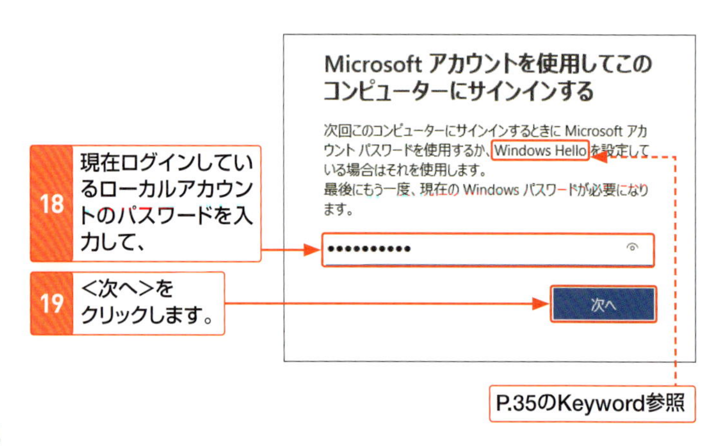
Microsoft アカウントを使用してこのコンピューターにサインインする
次回このコンピューターにサインインするときに Microsoft アカウント パスワードを使用するか、Windows Hello を設定している場合はそれを使用します。
最後にもう一度、現在の Windows パスワードが必要になります。
次へ
18 現在ログインしているローカルアカウントのパスワードを入力して、
19 <次へ>をクリックします。
P.35のKeyword参照

20 PINを作成する画面が表示されるので、

Keyword

PIN

「PIN」（ピン）とは、パスワードの代わりに使用する4桁以上の暗証番号のことです。

21 <次へ>をクリックします。

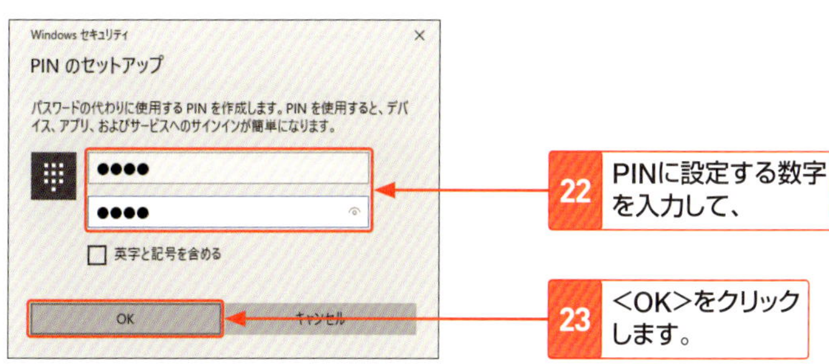

22 PINに設定する数字を入力して、

23 <OK>をクリックします。

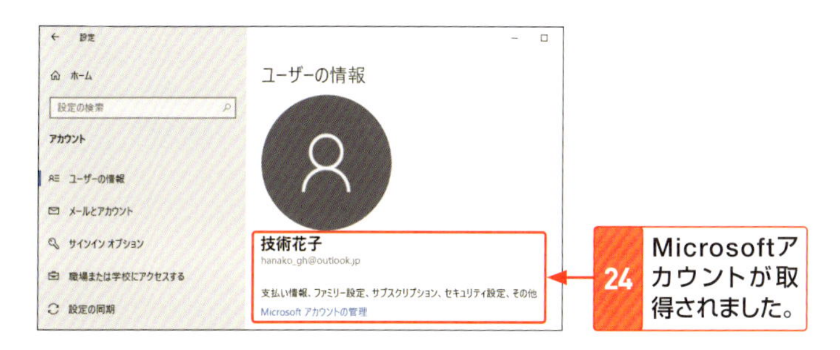

24 Microsoftアカウントが取得されました。

Keyword

Windows Hello

「Windows Hello」とは、パスワードの代わりに指紋や顔などの生体認証でWindows 10にサインインする機能です。利用するには、パソコンにWindows Hello対応のカメラや指紋リーダーが搭載されている必要があります。

文字入力アプリのワードパッドを開こう

Windowsを使ううえで、インターネットで検索したり、ファイルを作成したりするには、文字を入力する必要があります。本書では、文字入力をマスターするためにワードパッドを使います。

1 ワードパッドを起動する／終了する

1 <スタート>をクリックして、

2 <Windowsアクセサリ>をクリックし、

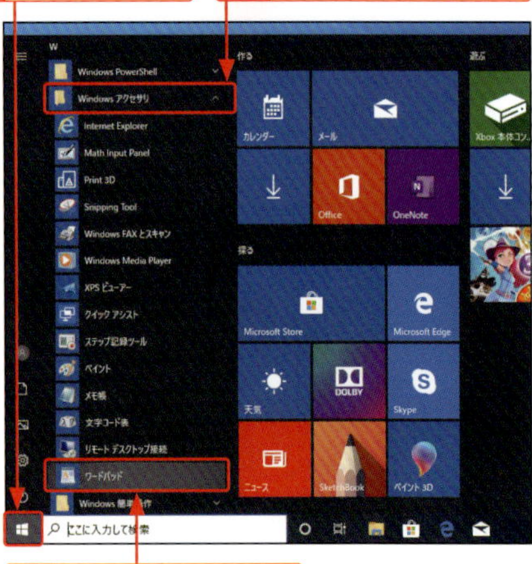

3 <ワードパッド>をクリックします。

Keyword

ワードパッド

「ワードパッド」は、Windowsに標準で付属する文書作成用のアプリです。文字修飾や画像・図形などの編集もできます。

4 ワードパッドが起動します。

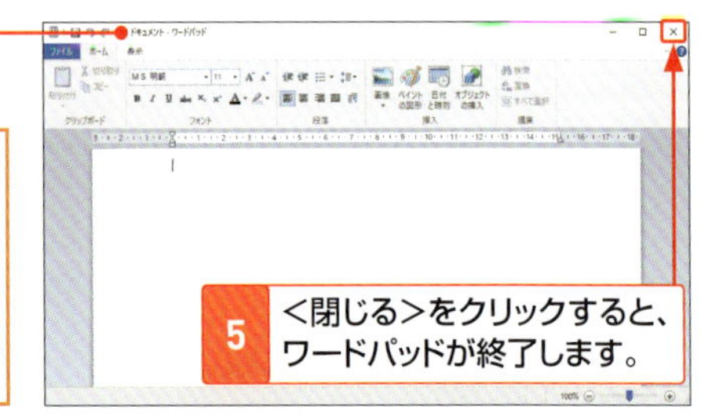

5 <閉じる>をクリックすると、ワードパッドが終了します。

Memo

そのほかの終了方法

<ファイル>タブをクリックして<終了>をクリックすると、ワードパッドが終了します。

2 ワードパッドの画面構成

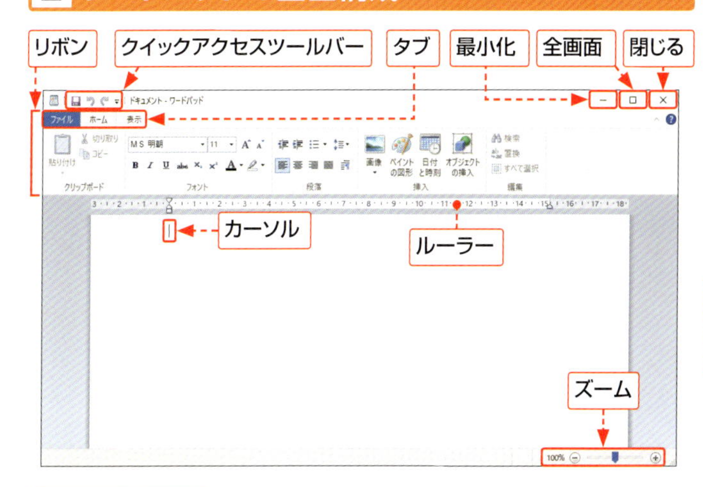

＜ファイル＞タブ

ファイルの保存や印刷など、ファイルにかかわる機能が用意されています。

＜ホーム＞タブ

文字の入力や文書の編集にかかわる機能が用意されています。

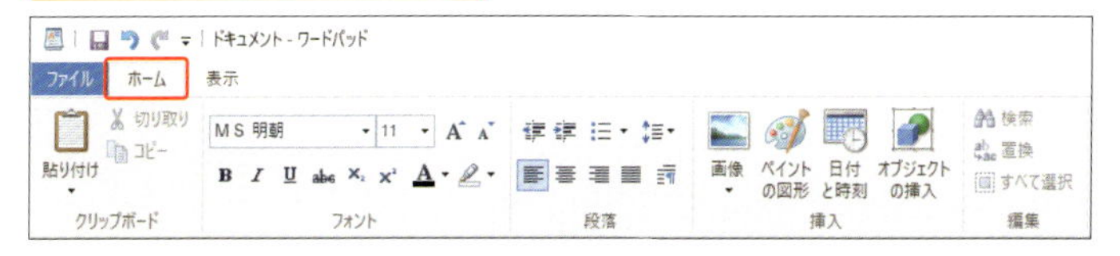

＜表示＞タブ

表示倍率やルーラーなど、画面表示にかかわる機能が用意されています。

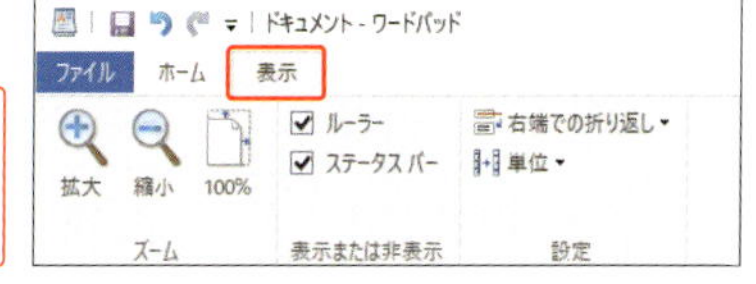

文字入力の準備をしよう

文字入力の前に、入力形式や入力方式を決めます。日本語は「ひらがな」入力モード、英数字は「半角英数字」入力モードに切り替えます。また、日本語を入力する方式にはローマ字入力とかな入力があります。

1 入力モードの違い

Keyword

入力モード

「入力モード」とは、キーを押したときに入力される「ひらがな」や「半角英数」などの文字の種類を選ぶ機能です。

日本語入力（ローマ字入力の場合）

1 入力モードを「ひらがな」にして（P.39参照）、

ぱそこん

2 キーボードでPASOKONNとキーを押します。

3 Spaceを押して変換して、Enterを押して確定します。

パソコン

英字入力

1 入力モードを「半角英数字」にして（P.39参照）、

snow

2 キーボードでSNOWとキーを押すと、直接入力されます。

Memo

日本語入力と英字入力

日本語を入力するには「ひらがな」入力モードにして、文字キーを押してひらがな（読み）を入力します。Spaceを押して、漢字やカタカナに変換します。英字の場合は「半角英数字」入力モードにして、英字キーを押すと小文字で入力されます。

2 入力モードを切り替える

「ひらがな」入力モードの状態です。

1 ＜入力モード＞を右クリックして、

2 ＜全角英数字＞をクリックすると、

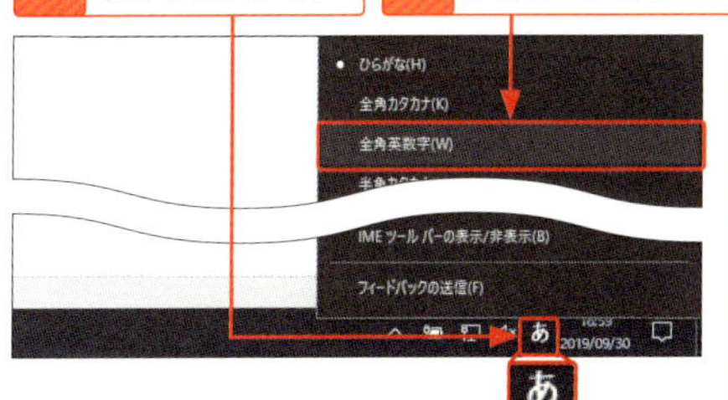

Hint

入力モードの切り替え

＜入力モード＞をクリックするたびに、「ひらがな」入力モードと「半角英数字／直接入力」入力モードが切り替わります。

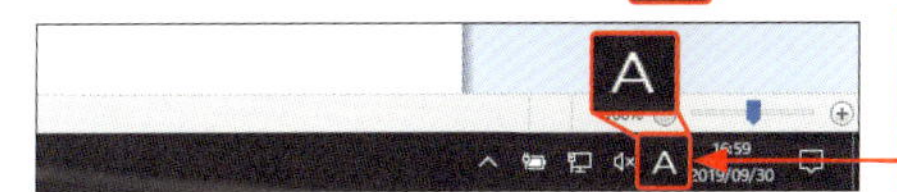

3 「全角英数字」入力モードに切り替わります。

3 「ローマ字入力」に切り替える

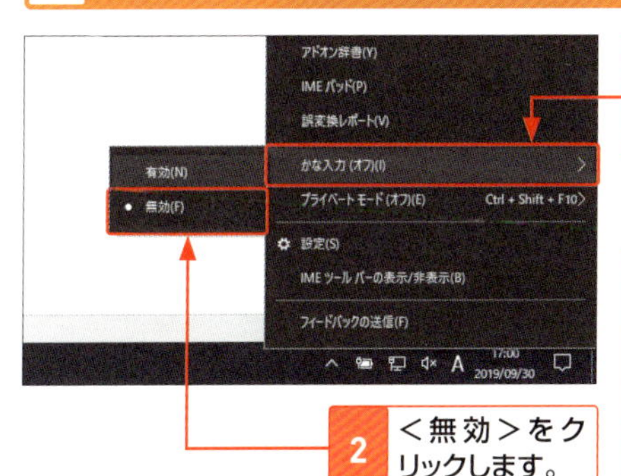

1 ＜入力モード＞を右クリックして＜かな入力＞をクリックし、

2 ＜無効＞をクリックします。

Memo

入力方式

入力方式はかな入力を有効にするか、無効（ローマ字入力）にするかで切り替えます。

Hint

メニュー表示が異なる場合

＜入力モード＞を右クリックすると右図のように表示される場合は、＜ローマ字入力/かな入力＞をクリックして、＜ローマ字入力＞をクリックします。

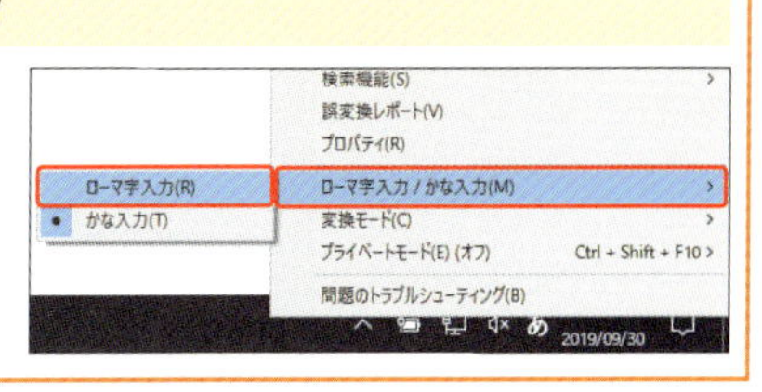

英数字を入力しよう

アルファベットや数字は、通常は「半角英数字」入力モードで入力します。ただし、日本語と英数字が混在する文章を入力する場合は、「ひらがな」入力モードで入力するほうが便利です。

1 「半角英数字」入力モードで英数字を入力する

ここでは「Windows 10」と入力します。

1 <入力モード>を「半角英数字」に切り替えます（Sec.07参照）。

2 Shiftを押しながらWを押して、

3 Shiftを放してINDOWSを押します。

Hint

大文字と小文字の入力

入力モードが「半角英数字」の場合、英字キーを押すと小文字の英字が入力され、Shiftを押しながら英字キーを押すと大文字が入力されます。

4 Spaceを押してスペースを入力し、

5 10を押します。

2 「ひらがな」入力モードで英字を入力する

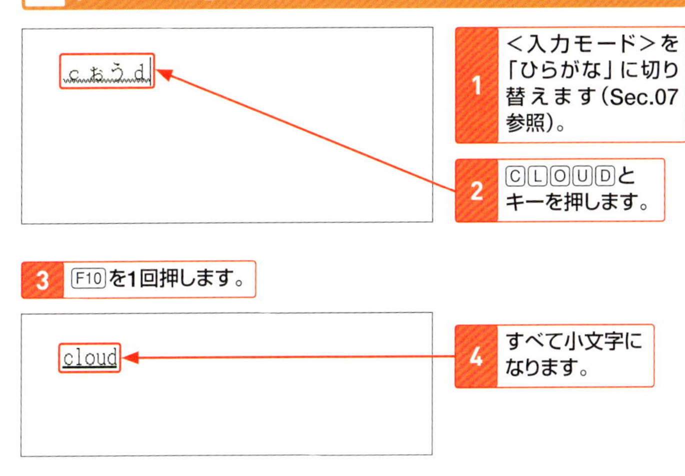

3 F10を1回押します。

5 F10をもう1回押します。

CLOUD

6 すべて大文字になります。

7 F10をもう1回押します。

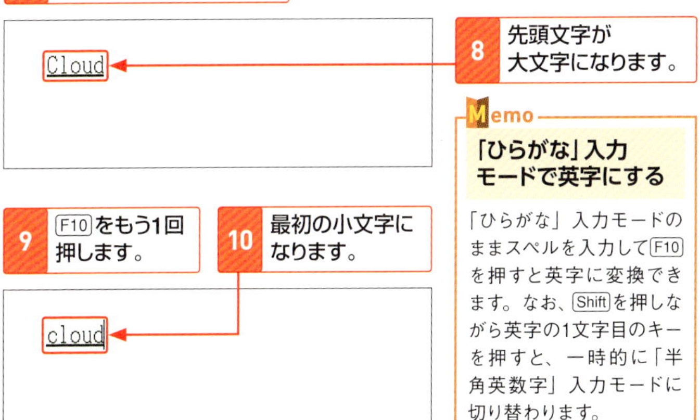

Memo

「ひらがな」入力モードで英字にする

「ひらがな」入力モードのままスペルを入力してF10を押すと英字に変換できます。なお、Shiftを押しながら英字の1文字目のキーを押すと、一時的に「半角英数字」入力モードに切り替わります。

日本語を入力しよう

日本語を入力するには「ひらがな」入力モードにします。文字の読みをひらがなで入力して、Spaceを押してカタカナや漢字に変換します。直接カタカナに変換する場合はF7を使います。

1 ひらがなを入力する

1 NIHONGOとキーを押すと、

2 読みが入力されるので、Enterを押します。

3 文字が確定して入力されます。

にほんご

にほんご

Memo 入力の確定

キーを押して読みを入力している間は、手順2のように下線が引かれています。Enterを押すと、入力が確定します。

Hint 予測文字を利用する

読みのキーを押し始めると、予測文字が表示されます。ひらがなでも漢字でも、入力する文字があれば、↓を押して候補を選択し、Enterを押します。

さくら

予測文字

桜樹会
さくら
桜
桜井
櫻井

2 漢字に変換する

ここでは「記章」を入力します。

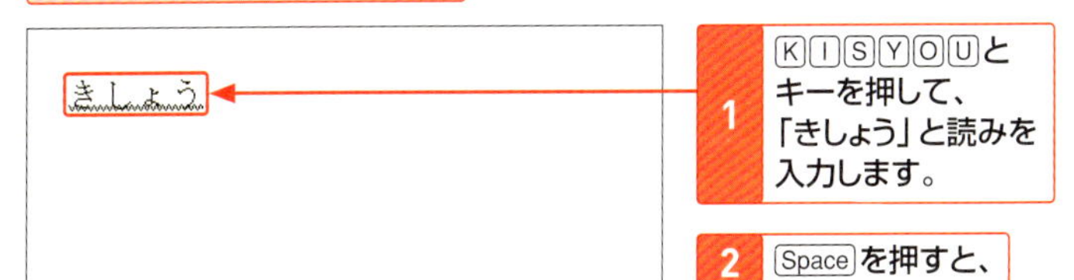

1 KISYOUとキーを押して、「きしょう」と読みを入力します。

2 Spaceを押すと、

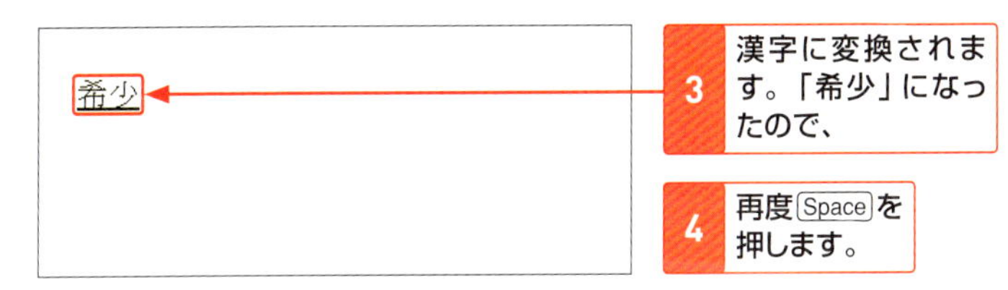

3 漢字に変換されます。「希少」になったので、

4 再度Spaceを押します。

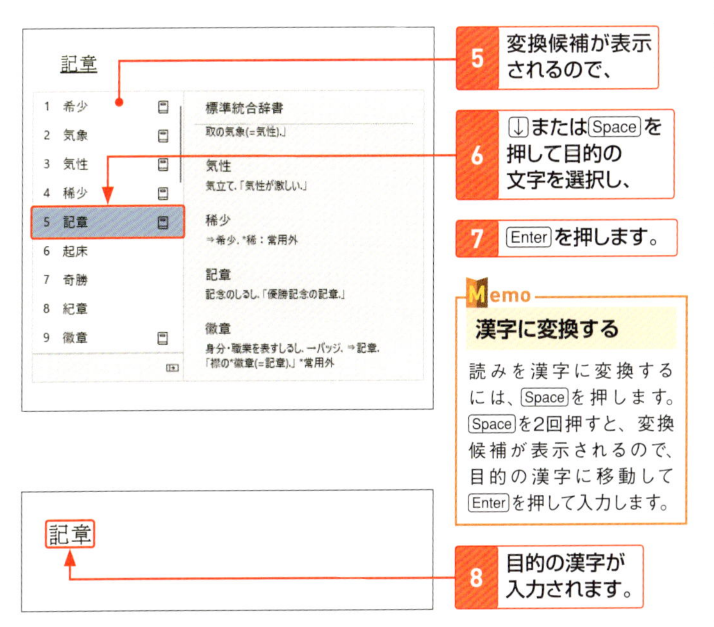

5 変換候補が表示されるので、

6 ↓またはSpaceを押して目的の文字を選択し、

7 Enterを押します。

8 目的の漢字が入力されます。

Memo

漢字に変換する

読みを漢字に変換するには、Spaceを押します。Spaceを2回押すと、変換候補が表示されるので、目的の漢字に移動してEnterを押して入力します。

文節の区切りを変更しよう

文字の入力に慣れてくると、文章も入力できるようになります。このとき、目的とは異なる区切りで変換されてしまうことがありますが、**文節を変更して変換し直す**ことで正しい文章を入力できます。

1 文節の区切りを変更する

「明日は医者に行きます。」と入力します。

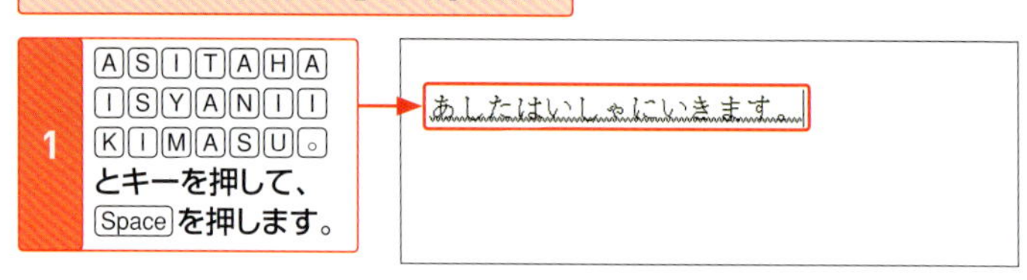

1 A S I T A H A I S Y A N I I K I M A S U 。とキーを押して、Space を押します。

あしたはいしゃにいきます。

2 複数の文節がまとめて変換されます。

明日歯医者に行きます。

3 →を押して、

4 「歯医者に」を変換対象にします。

明日歯医者に行きます。

Keyword 文節／複文節

「文節」とは、末尾に「〜ね」や「〜よ」を付けて意味が通じる、文の最小単位のことです。複数の文節で構成された文（文字列）を「複文節」といいます。

Memo 文節の変更

変換される際に、誤った文節に区切られる場合があります。←や→を押すと文節を移動できます。Shift＋←／→を使って文節の区切りを変更し、文字を変換し直します。

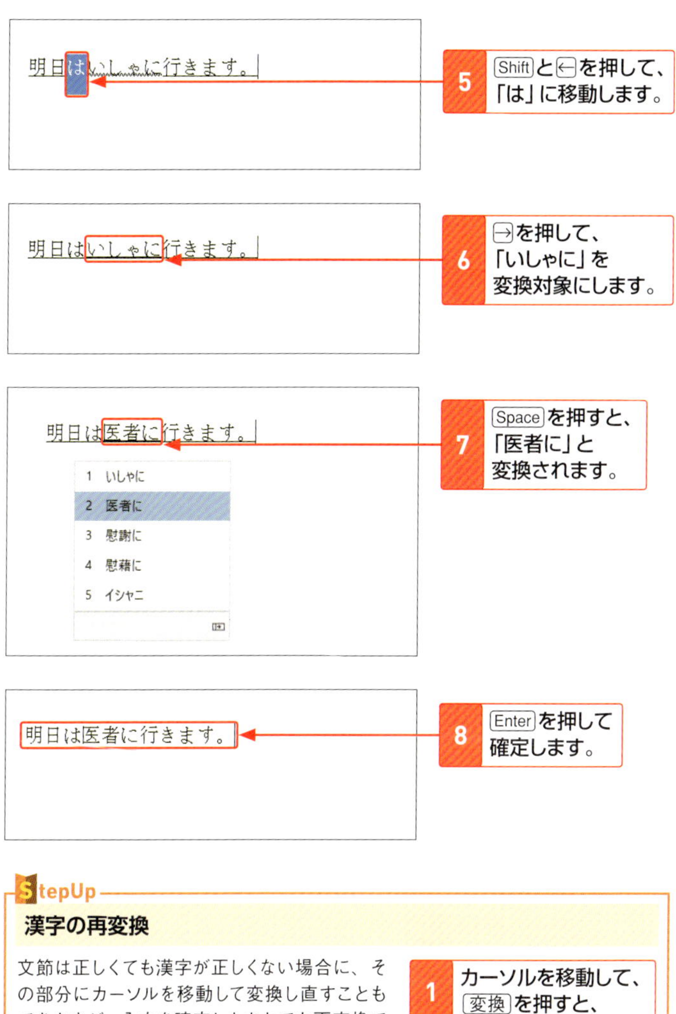

StepUp

漢字の再変換

文節は正しくても漢字が正しくない場合に、その部分にカーソルを移動して変換し直すこともできますが、入力を確定したあとでも再変換できます。変換し直したい文節にカーソルを移動して変換を押すと、変換候補が表示されるので、正しい漢字を選択します。

1 カーソルを移動して、変換を押すと、

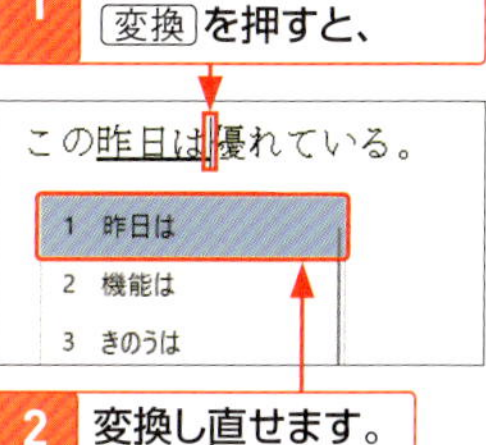

2 変換し直せます。

文字をコピー／移動しよう

同じ文字列を繰り返し入力したい場合は、ほかの位置に複写（コピー）できます。また、文字列をほかの位置に移動することもできます。これらは、**コピー**または**切り取り**と、**貼り付け**機能を利用します。

1 文字列をコピーする

1. コピーしたい文字列をドラッグして選択します。
2. <ホーム>タブの<コピー>をクリックします。
3. コピーしたい位置にカーソルを移動します。
4. <ホーム>タブの<貼り付け>の上部をクリックすると、

Hint

そのほかのコピー方法

文字列を選択して、Ctrlと[C]を同時に押し、コピー先の位置にカーソルを置いてCtrlと[V]を同時に押すとコピーできます。このようなキーを用いた操作をショートカットキーといいます。
また、選択した文字列をCtrlを押しながらマウスでコピー先までドラッグしてもコピーできます。

5 文字列が貼り付けられます。

天気予報について
　天気予報は科学的根拠に基づき行われる、近い未来の気象現象の予測
とで、気象予報ともいいます。
　厳密にいえば、過去の天気や各地の現況の天気・気圧・風向・風速・
温・湿度など大気の状態に関する情報を収集して、これをもとに特定の
や広範囲な領域に対し、当日、数週間後、数日後、数か月後の天気・風
温などの大気の状態と、それに関連する水域や地面の状態を予測して伝
ための科学技術です。
天気予報は法律上では、自然科学的方法による現象の観察および測定
果に基づく現象の予想の発表と定義されています。

Memo

コピーの繰り返し

コピー操作の文字列は、ほかの操作をしない間、何度でも貼り付けできます。

2 文字列を移動する

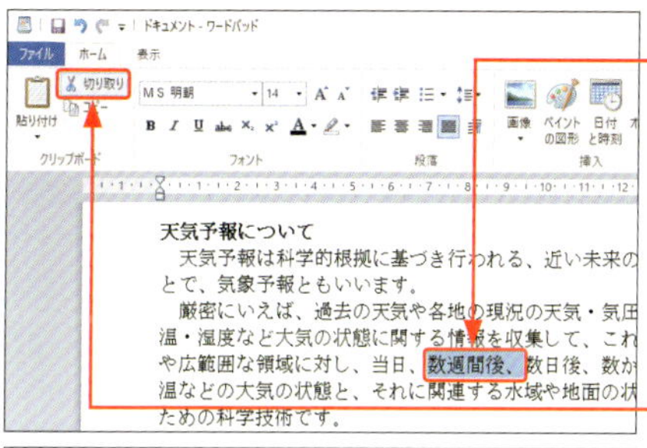

1 移動したい文字列を選択します。

2 <ホーム>タブの<切り取り>をクリックします。

3 移動したい位置にカーソルを移動します。

4 <ホーム>タブの<貼り付け>の上部をクリックすると、

5 文字列が貼り付けられます。

天気予報について
　天気予報は科学的根拠に基づき行われる、近い未来の気象現象の予測
とで、気象予報ともいいます。
　厳密にいえば、過去の天気や各地の現況の天気・気圧・風向・風速・
温・湿度など大気の状態に関する情報を収集して、これをもとに特定の
や広範囲な領域に対し、当日、数日後、数週間後、数か月後の天気・風
温などの大気の状態と、それに関連する水域や地面の状態を予測して伝
ための科学技術です。

もとの文字列はなくなります。

Hint

そのほかの移動方法

文字列を選択して、Ctrl と X を同時に押し、移動先の位置にカーソルを置いて Ctrl と V を同時に押すと移動できます。また、選択した文字列をマウスで移動先までドラッグしても移動できます。

ファイルを保存して閉じよう

文章を入力したら、ファイルとして保存しておきましょう。保存しておけば、あとから何度でも開いて、追加や編集を行うことができます。保存には、名前を付けて保存と上書き保存の２種類あります。

1 名前を付けて保存する

1 文章を入力したら、

2 <ファイル>タブをクリックします。

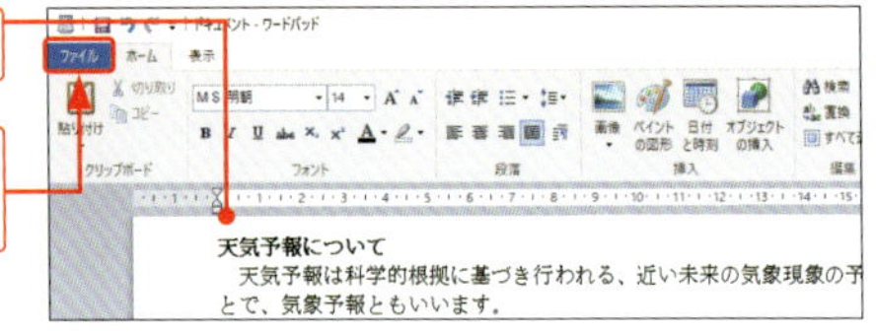

3 <名前を付けて保存>にマウスポインターを合わせます。

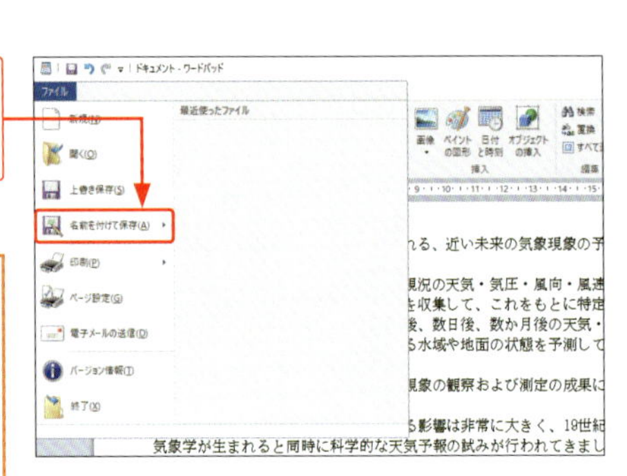

Memo ファイル形式の種類

ワードパッドの場合、ファイル形式の既定は「リッチテキスト形式」です。そのほか、文字情報だけの「テキスト形式のドキュメント」などの種類があります。形式は、<名前を付けて保存>ダイアログボックスの<ファイルの種類>でも指定することができます。

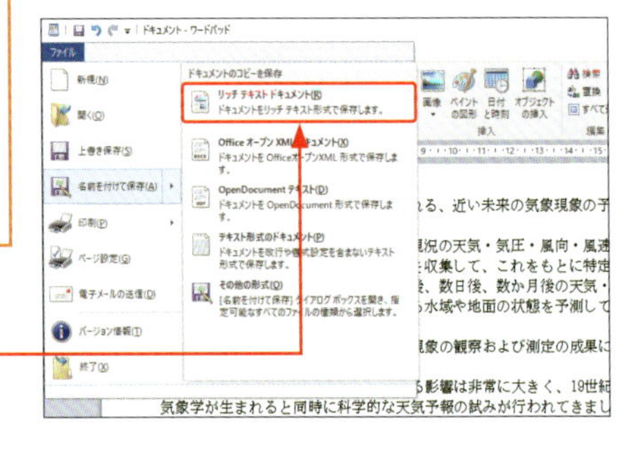

4 <リッチテキストドキュメント>をクリックします。

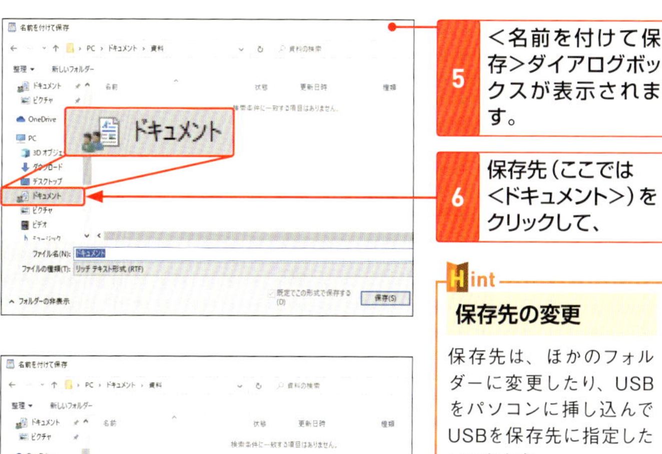

5 ＜名前を付けて保存＞ダイアログボックスが表示されます。

6 保存先（ここでは＜ドキュメント＞）をクリックして、

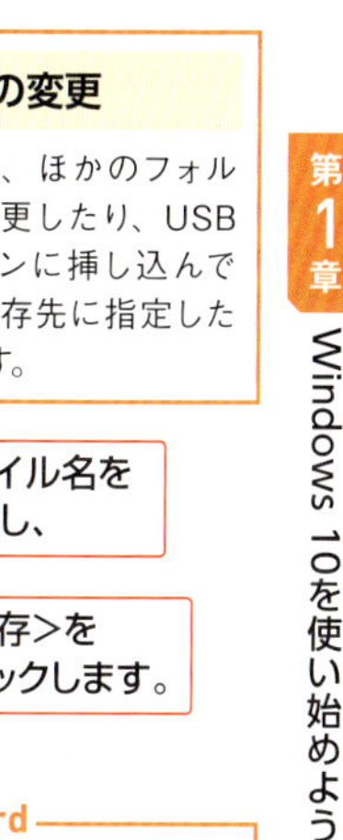

Hint

保存先の変更

保存先は、ほかのフォルダーに変更したり、USBをパソコンに挿し込んでUSBを保存先に指定したりできます。

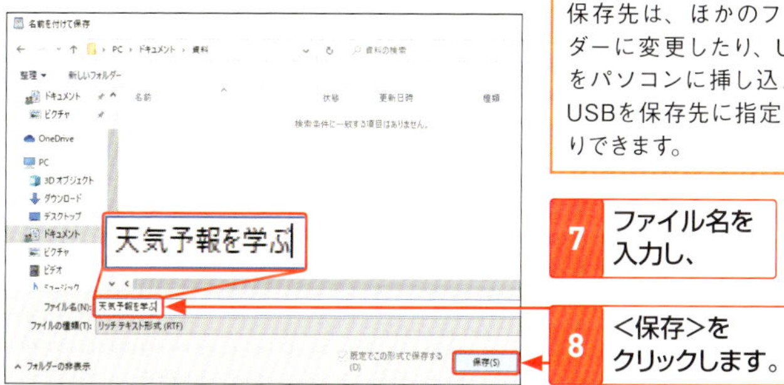

7 ファイル名を入力し、

8 ＜保存＞をクリックします。

9 保存されて、ファイル名が示されます。

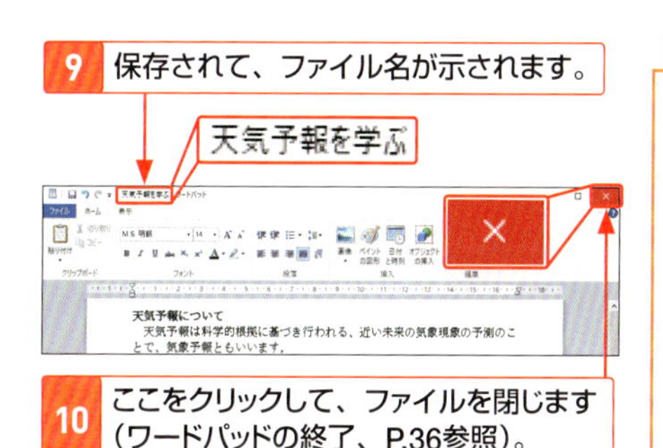

10 ここをクリックして、ファイルを閉じます（ワードパッドの終了、P.36参照）。

Keyword

名前を付けて保存

入力の途中や終了したら、名前を付けてファイルとして保存します。何のファイルかがわかるように、わかりやすい名前を付けましょう。なお、同じ保存先に同じ名前を付けて保存することはできません。

Hint

ファイルをCD／DVDに保存する

ファイルをCD／DVDに保存する場合、ファイルをいったんパソコン内、あるいはUSBメモリなどに保存してから、CD／DVDにコピーする操作を行います。CD／DVDディスクは、そのままでは使ええません。最初にフォーマットしてディスクが使えるように準備する必要があります。フォーマットの方法や保存方法については、Sec.54を参照してください。

2 上書き保存する

ボタンを利用する

Keyword

上書き保存

すでに名前を付けて保存したファイルの内容に変更を加えたあと、同じ名前のまま保存することです。もとの内容と差し替えになります。

1 保存された文書を編集しています。

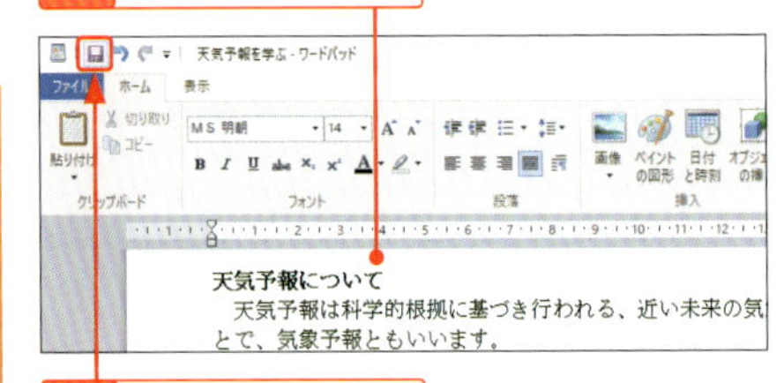

2 <上書き保存>をクリックします。

メニューを利用する

1 <ファイル>タブをクリックして、

2 <上書き保存>をクリックします。

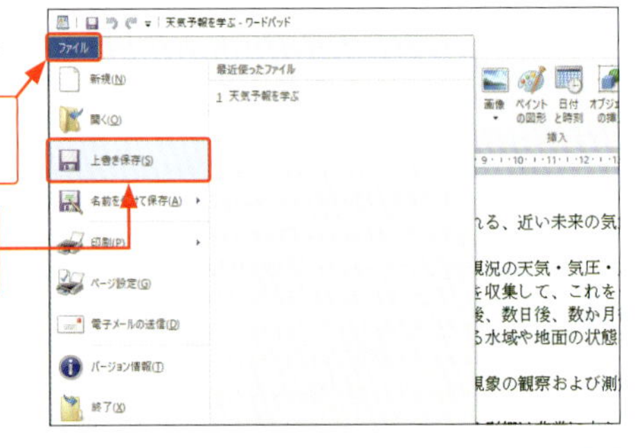

Hint

保存したファイルを開く

ワードパッドを起動して、<ファイル>タブの<開く>をクリックします。<開く>ダイアログボックスが表示されるので、保存先を指定して、目的のファイルをクリックし、<開く>をクリックします。

なお、<ファイル>タブをクリックして、<最近使ったファイル>に目的のファイルがあればクリックすると、すばやくファイルを開くことができます。

1 <ファイル>タブをクリックして、

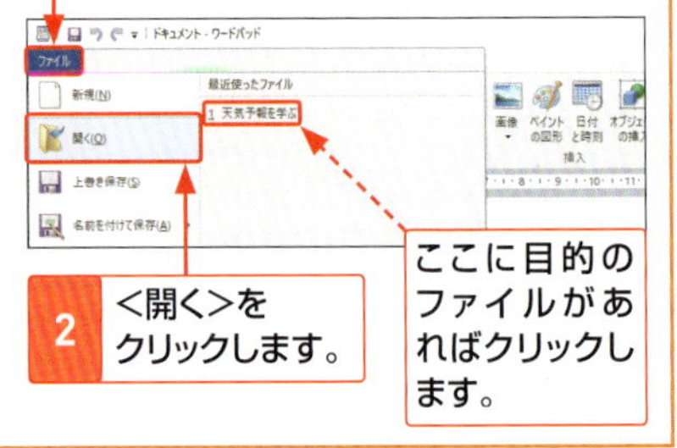

2 <開く>をクリックします。

ここに目的のファイルがあればクリックします。

第2章

Windows 10の基本操作を覚えよう

デスクトップ画面の構成と機能を知ろう

Windows 10を起動すると表示される画面全体を**デスクトップ**といいます。下部には**タスクバー**があり、左端にはスタートメニューを表示する**<スタート>**アイコンが表示されています。

1 デスクトップ画面の構成

ごみ箱
不要になったファイルやフォルダーをここに移動して削除します。ごみ箱の中からもとに戻すこともできます。

デスクトップ
アプリのウィンドウなどを表示して、さまざまな操作を行う場所です。

通知領域
ネットワークや音量、日本語入力システムの状態を示すアイコン、現在の日付、<通知>アイコンなどが表示されます。

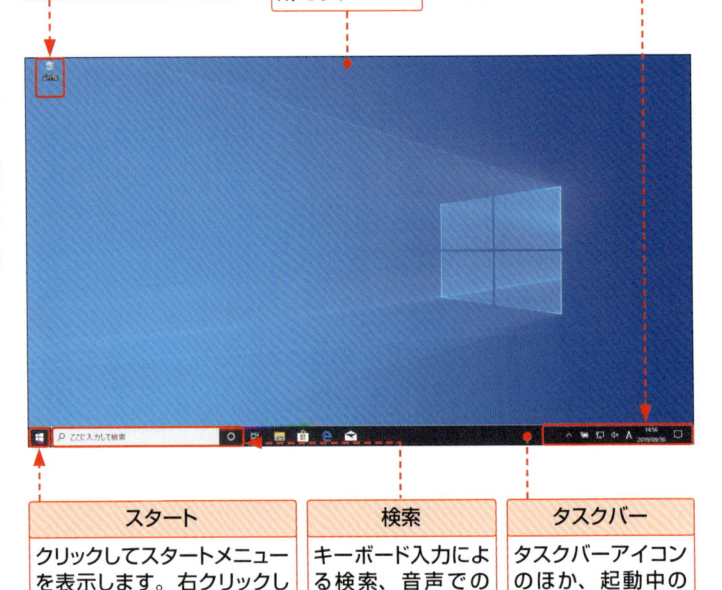

スタート
クリックしてスタートメニューを表示します。右クリックしてWindowsの各機能を呼び出すこともできます。

検索
キーボード入力による検索、音声での操作や情報の表示などができます。

タスクバー
タスクバーアイコンのほか、起動中のアプリのアイコンなどが表示されます。

2 アクションセンター

タスクバー右端の＜通知＞アイコンをクリックすると、アクションセンターが表示されます。アクションセンターの上部には通知の内容が、下部には各種設定のためのアイコンが表示されます。表示される通知の一覧や設定アイコンはカスタマイズできます（Sec.79 参照）。

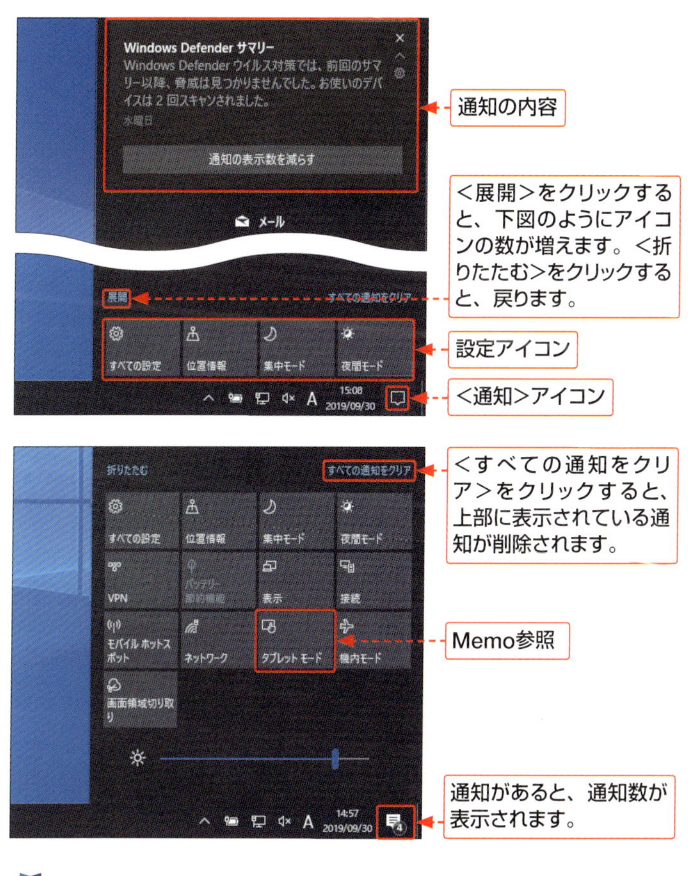

Memo

デスクトップ画面の違い

P.52のデスクトップ画面は、デスクトップモードでの画面です。タブレットモードをオンにすると、スタートメニューが全画面で表示されます。

よく使うアプリをピン留めしよう

よく使うアプリは、**タスクバーにアプリのアイコンを表示**させておく（**ピン留め**する）と便利です。タスクバーに表示されているアイコンをクリックするだけで、すばやく起動できるようになります。

1 タスクバーにアプリをピン留めする

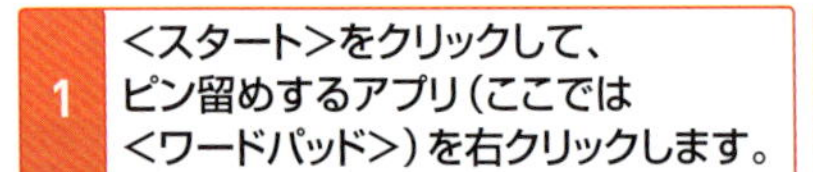

1 <スタート>をクリックして、ピン留めするアプリ（ここでは<ワードパッド>）を右クリックします。

2 <その他>にマウスポインターを合わせて、

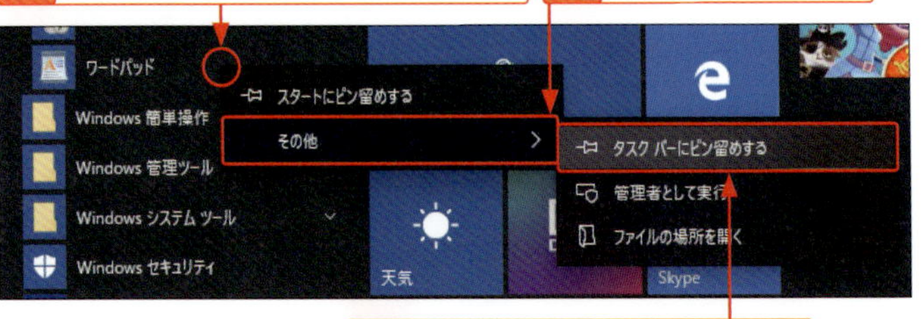

3 <タスクバーにピン留めする>をクリックすると、

4 タスクバーにアプリのアイコンが表示（ピン留め）されます。

Hint

タスクバーからピン留めする

アプリを起動すると、タスクバーにアイコンが表示されます。アイコンを右クリックして、<タスクバーにピン留めする>をクリックします。

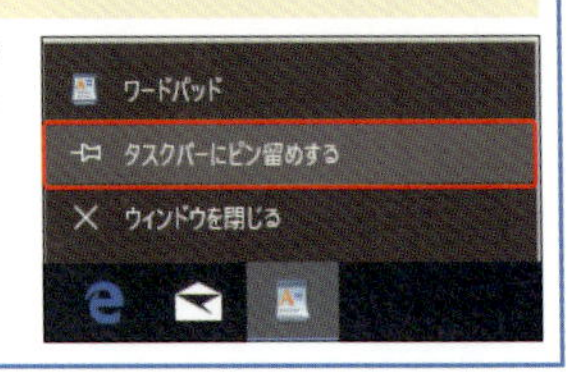

2 タスクバーからアプリのピン留めを外す

1 タスクバーにピン留めしたアプリのアイコンを右クリックして、

2 <タスクバーからピン留めを外す>をクリックすると、

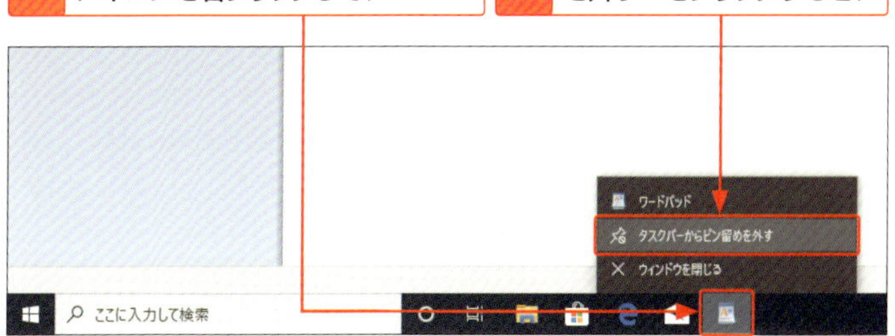

3 ピン留めが解除されます。

StepUp

スタートメニューにピン留めする／ピン留めを外す

P.54の手順2で<スタートにピン留めする>をクリックすると、スタートメニューのタイルに表示されるようになります。アプリのタイルを削除したい場合は、スタートメニューのアプリまたはアプリのタイルを右クリックして、<スタートからピン留めを外す>をクリックします。

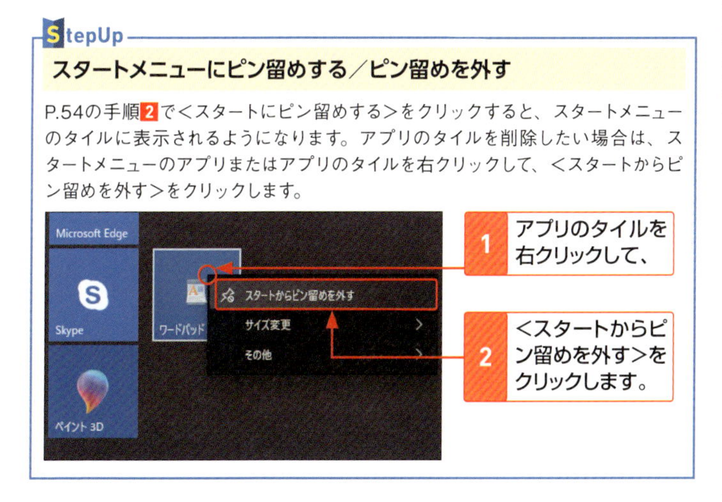

1 アプリのタイルを右クリックして、

2 <スタートからピン留めを外す>をクリックします。

目的のアプリを起動しよう

Windows 10では、すべてのアプリをデスクトップ画面で起動します。ここでは、スタートメニューからアプリを起動する方法と、タスクバーのアイコンから起動する方法を紹介します。

1 スタートメニューから起動する

Memo

スタートのタイルからアプリを起動する

起動したいアプリがスタートメニューのタイル（P.55のStepUp参照）にある場合は、手順2でタイルからアプリをクリックします。

1 <スタート>をクリックして、

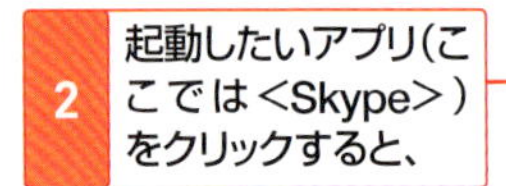

2 起動したいアプリ（ここでは<Skype>）をクリックすると、

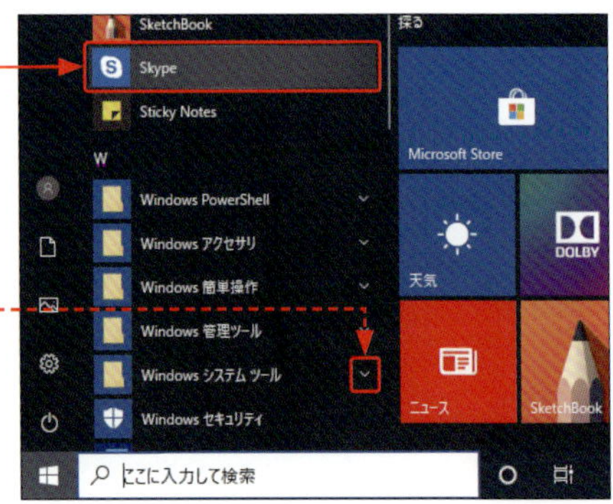

ここをクリックすると、フォルダー内のアプリが表示されます。

3 アプリが起動します。

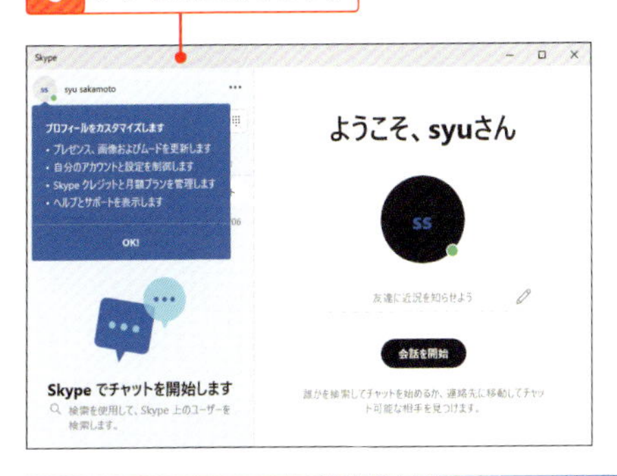

2 タスクバーから起動する

1 起動したいアプリのアイコン（ここでは<エクスプローラー>）をクリックすると、

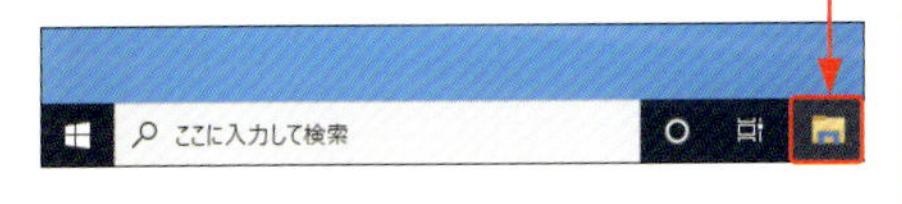

2 アプリが起動します。

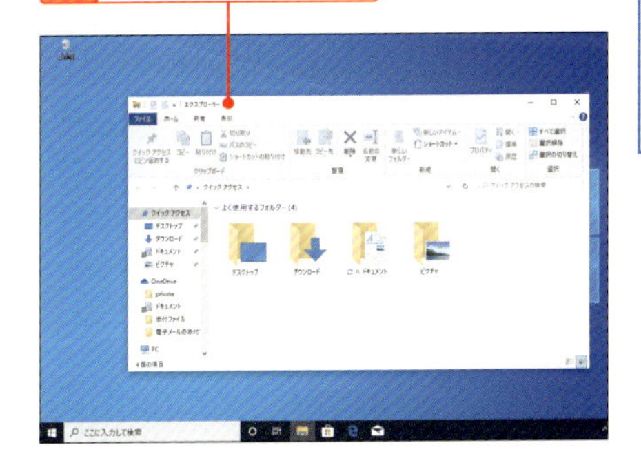

Memo

タスクバーのアイコン

タスクバーには、既定で4つのアプリ（エクスプローラー、Microsoft Store、Microsoft Edge、Mail）のアイコンが固定されています。そのほか、ピン留めしたアプリ（P.54参照）も同様に起動することができます。

Memo

ショートカットから起動する

デスクトップにショートカットを作成しておくと、アイコンをダブルクリックするだけで起動できます。アプリのショートカットを作成するには、P.80を参照してください。

複数使っているアプリを切り替えよう

デスクトップ上には複数のアプリを起動して、切り替えながら作業を行うことができます。Windows 10では、アプリを切り替えるためのタスクビューが搭載されています。

1 複数起動したアプリを切り替える

複数のアプリ（ここではエクスプローラーとMicrosoft StoreとMicrosoft Edge）を起動しています。

1 タスクバーの＜タスクビュー＞をクリックすると、

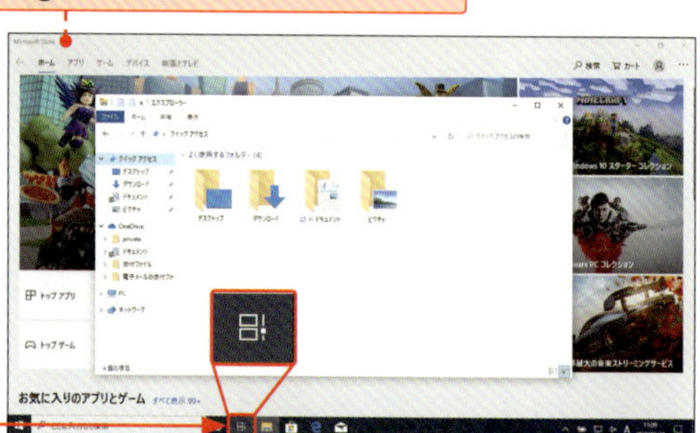

2 起動中のアプリがサムネイルで表示されます。

Memo タスクビューの機能

タスクビューでは、アプリの切り替えのほか、仮想デスクトップ機能やタイムライン機能が利用できます（P.21参照）。

Hint タスクビューの表示

⊞（Windows）とTabを押しても、タスクビューを表示できます。

3 前面に表示したいアプリをクリックするか、矢印キーを押してアプリを選択し Enter を押すと、

4 クリックしたアプリが前面に表示されます。

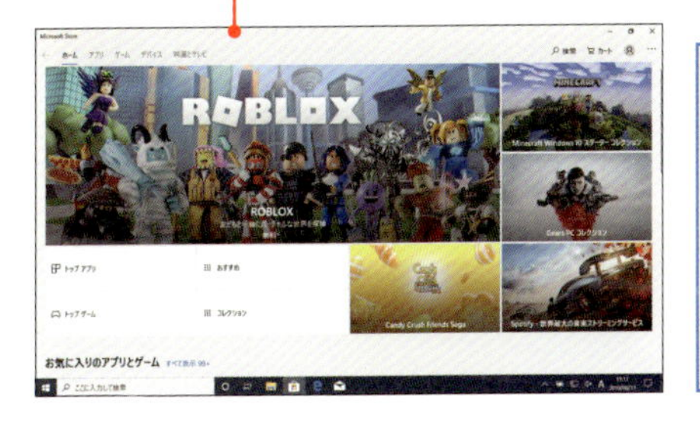

Hint

そのほかの切り替え方法

タスクバーに表示されているアイコンをクリックするか、Alt を押しながら Tab を押すことでもアプリを切り替えることができます。

2 アプリを終了する

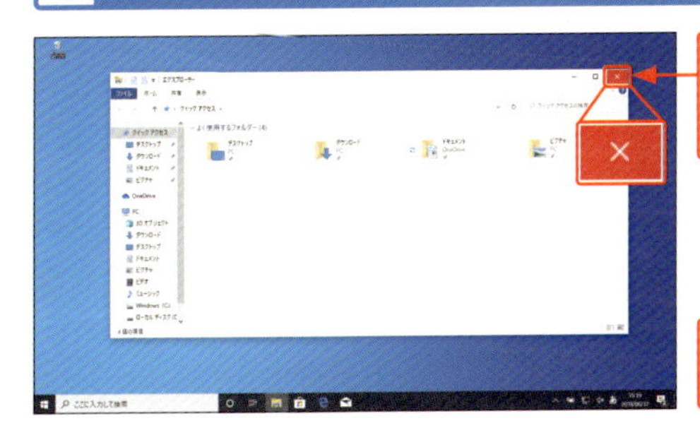

1 右上の <閉じる>をクリックすると、

2 アプリが終了します。

Memo

タスクビューからアプリを終了する

タスクビューを表示した状態でマウスポインターをサムネイルに合わせると、右上に<閉じる>☒が表示されます。表示された<閉じる>をクリックして、アプリを終了させることもできます。

タイムラインで以前のファイルを探そう

Windows 10のタイムラインとは、使用したファイルやアプリ、閲覧したWebページを時間の経過とともに表示する機能です。これらのデータはアクティビティ履歴として保存されています。

1 タスクビューでタイムラインを表示する

1 タスクバーの<タスクビュー>をクリックします。

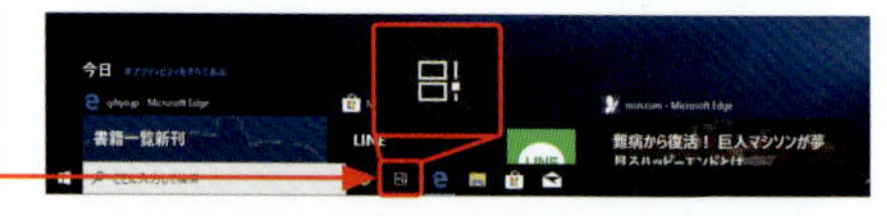

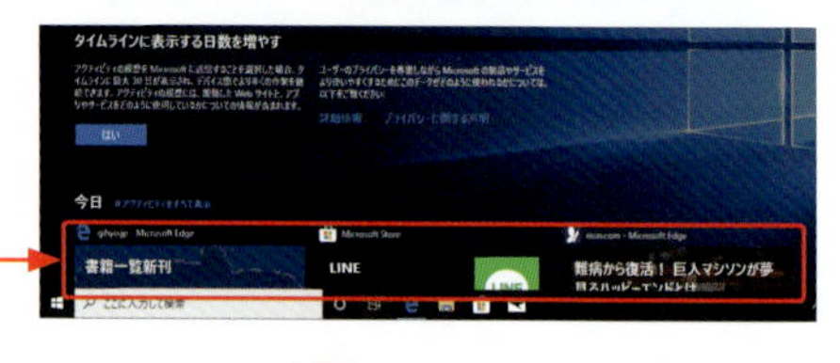

2 タイムラインが表示されます。

3 ここを上下にドラッグして、

4 目的の日付を表示します。

Keyword

タイムライン

アクティビティ履歴として保存される、現在使用中のものから過去30日までの、ファイルやアプリ、Webページなどを、時間の経過とともに表示する機能です。

Memo

履歴からデータを利用する

タイムラインで表示されたファイルやWebページをクリックすると、保存されたときの状態で開くことができます。編集中の文書ファイルなどは、すばやく作業に取り掛かれるメリットがあります。

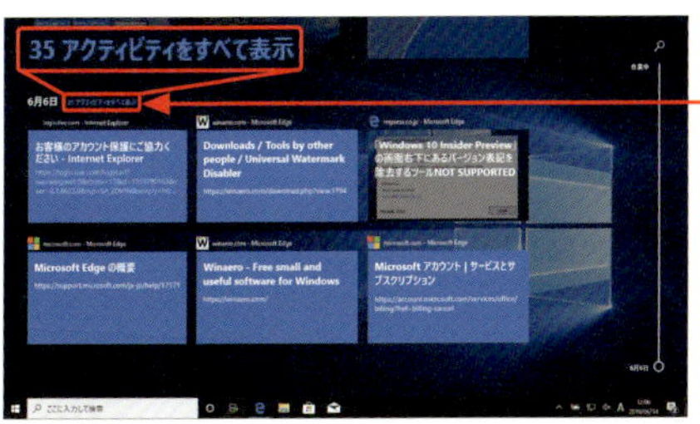

5 日付横の<○アクティビティをすべて表示>をクリックします。

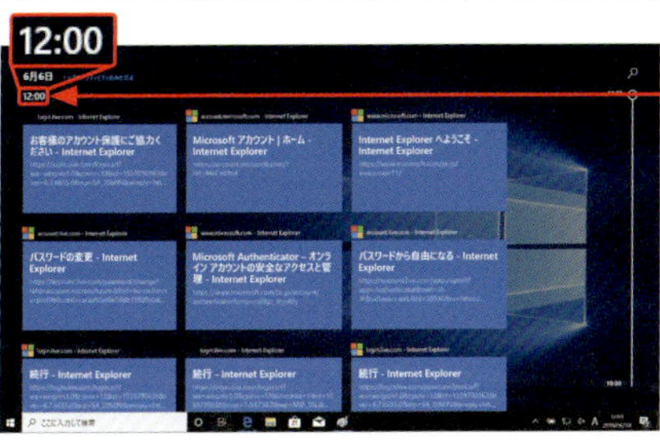

6 時刻単位でタイムラインが表示されます。

2 タイムラインを削除する

個別に削除する

病から復活！ 巨人マシソンが夢るハッピーエンドとは
サポートページ：今すぐ使えるかんたんmini Excel 2019
開く
削除
今日 からすべてクリア

1 削除したい画面を右クリックして、

2 <削除>をクリックします。

すべて削除する

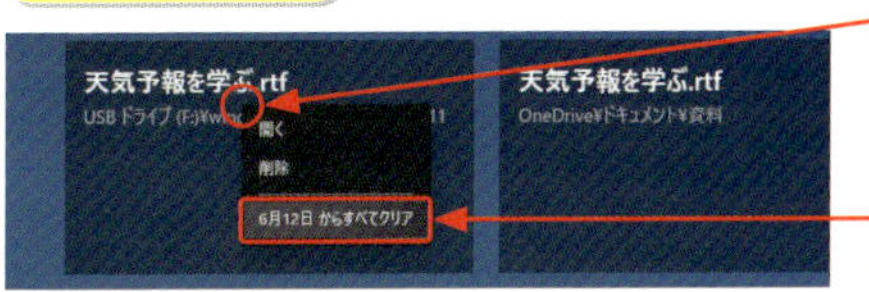

1 削除したい日付の画面を右クリックして、

2 <○月○日からすべてクリア>をクリックします。

Hint

アクティビティ履歴の機能をオフにする

アクティビティ履歴の保存をやめたい場合は、<設定>画面（Sec.74参照）の<プライバシー>→<アクティビティの履歴>をクリックして、<このデバイスでのアクティビティの履歴を保存する>をオフにします。

ウィンドウを自在に操作しよう

アプリは通常、デスクトップ上にウィンドウで表示されます。ウィンドウは、**最大化して全画面表示**にしたり、**最小化してタスクバーに格納**したり、**位置を移動**したりすることができます。

1 ウィンドウを最大化する／最小化する

1 ＜最大化＞をクリックすると、

2 ウィンドウが最大化（デスクトップいっぱいに）表示されます。

3 ＜最小化＞をクリックすると、

もとのサイズに戻すには、＜元に戻す（縮小）＞をクリックします。

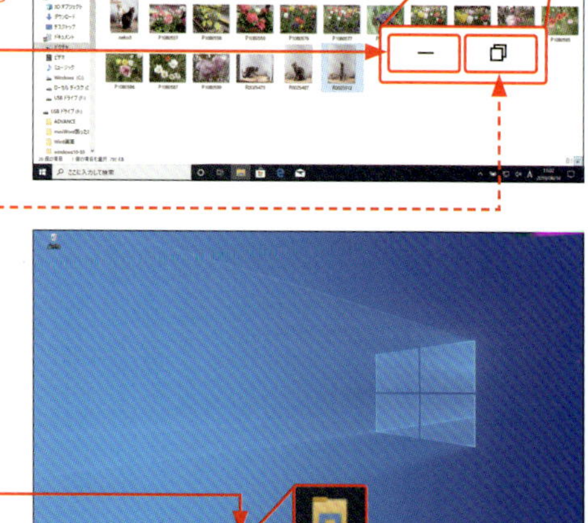

4 ウィンドウがタスクバーに格納されます。

2 ウィンドウを移動する

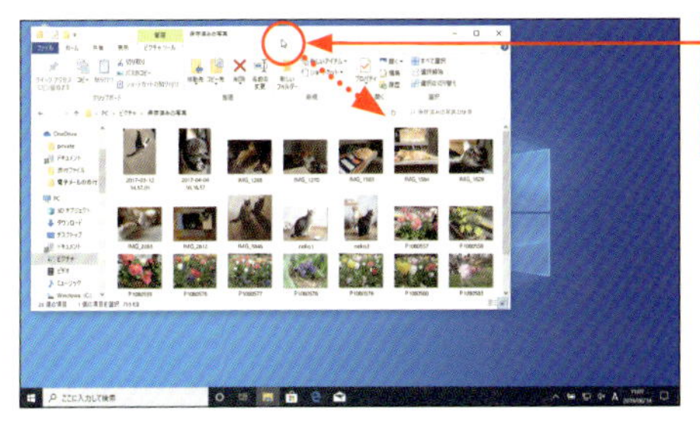

1 ウィンドウの上部（タイトルバー）をドラッグすると、

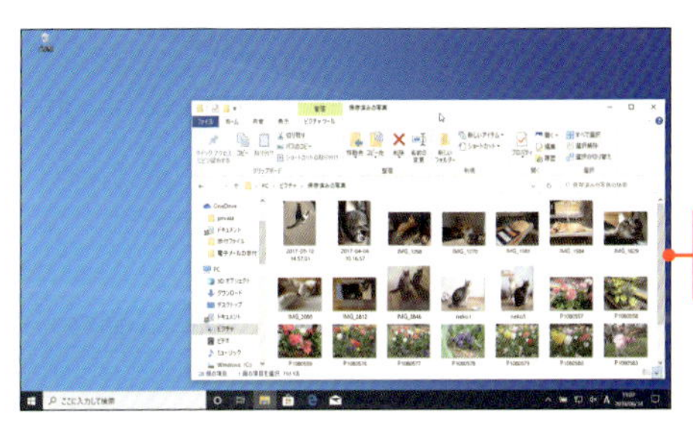

2 ウィンドウが移動します。

3 ウィンドウサイズを変更する

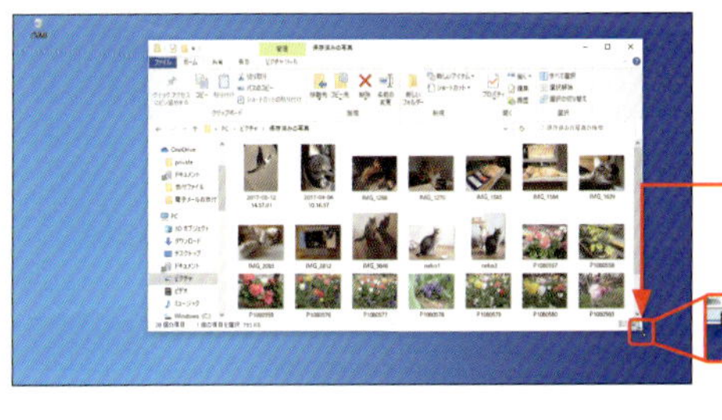

1 ウィンドウの四隅にマウスポインターを移動すると、両矢印の形に変わります。

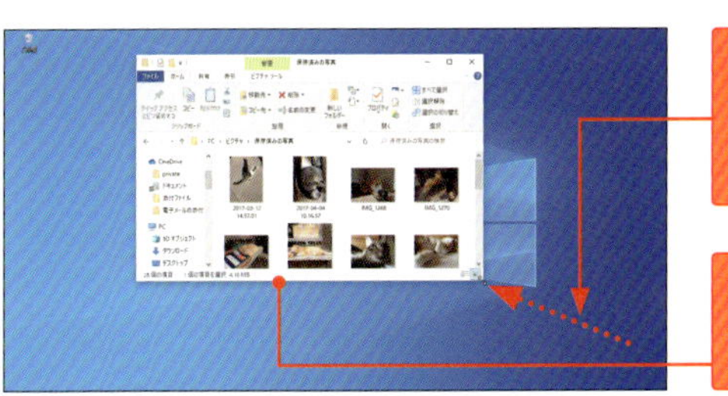

2 そのまま表示させたいサイズになるまでドラッグすると、

3 ウィンドウのサイズが変更されます。

エクスプローラーでファイルを整理しよう

エクスプローラーは、パソコン内のファイルやフォルダーを操作・管理するためのアプリです。表示方法を変更して見やすくしたり、リボンを常に表示してコマンドを使いやすくしたりします。

1 エクスプローラーを起動する

1 タスクバーの<エクスプローラー>をクリックすると、

2 エクスプローラーが起動します。

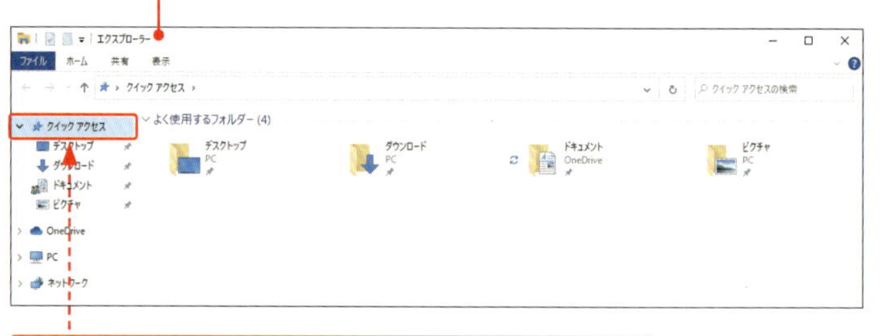

初期の状態では、<クイックアクセス>が表示されます。

Keyword

エクスプローラー

「エクスプローラー」はファイルやフォルダーに対して、コピーや移動、削除、名前の変更などのさまざまな操作を行うアプリです。フォルダーを自由に作成できるので、ファイルの整理がしやすくなります（Sec.21参照）。Windows 10では、<ファイル><ホーム><共有><表示>の4つのタブが表示されています。このほかに、特定のフォルダーやファイルを選択した際に表示されるタブもあります。

2 エクスプローラーの基本画面

クイックアクセスツールバー
よく使う機能のコマンドがアイコンで表示されています。

リボンの展開
リボンを常に表示させておくことができます（P.67参照）。

タブ
各機能がグループにまとめられています。

アドレスバー
現在のフォルダーの場所を表示します。

検索ボックス
ファイルやフォルダーなどを検索します。

ナビゲーションウィンドウ
フォルダーの構成やパソコンに接続しているドライブ、ネットワークなどを表示します。

メインウィンドウ
選択したフォルダーやディスクの内容を表示します。

<プロパティ>
選択している項目のプロパティ画面を表示します。

<新しいフォルダー>
選択しているフォルダー内に新しいフォルダーを作成します。

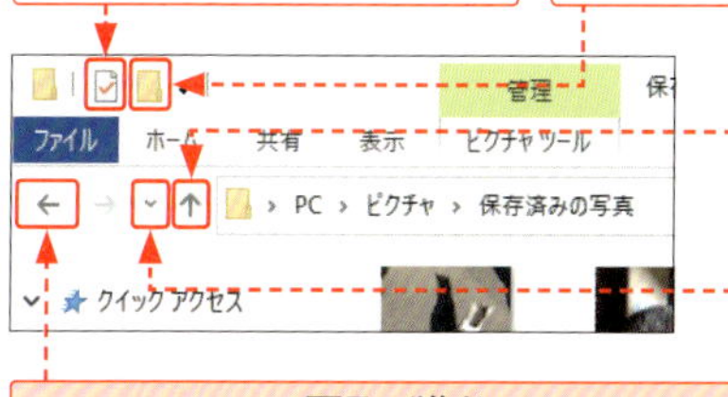

1つ上の階層へ移動
現在のフォルダーの1つ上の階層に移動します。

最近表示した場所
最近表示した場所から選んで移動します。

戻る／進む
直前に表示していたフォルダーに移動します。

3 タブの種類

<ファイル>タブ

新しいウィンドウを開いたり、エクスプローラーの設定を変更したりするメニューが用意されています。

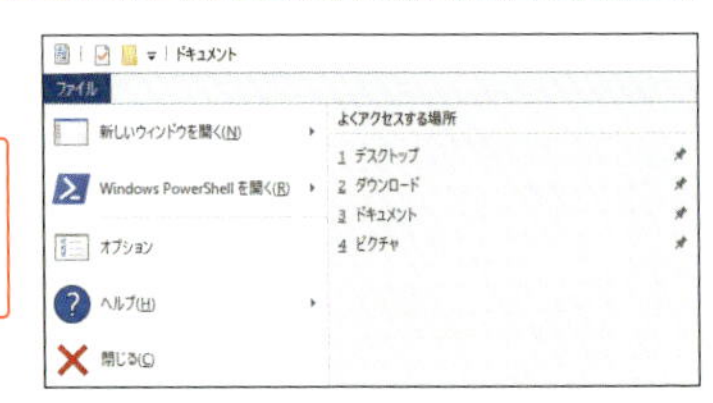

<ホーム>タブ

フォルダーやファイルに対して、コピーしたり、移動したり、削除したりというような管理するコマンドが用意されています。

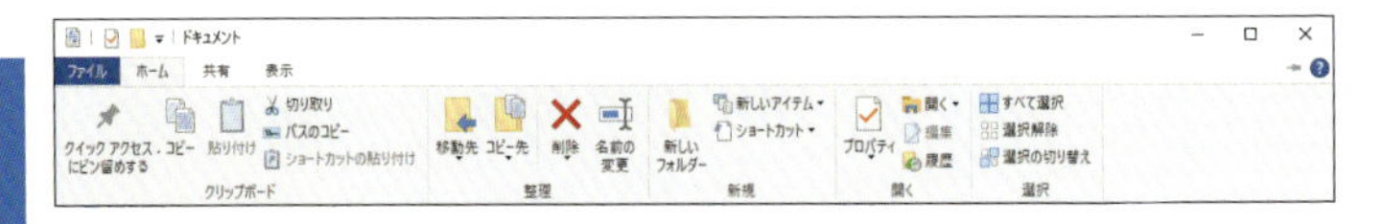

<共有>タブ

共有や電子メールなど、フォルダーやファイルを共有させるためのコマンドが用意されています。

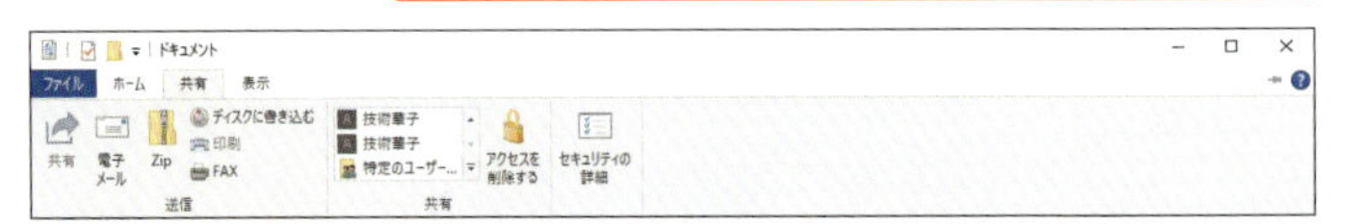

<表示>タブ

エクスプローラーの表示方法を変更するためのコマンドが用意されています。

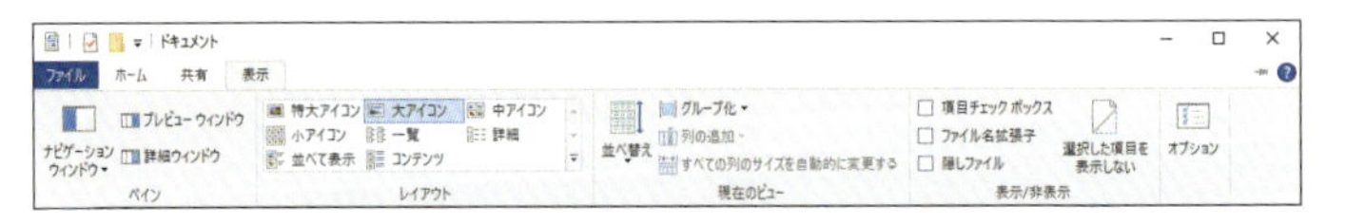

4 リボンの操作

エクスプローラーの初期の状態では、リボンは表示されていません。

1 いずれかのタブ（ここでは<ホーム>）をクリックすると、

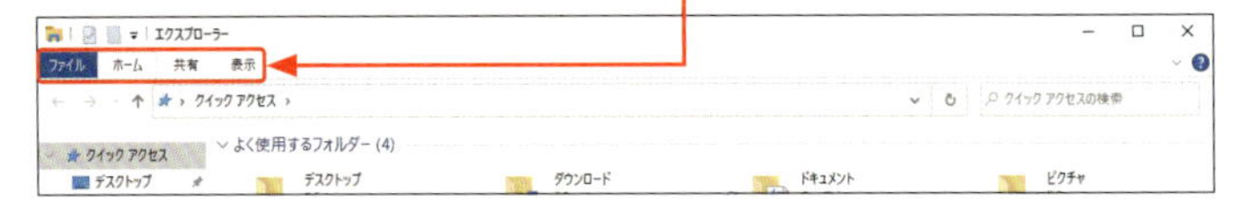

2 リボンが一時的に表示されます。

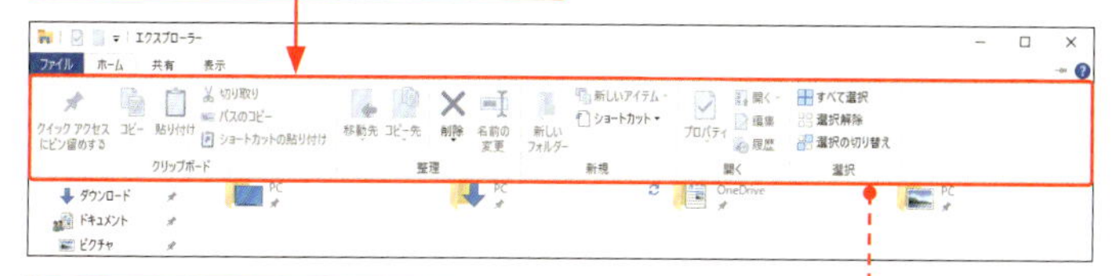

3 コマンドをクリックするなど必要な操作が済むと、リボンはもとに戻ります。

リボンの下の画面が隠れてしまいます。

5 リボンを常に表示する

1 <リボンの展開>をクリックすると、

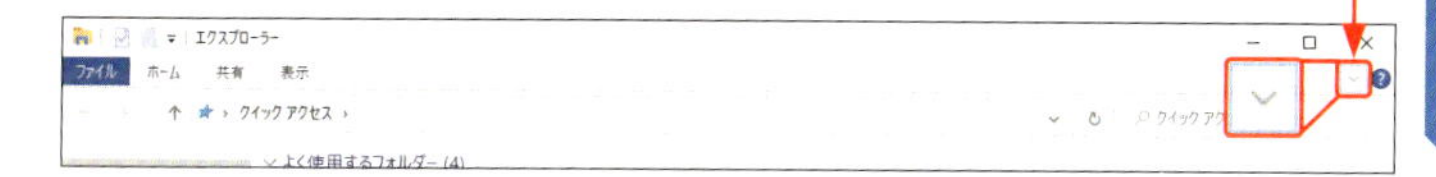

2 リボンが常に表示された状態になります。

3 <リボンの最小化>をクリックすると、

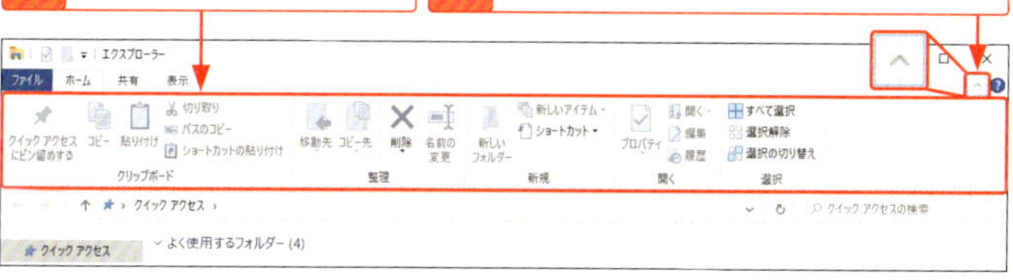

4 リボンが非表示になります。

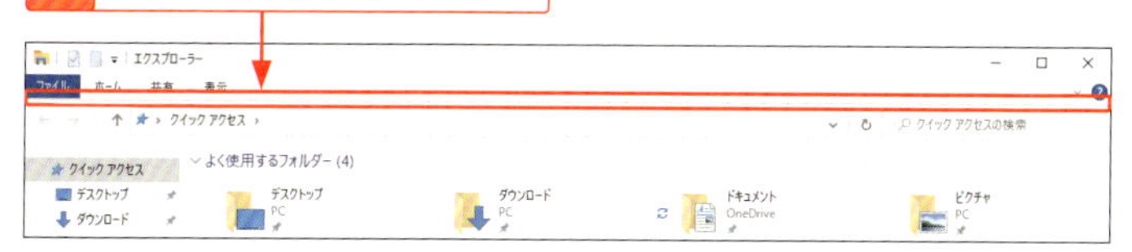

常に表示するそのほかの方法

リボンを常に表示するには、いずれかのタブをダブルクリックする、リボンが一時的に表示されたときに右端の［ピン］をクリックする方法もあります。

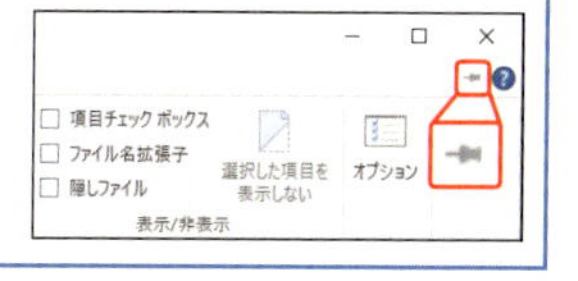

よく使うフォルダーはクイックアクセスに登録しよう

エクスプローラーに搭載されているクイックアクセスは、頻繁に使用するフォルダーにかんたんにアクセスできる機能です。自分用にフォルダーをピン留めしておくこともできます。

1 クイックアクセスにピン留めする

1 クイックアクセスにピン留めしたいフォルダーを右クリックして、

2 <クイックアクセスにピン留めする>をクリックすると、

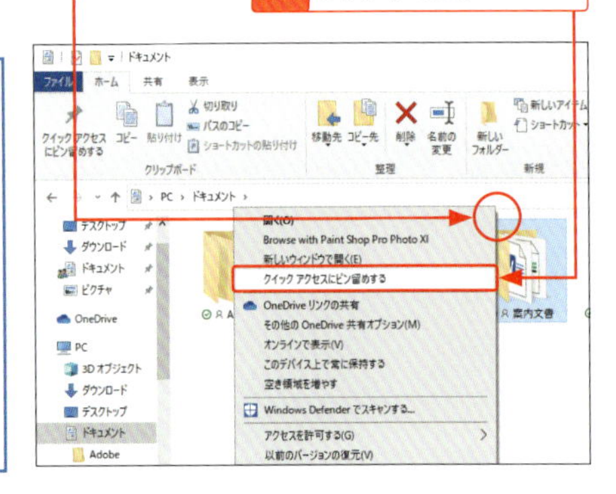

3 選択したフォルダーがクイックアクセスにピン留めされます。

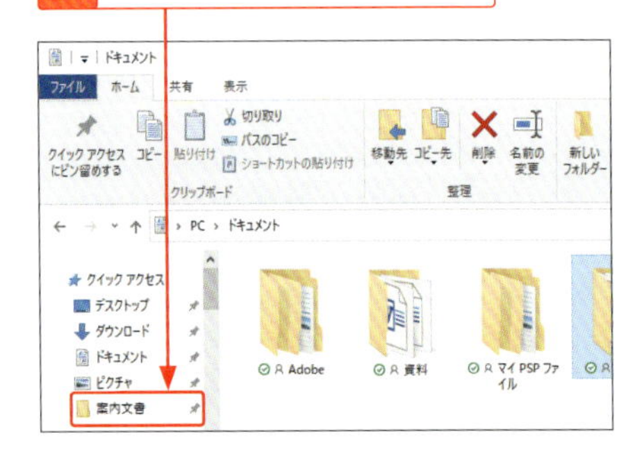

Keyword

クイックアクセス

「クイックアクセス」はエクスプローラーが起動すると最初に表示されます。頻繁に使用するフォルダーが自動的に表示されるので、すばやくアクセスできます。ユーザーがフォルダーを表示させる（ピン留めする）こともできます。

2 ピン留めを外す

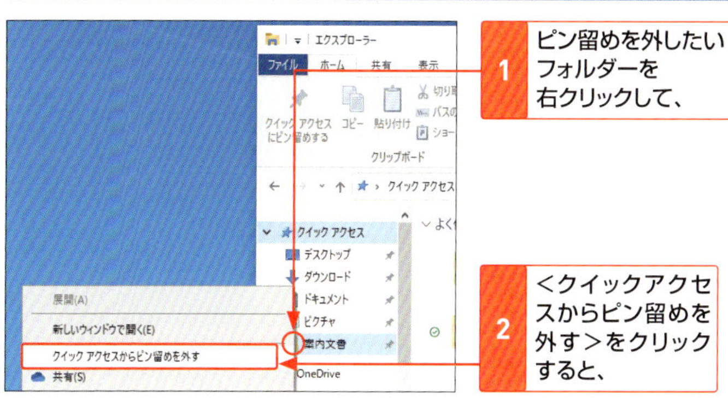

1 ピン留めを外したいフォルダーを右クリックして、

2 <クイックアクセスからピン留めを外す>をクリックすると、

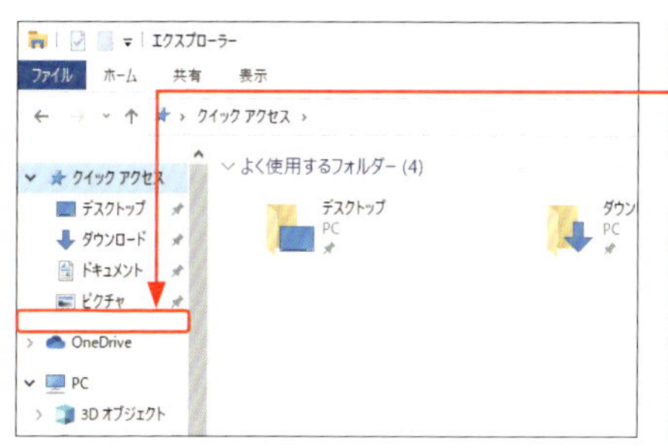

3 選択したフォルダーのピン留めが解除されます。

Memo

ピン留めを外す

ピン留めを外しても、もとのフォルダー内には残っています。

StepUp

クイックアクセスの表示内容を変更する

エクスプローラーを起動したときに表示されるのは<クイックアクセス>ですが、<PC>を表示させることができます。
<表示>タブ(または<ファイル>タブ)の<オプション>をクリックして、<フォルダーオプション>画面の<全般>タブを開き、<エクスプローラーで開く>で<クイックアクセス>か<PC>を選びます。
また、最近使ったファイルやよく使うフォルダーは自動的に表示されるようになっていますが、支障がある場合は<プライバシー>で項目をオフにします。

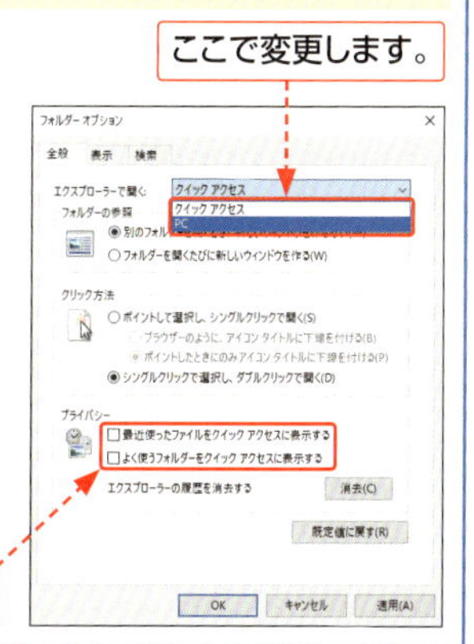

フォルダーを作成しよう

1つのフォルダーにたくさんのファイルを保存すると、必要なファイルが見つけにくくなります。ファイルの種類や目的ごとにフォルダーを作成して整理すると効率的です。

1 新しいフォルダーを作成する

1 フォルダーを作成する場所(ここでは<PC>の<ピクチャ>)を開きます。

2 <ホーム>タブをクリックして、

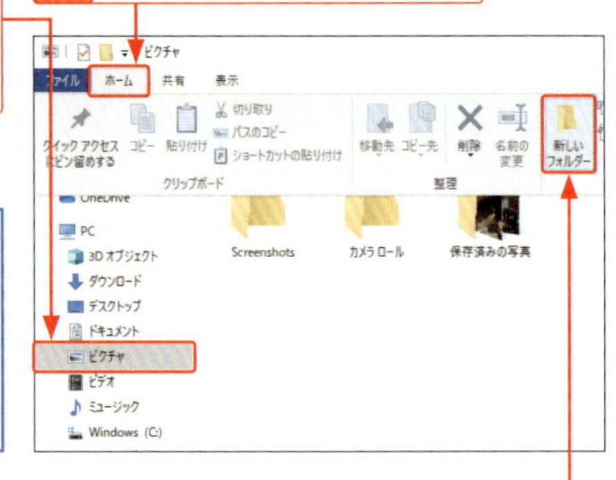

3 <新しいフォルダー>をクリックすると、

Memo そのほかの作成方法

エクスプローラー左上の<新しいフォルダー>をクリックしても、フォルダーを作成できます。

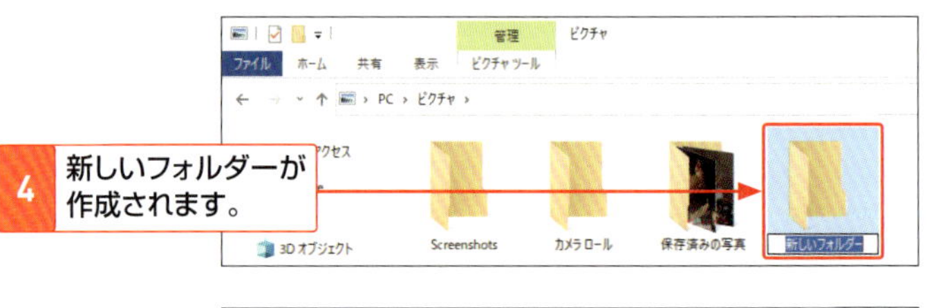

4 新しいフォルダーが作成されます。

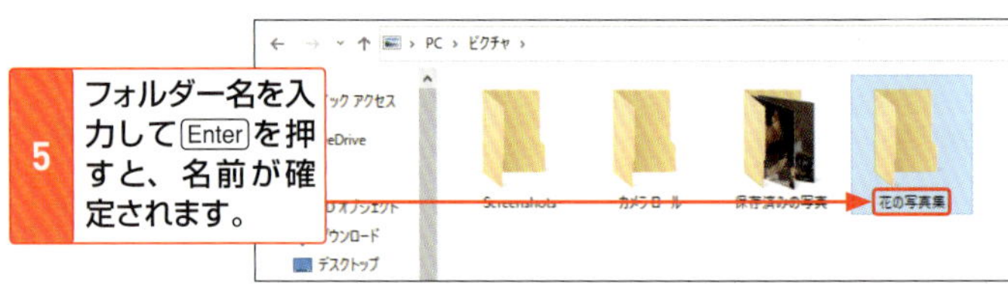

5 フォルダー名を入力して Enter を押すと、名前が確定されます。

2 フォルダー名を変更する

1 フォルダー名を変更するフォルダーをクリックして、

2 <ホーム>タブをクリックし、 **3** <名前の変更>をクリックします。

4 名前が入力できる状態になるので、

5 新しい名前を入力して Enter を押すと、フォルダー名が変更されます。

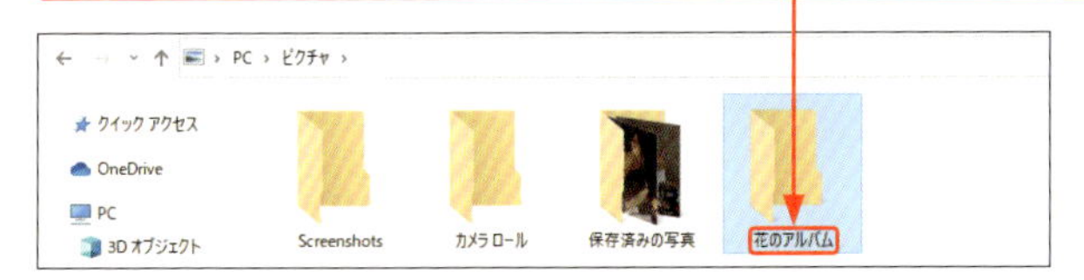

Memo

そのほかの名前の変更方法

フォルダーを選択して F2 を押す、フォルダー名をゆっくりダブルクリックする、フォルダーを右クリックして<名前の変更>をクリックする、などの方法でもフォルダー名の変更ができます。

Section 22

ファイルやフォルダーを移動／コピーしよう

ファイルやフォルダーを、**もとの場所から別の場所に移すことを移動**、もとの場所に残したまま、**複製を別の場所に作成することをコピー**といいます。これらの操作はエクスプローラーで行います。

1 ファイルやフォルダーを移動する

1 移動するファイルをクリックして選択し、

2 <ホーム>タブをクリックします。

3 <移動先>をクリックして、

4 <場所の選択>をクリックします。

5 移動先のフォルダー（ここでは<花のアルバム>）をクリックして、

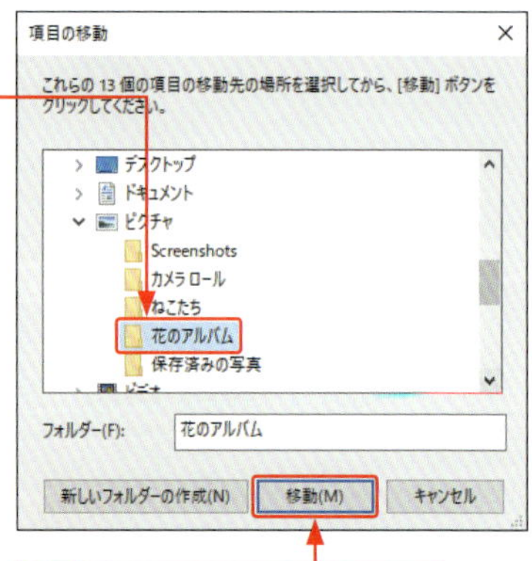

6 <移動>をクリックすると、

7 ファイルが指定したフォルダーに移動します。

Hint

複数のファイルを選択する

複数のファイルを選択するには、ファイルが離れている場合は Ctrl を押しながらクリックします。連続している場合は先頭のファイルをクリックし、最後のファイルを Shift を押しながらクリックします。

2 ファイルやフォルダーをコピーする

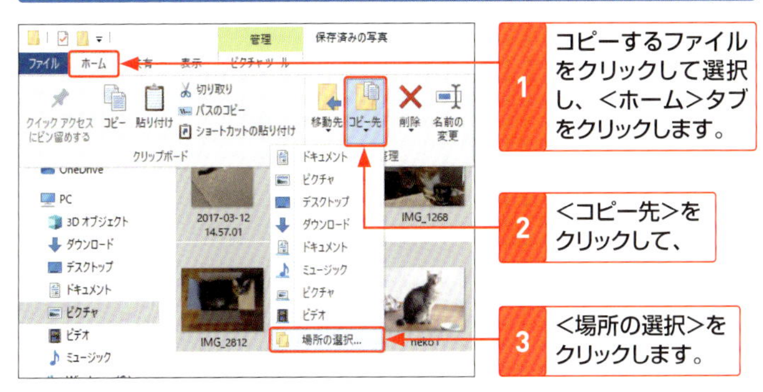

1 コピーするファイルをクリックして選択し、<ホーム>タブをクリックします。

2 <コピー先>をクリックして、

3 <場所の選択>をクリックします。

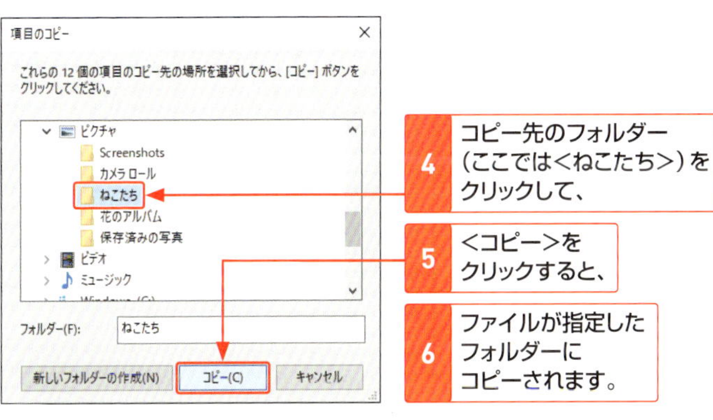

4 コピー先のフォルダー(ここでは<ねこたち>)をクリックして、

5 <コピー>をクリックすると、

6 ファイルが指定したフォルダーにコピーされます。

Memo そのほかの移動／コピー方法

ドラッグ操作で移動やコピーすることもできます。移動する場合は、ファイルを選択して移動先にそのままドラッグします。コピーする場合は、Ctrl を押しながらコピー先にドラッグします。
また、ファイルやフォルダーを選択して<ホーム>タブの<コピー>あるいは<切り取り>をクリックし、貼り付け先のフォルダーを開いて<貼り付け>をクリックすることでも、コピーや移動ができます。

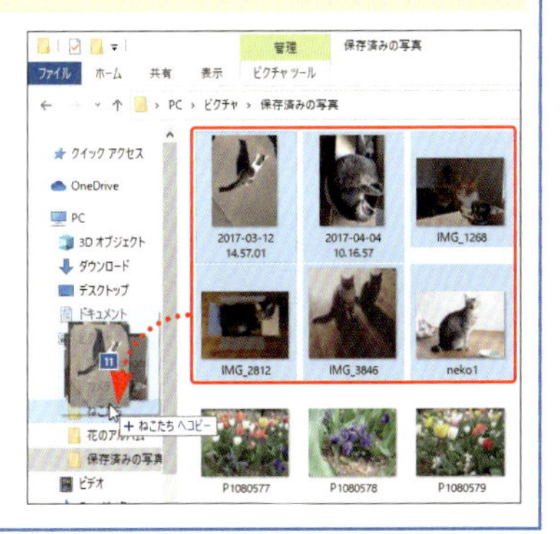

ファイルの表示を見やすく変更しよう

エクスプローラーでファイルの保存日時を知りたい場合は、表示形式を<詳細>にするなど、見やすく変更することができます。また、ファイルの内容を表示するプレビューも利用できます。

1 ファイルの表示方法を変更する

1 <表示>タブをクリックして、

2 変更するレイアウト（ここでは<並べて表示>）をクリックすると、

<大アイコン>表示になっています。

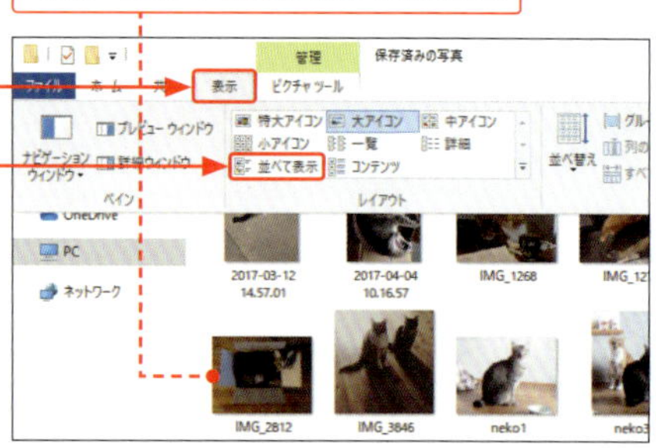

Memo 表示形式の種類

表示形式には、特大アイコンや一覧、コンテンツなどの8つの種類があります。
見やすい形式に変更するとよいでしょう。

3 表示方法が<並べて表示>に変更されます。

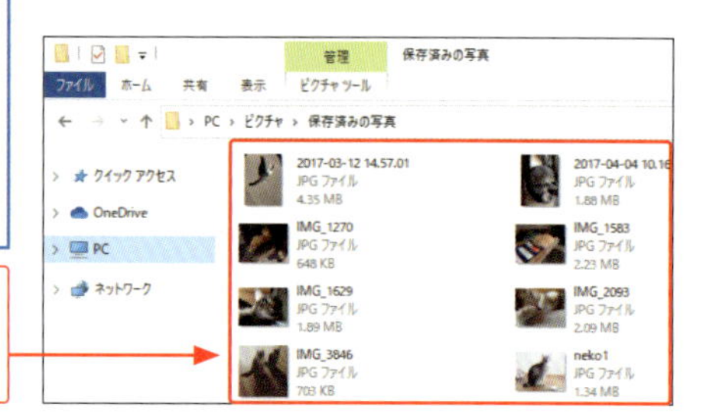

Hint ナビゲーションウィンドウを利用する

<表示>タブの<ペイン>にある<ナビゲーションウィンドウ>では、ナビゲーションウィンドウに表示する内容を選択することができます。

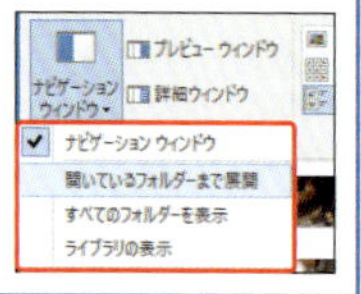

2 プレビューを表示する

1 エクスプローラーの<表示>タブをクリックして、

2 <プレビューウィンドウ>をクリックすると、

3 プレビューウィンドウが表示されます。

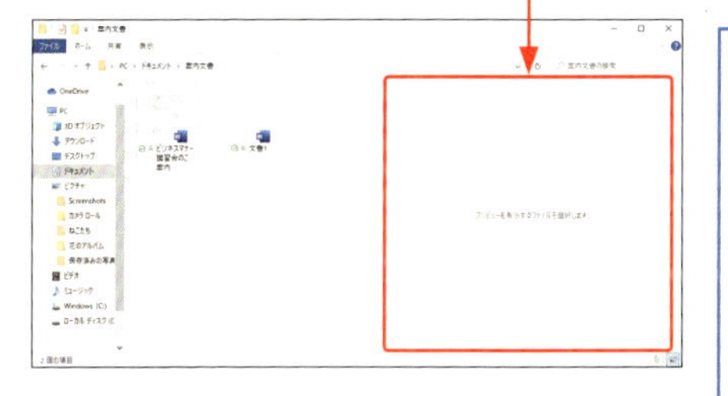

4 ファイルをクリックすると、

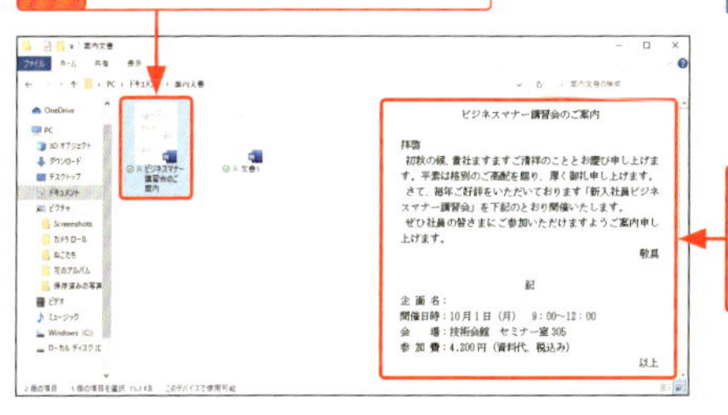
ビジネスマナー講習会のご案内

拝啓
初秋の候、貴社ますますご清祥のこととお慶び申し上げます。平素は格別のご高配を賜り、厚く御礼申し上げます。
さて、毎年ご好評をいただいております「新入社員ビジネスマナー講習会」を下記のとおり開催いたします。
ぜひ社員の皆さまにご参加いただけますようご案内申し上げます。
敬具

記
企画名：
開催日時：10月1日（月）　9：00～12：00
会　場：技術会館　セミナー室305
参加費：4,200円（資料代、税込み）
以上

5 ファイルの内容を表示することができます。

Keyword

プレビューウィンドウ

「プレビューウィンドウ」はドキュメントや表計算ソフトなどのファイルをプレビューする機能です。ファイルを開かなくても内容がわかるので便利です。ただし、ファイルによっては、プレビューが表示されない場合もあります。

Memo

詳細ウィンドウ

<表示>タブの<詳細ウィンドウ>をクリックすると、選択しているファイルあるいはフォルダーの詳細情報を表示できます。

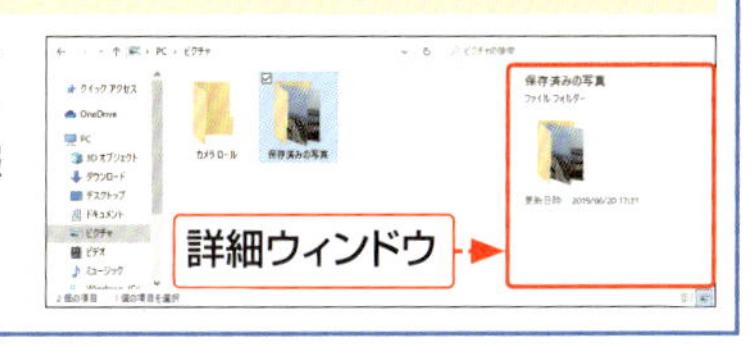

不要なファイルやフォルダーを削除しよう

ファイルやフォルダーを削除するには、デスクトップにある<ごみ箱>に移動します。ごみ箱に移動したファイルは、通常はごみ箱を空にするまでは削除されないので、もとに戻すことができます。

1 ファイルやフォルダーを削除する

1 削除したいファイルをクリックして選択します。

2 <ホーム>タブをクリックして、

3 <削除>をクリックすると、

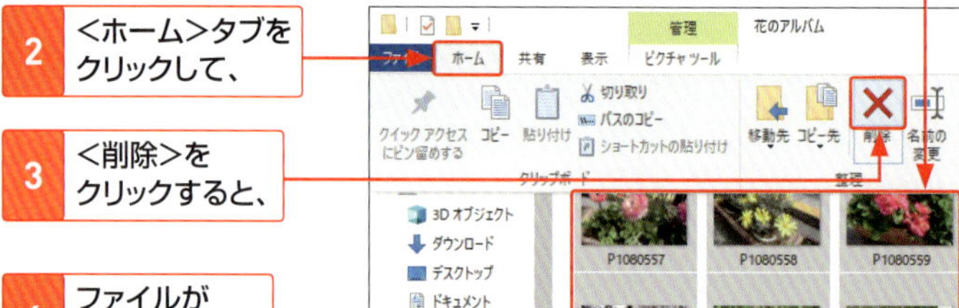

4 ファイルが削除されます。

Hint 削除方法を選択する

手順3の<削除>の下部をクリックして、<完全に削除>をクリックすると、ごみ箱に移動せずにすぐにパソコンから削除することもできます。

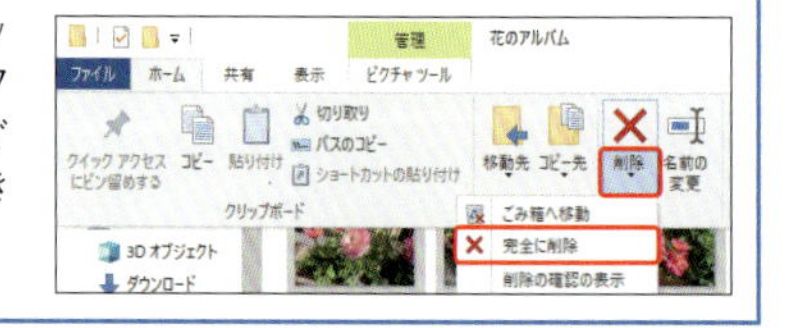

2 ファイルをごみ箱からもとに戻す

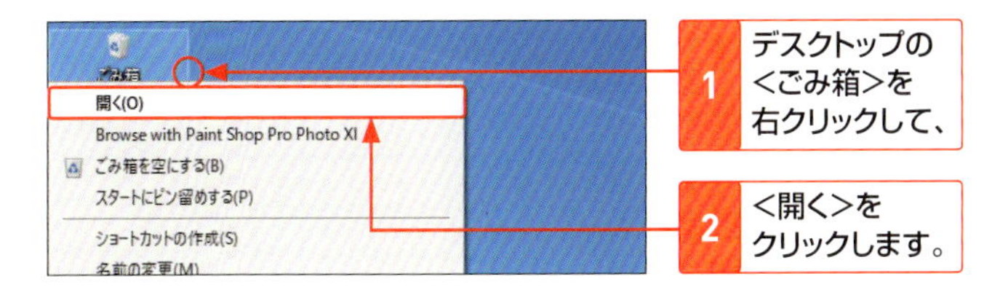

1 デスクトップの<ごみ箱>を右クリックして、

2 <開く>をクリックします。

3 もとに戻したいファイルをクリックして選択します。

4 <管理>の<ごみ箱ツール>タブをクリックして、

5 <選択した項目を元に戻す>をクリックすると、

6 ファイルがもとの場所に戻ります。

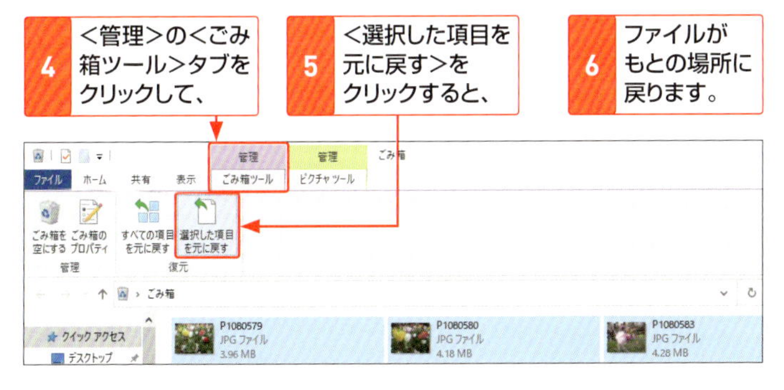

StepUp

ごみ箱を空にする

削除したファイルやフォルダーは、ごみ箱に格納されます。
完全に削除するには、デスクトップの<ごみ箱>を右クリックして、<ごみ箱を空にする>をクリックし、表示される画面で<はい>をクリックします。

ファイルをキーワードで検索しよう

ファイルの保存先がわからなくなったら、エクスプローラーでキーワード検索してみましょう。おおよその保存先がわかればその場所を指定し、わからない場合は<PC>を指定して探します。

1 検索する場所を指定する

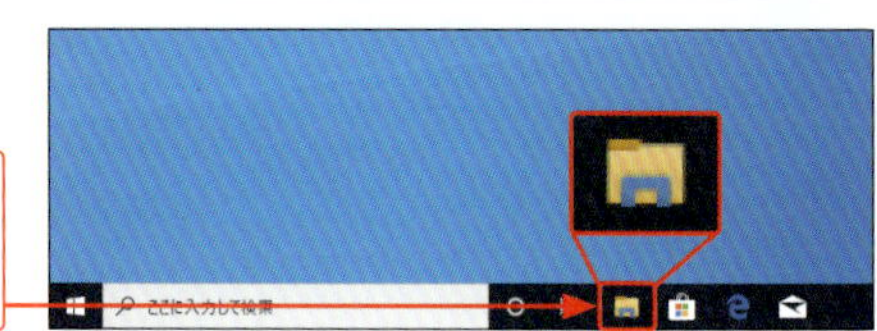

1 タスクバーの<エクスプローラー>をクリックして、

2 エクスプローラーを開きます。

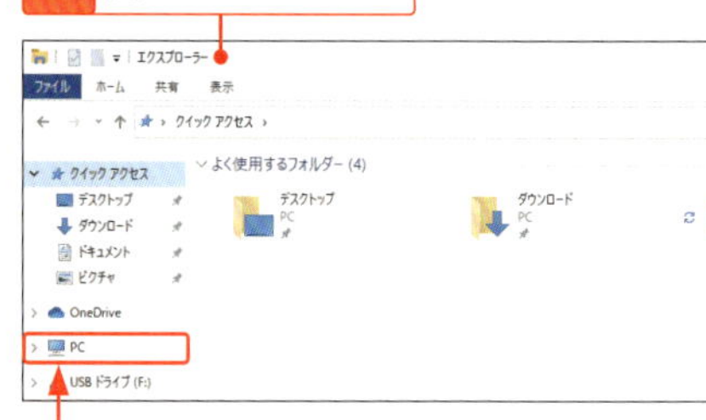

3 ファイルが保存されているフォルダー、または<PC>をクリックします。

Memo

検索する場所

エクスプローラーで検索する場合、最初に検索する場所を指定します。場所を絞り込むほど検索時間が短縮されますが、場所がわからない場合はパソコン全体を対象にする<PC>を指定します。

4 検索する場所が指定されます。

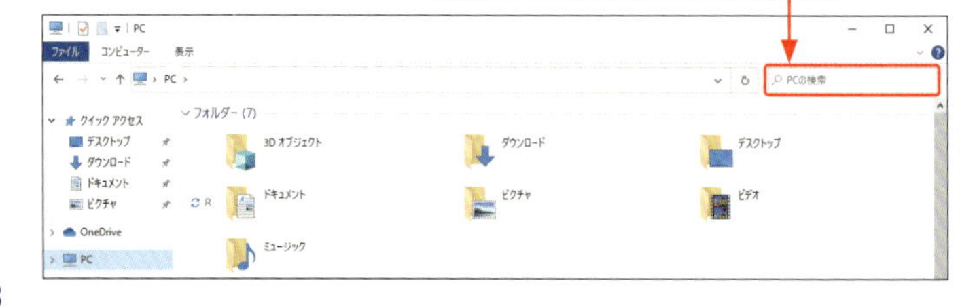

2 キーワードを入力して検索する

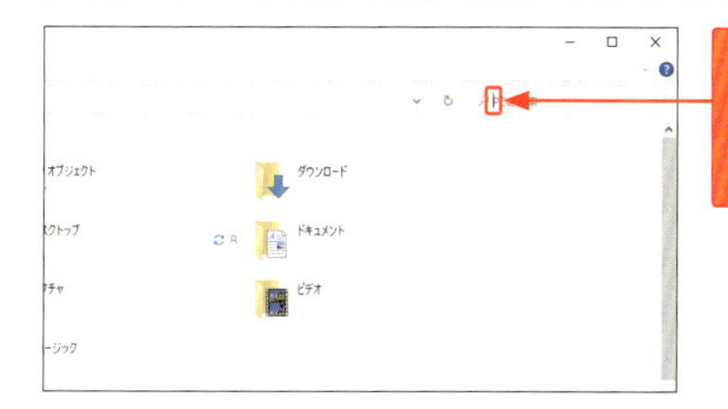

1 前ページで検索場所を指定したら、<検索ボックス>をクリックします。

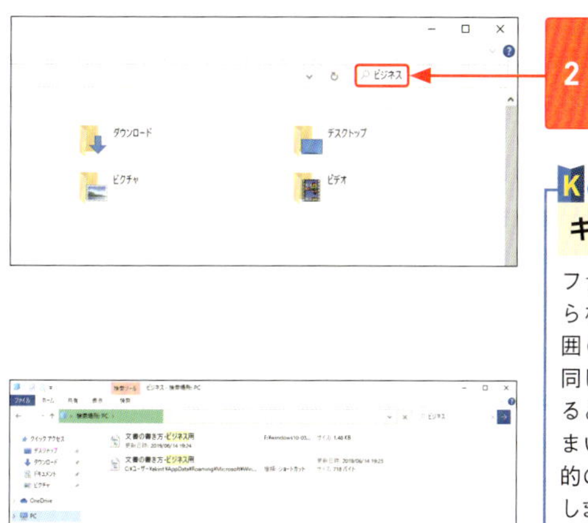

2 ファイル名をキーワードとして入力します。

Keyword

キーワードの入力

ファイル名が正確にわからない場合は、わかる範囲の文字を入力します。同じようなファイル名があると検索結果は増えてしまいますが、結果から目的のファイルを探すようにします。

3 検索が開始します。

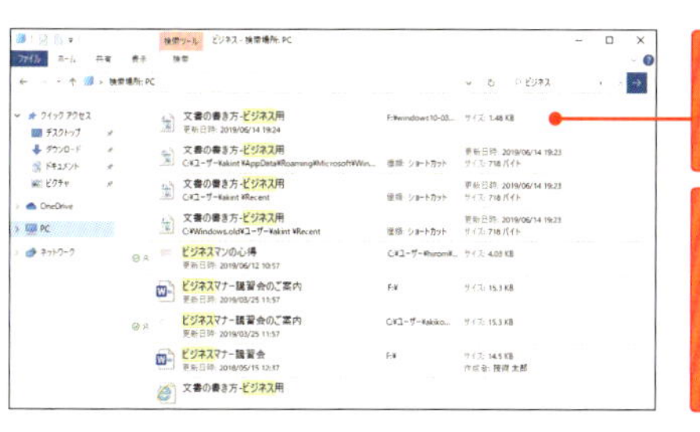

4 検索されて、該当するファイルが表示されます。

5 ファイルをダブルクリックすれば、アプリが起動してファイルを開くことができます。

StepUp

デスクトップにショートカットを作成する

デスクトップにアプリやファイルのショートカットを作成しておくと、ダブルクリックするだけでアプリが起動して、ファイルを開くことができます。なお、アプリによってはショートカットが作成できないものもあります。

アプリのショートカットを作成する

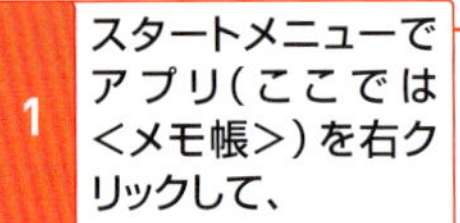

1 スタートメニューでアプリ（ここでは<メモ帳>）を右クリックして、

2 <その他>→<ファイルの場所を開く>をクリックします。

3 アプリを右クリックして、

4 <送る>→<デスクトップ（ショートカットを作成）>をクリックします。

5 デスクトップにアプリのショートカットが作成されます。

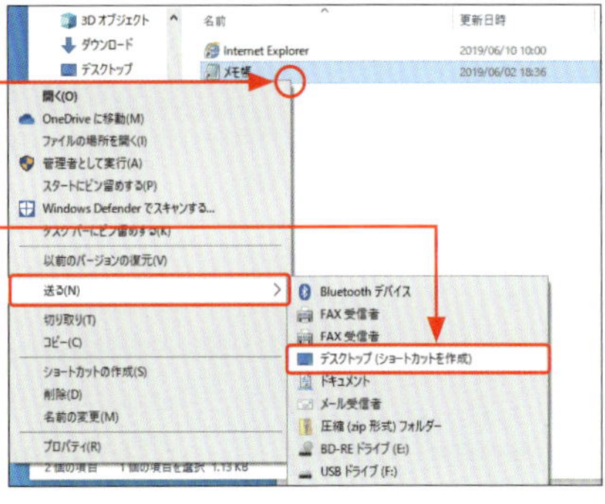

ファイルのショートカットを作成する

1 エクスプローラーでファイルを右クリックして、

2 <送る>→<デスクトップ（ショートカットを作成）>をクリックします。

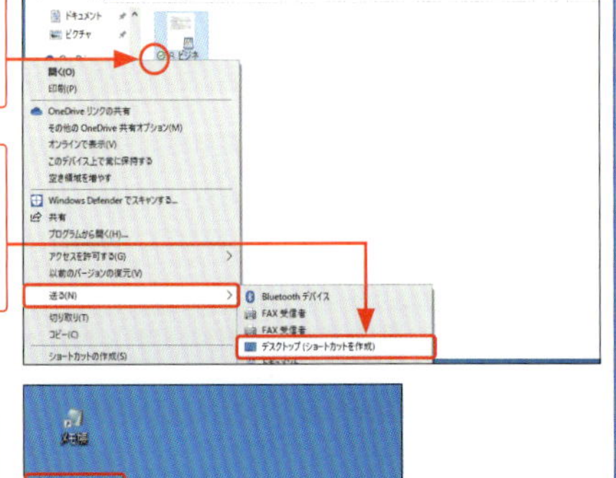

3 デスクトップにファイルのショートカットが作成されます。

第3章

インターネットを利用しよう

Microsoft Edgeを起動／終了しよう

Windows 10には、WebブラウザMicrosoft Edge（マイクロソフトエッジ）が標準で搭載されています。Internet Explorerも利用できますが、本書では、Microsoft Edgeの活用方法を解説します。

1 Microsoft Edgeを起動する

1 タスクバーの<Microsoft Edge>をクリックすると、

2 Microsoft Edgeが起動します。

Memo タスクバーにアイコンがない場合

タスクバーに<Microsoft Edge>のアイコンが表示されていない場合は、<スタート>をクリックして、<Microsoft Edge>をクリックします。

Memo 起動時に表示されるページ

起動時に表示されるWebページ（ホームページ）は、お使いのパソコンによって異なります。ホームページの設定方法については、Sec.32を参照してください。

2 Microsoft Edgeを終了する

Webページを1つだけ表示している場合

<閉じる>をクリックすると、Microsoft Edgeが終了します。

Webページを2つ以上表示している場合

1 <閉じる>をクリックすると、確認の画面が表示されます。

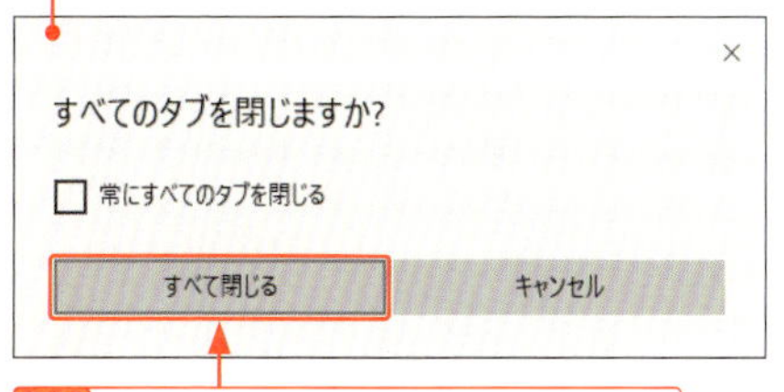

2 <すべて閉じる>をクリックすると、Microsoft Edgeが終了します。

Memo

タブを閉じる

表示しているタブを閉じたい場合は、タブにマウスポインターを合わせると表示される<タブを閉じる> ✕ をクリックします。

Hint

Internet Explorerの起動

Internet Explorerを起動するには、<スタート>をクリックして、<Windowsアクセサリ>をクリックし、<Internet Explorer>をクリックします。
また、Microsoft Edgeの<設定など> … をクリックして、<その他のツール>→<Internet Explorerで開く>をクリックすると、現在表示しているページがInternet Explorerで表示されます。

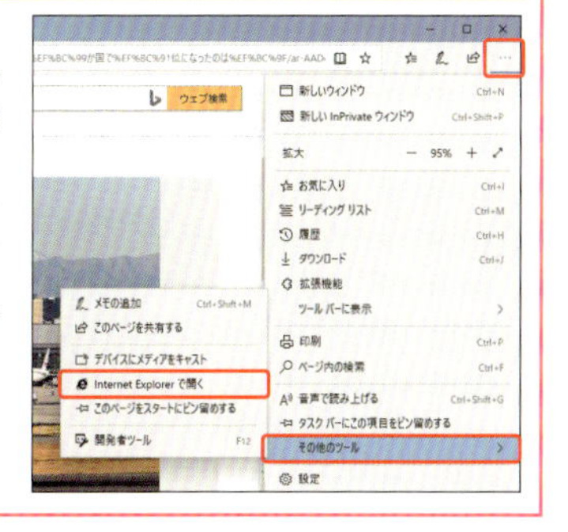

第3章 インターネットを利用しよう

Microsoft Edgeの画面構成と機能を知ろう

Microsoft Edgeの画面は、タブやアドレスバーのほか、画面左上に<戻る><進む>などのボタンが、画面右上にはMicrosoft Edgeを操作するための機能が表示されています。

1 Microsoft Edgeの画面構成

2 Microsoft Edgeのタブの機能

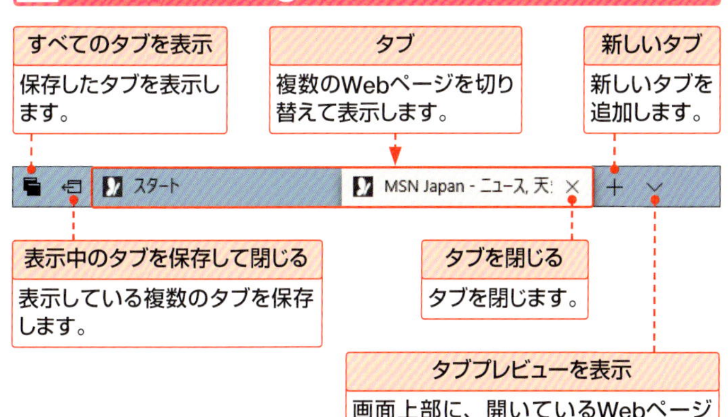

3 Microsoft Edgeのコマンドの機能

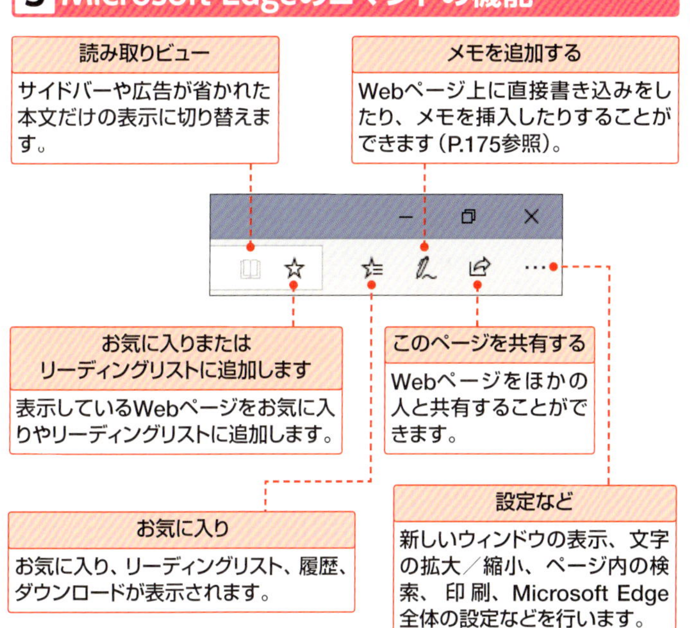

Webページを表示しよう

目的のWebページを表示するには、アドレスバーにURLを入力して Enter を押します。また、過去に表示したWebページのアドレスが候補に表示された場合は、そこから選択することもできます。

1 目的のWebページを表示する

1 Microsoft Edgeを起動します。

2 アドレスバーにURLを入力して Enter を押すと、

3 目的のWebページが表示されます。

Hint 履歴を利用する

アドレスバーにURLを入力し始めると、過去に表示したWebページの中から入力に一致するものが表示されます。
目的のWebページが表示された場合は、そのURLをクリックするとすぐに表示されます。URLを最後まで入力する手間が省けます。

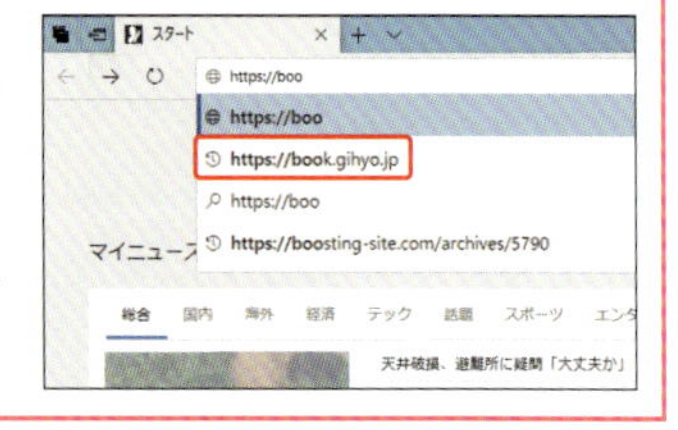

2 直前に見ていたWebページに戻る

1 <戻る>をクリックすると、

2 1つ前に表示したWebページに戻ります。

3 <進む>をクリックすると、1つ先に表示したWebページに進みます。

Memo

最新のWebページを表示する

同じWebページを表示していると、ページが更新された場合でも同じ画面のままです。<最新の情報に更新> をクリックすると、最新の情報が入手できます。

Hint

<戻る><進む>の右クリックを利用する

<戻る>や<進む>を右クリックすると、過去に表示したページが一覧で表示されます。その一覧から表示したいページを選択することもできます。

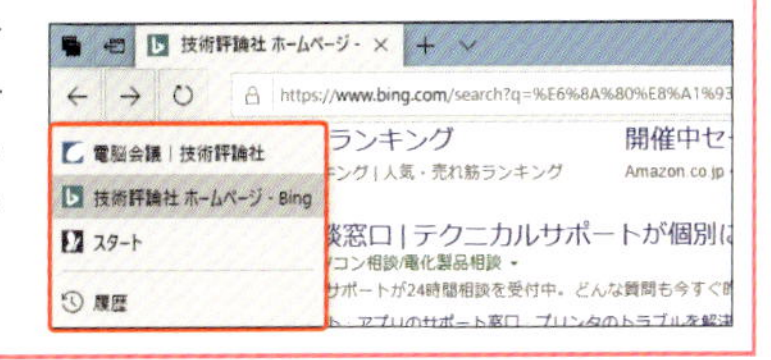

Webページを検索しよう

Microsoft Edgeでインターネット上の情報を検索するには、アドレスバーにキーワードを入力してEnterを押します。検索結果が表示されるので、クリックして目的のWebページにアクセスします。

1 Webページをキーワードで検索する

1 <Microsoft Edge>を起動して、

2 アドレスバーをクリックします。

3 検索キーワード(ここでは「技術評論社」)を入力して、Enterを押します。

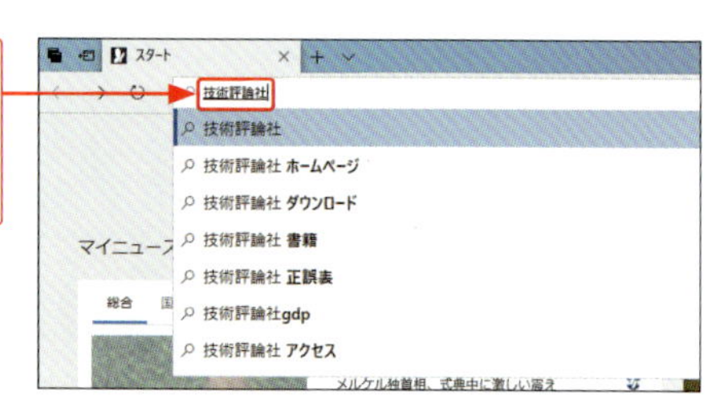

Hint Windowsの検索機能を使って検索する

Windowsの検索機能を使っても、Webページを検索することができます。検索ボックスをクリックしてキーワードを入力すると、検索結果が表示されます。表示したいWebページ(「Web結果を見る」)をクリックすると、Microsoft Edgeが起動して検索結果が表示されます。

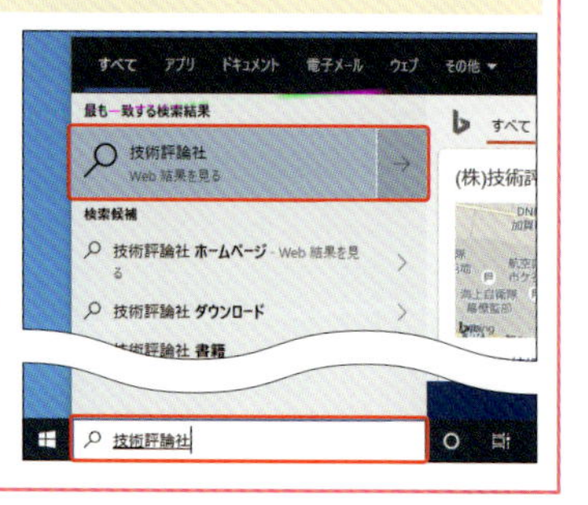

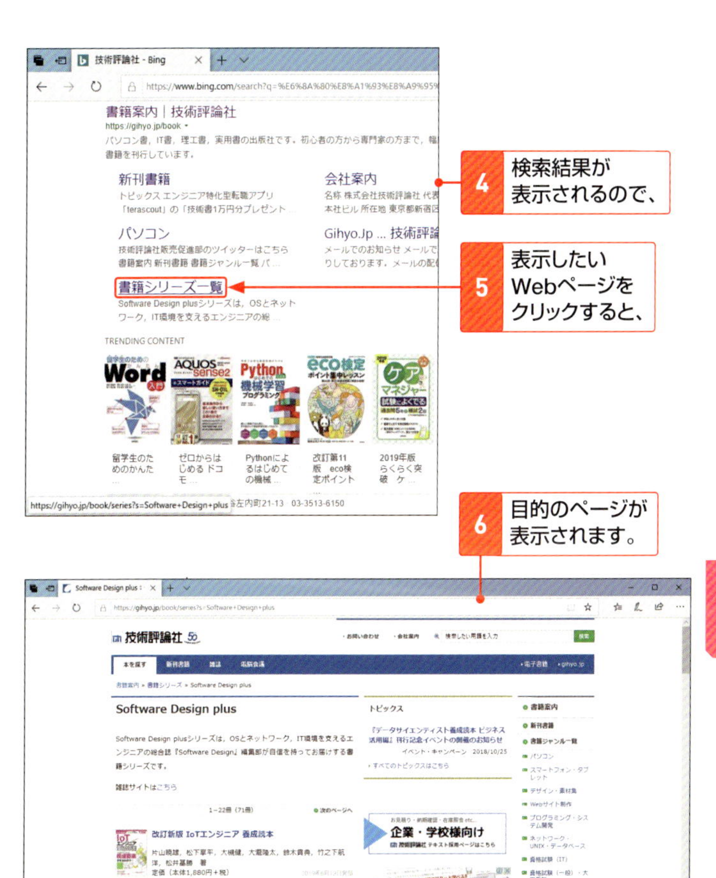

Hint

検索結果が多い場合

キーワードによっては、検索結果が多すぎて目的のWebページが見つけにくいことがあります。このようなときは、複数の検索キーワードをスペースで区切って入力し、検索結果を絞り込むとよいでしょう。

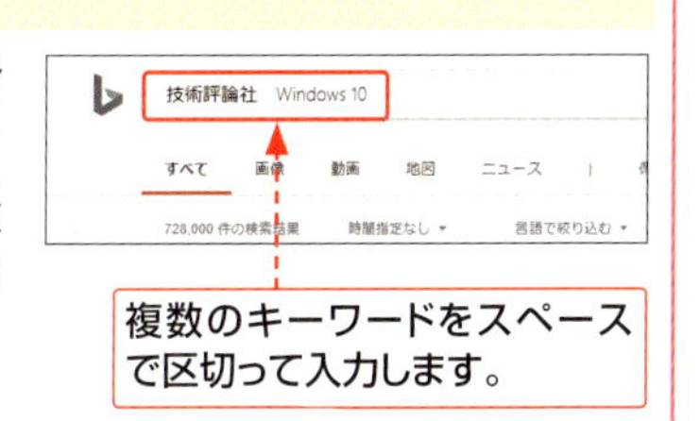

複数のタブでWebページを表示しよう

タブを利用すると、1つの画面内に複数のWebページを同時に開いておくことができます。それぞれのタブをクリックすることで、Webページを切り替えて閲覧することができます。

1 新しいタブを追加してWebページを開く

1 Microsoft Edgeを起動します。

2 <新しいタブ>をクリックすると、

3 新しいタブが表示されます。

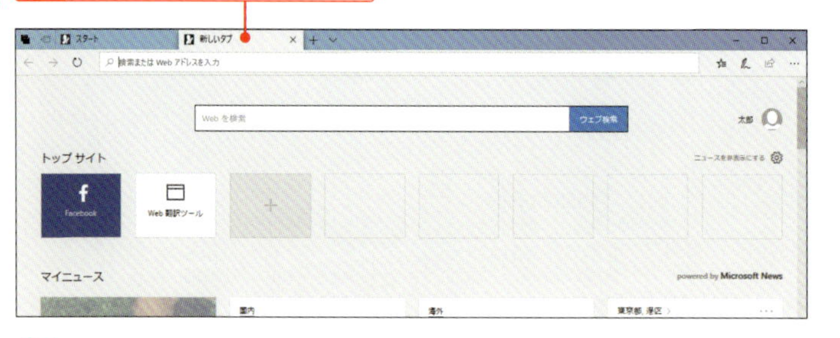

Hint Webページをサムネイル表示する

選択していないタブにマウスポインターを合わせると、Webページがサムネイルで表示されるので、タブを切り替える前に、内容を確認することができます。

4 検索ボックスにWebページのURL（ここでは「google.co.jp」）を入力して、Enterを押すと、

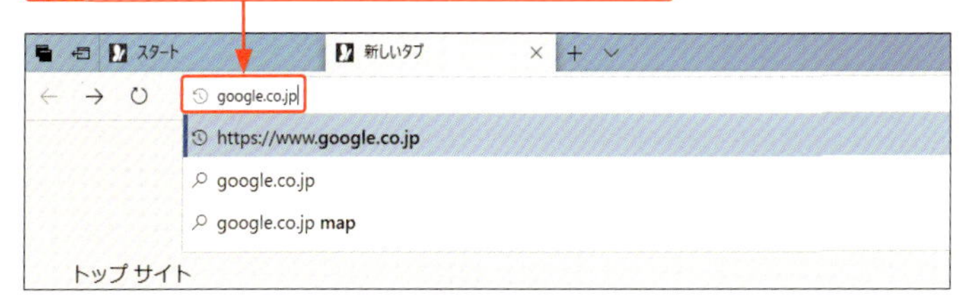

5 新しいタブにWebページが表示されます。

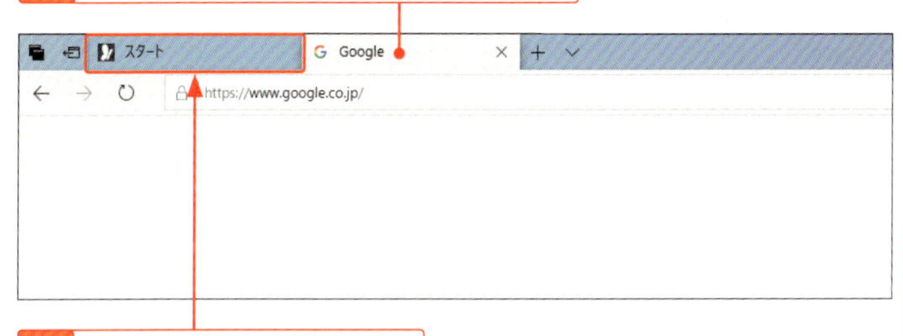

6 ほかのタブをクリックすると、

7 Webページが切り替わります。

Hint

タブプレビューを表示する

Microsoft Edgeではタブプレビュー機能を使用できます。タブの右端にある∨をクリックすると、画面上部に現在開いているすべてのタブがサムネイルで一覧表示されます。∧をクリックすると、プレビューが閉じます。

よく見るWebページをお気に入りに登録しよう

お気に入りは、よく見るWebページ(URL)を登録しておく場所のことです。お気に入りにWebページを登録しておくと、かんたんな操作ですばやく表示することができます。

1 Webページをお気に入りに登録する

1 お気に入りに登録するWebページを表示して、

2 <お気に入りまたはリーディングリストに追加します>をクリックします。

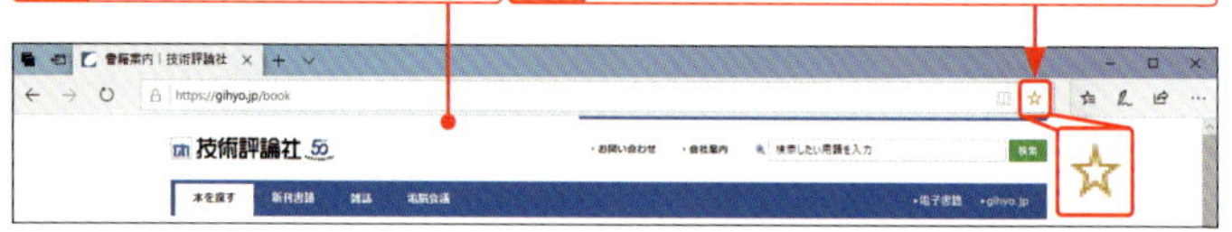

3 <お気に入り>をクリックして、

4 お気に入りに付ける名前を入力し、

5 <追加>をクリックします。

StepUp お気に入りの保存先を変更する

お気に入りはフォルダーごとに整理することができます。フォルダーを新規に作成する場合は、手順4の画面で<保存する場所>のボックスをクリックして<新しいフォルダーの作成>をクリックし、フォルダー名を入力します。

ここにフォルダー名を入力します。

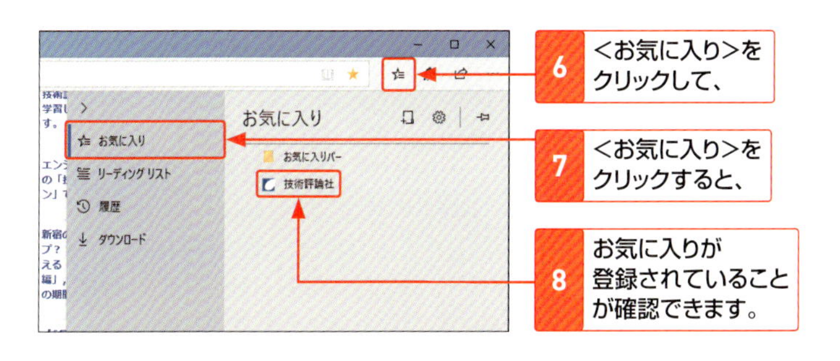

2 お気に入りからWebページを削除する

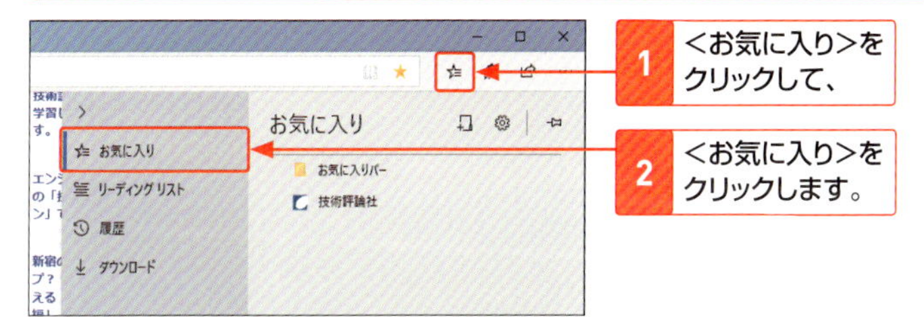

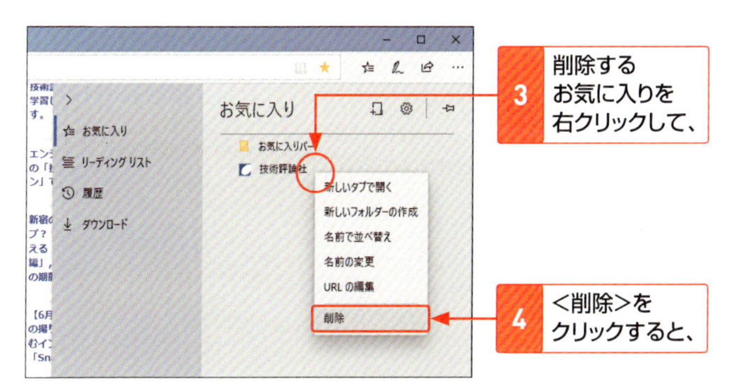

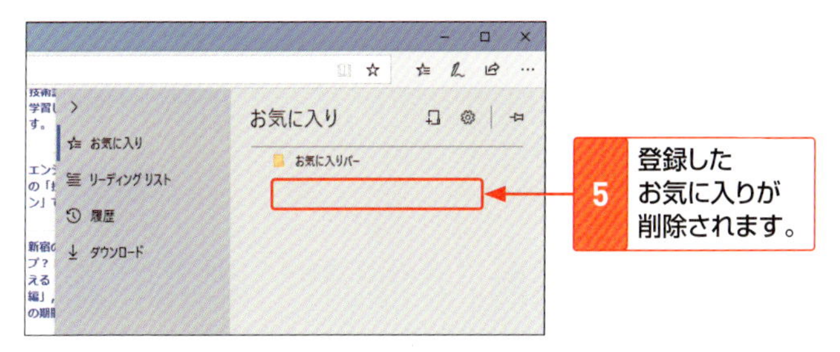

最初に表示される ホームページを変更しよう

Microsoft Edgeを起動したときに表示されるWebページを**ホームページ**といいます。ホームページは、**任意のWebページに変更**することができます。画面右上の<設定など>から変更します。

1 起動時に開くページを変更する

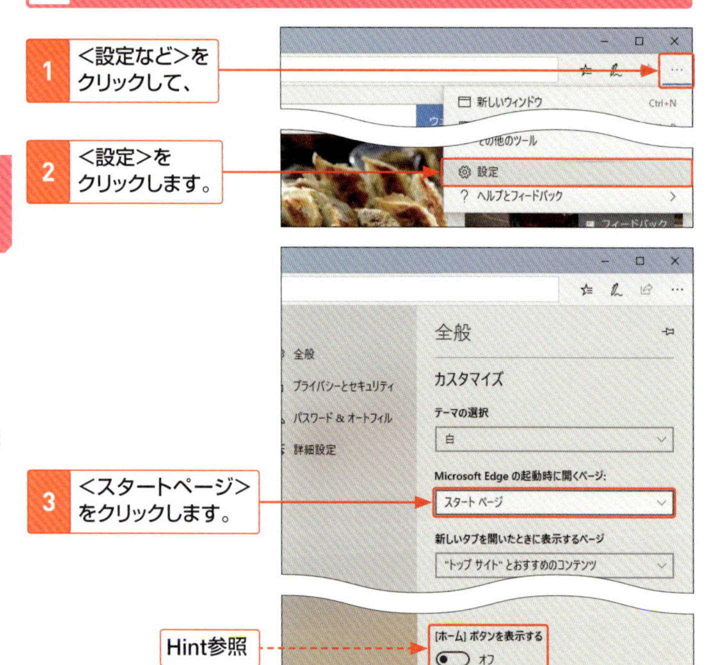

Hint
<ホーム>ボタンを表示する

<ホーム>ボタン はすばやくホームページを表示する機能ですが、初期設定では表示されていません。表示するには、手順3の画面で<［ホーム］ボタンを表示する>を<オン>にします。<最新の情報に更新> の右に表示されます。

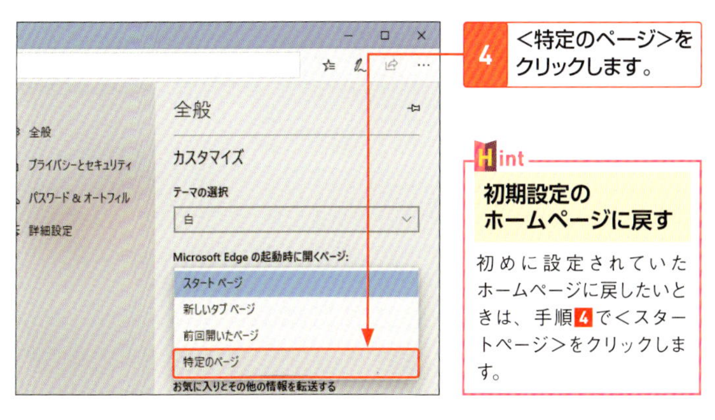

4 <特定のページ>をクリックします。

Hint

初期設定のホームページに戻す

初めに設定されていたホームページに戻したいときは、手順4で<スタートページ>をクリックします。

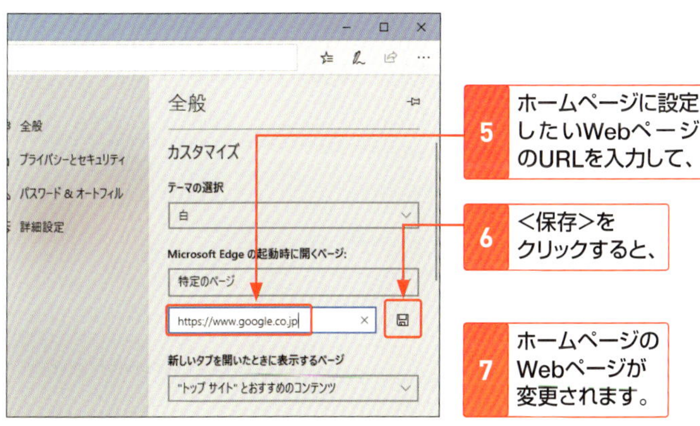

5 ホームページに設定したいWebページのURLを入力して、

6 <保存>をクリックすると、

7 ホームページのWebページが変更されます。

StepUp

複数のWebページをホームページにする

複数のWebページをホームページとして登録することもできます。上記の手順で1つ目のURLを入力して<保存>をクリックしたあと、<新しいページの追加>をクリックしてURLを入力し、<保存>をクリックします。
複数のホームページを登録すると、それぞれのWebページがタブで表示されます。

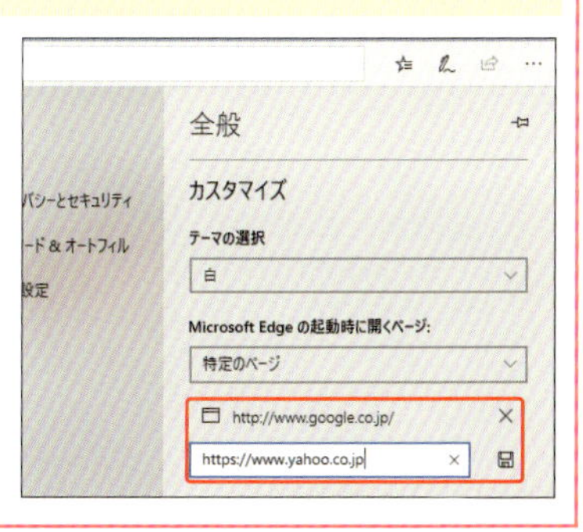

以前に見たWebサイトを再度表示しよう

過去に見たWebページをもう一度見たいが、URLが思い出せない、このようなときは、**履歴**を利用します。Microsoft Edgeでは、**過去に表示したWebページが履歴として記録**されています。

1 履歴から目的のWebページを表示する

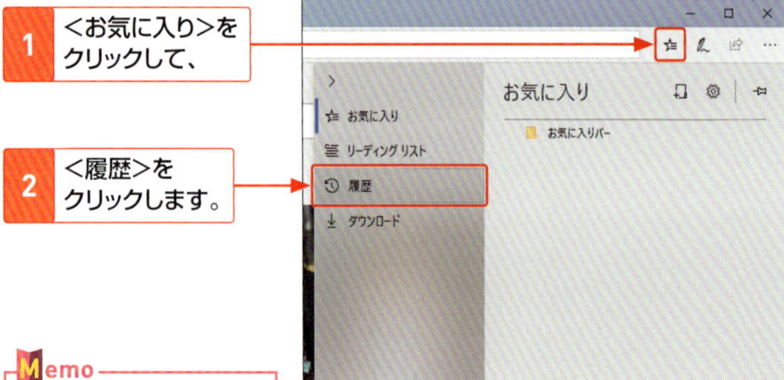

1 ＜お気に入り＞をクリックして、

2 ＜履歴＞をクリックします。

Memo

履歴の表示

履歴は、＜戻る＞や＜進む＞を右クリックすると表示される一覧から＜履歴＞をクリックしても、表示することができます。

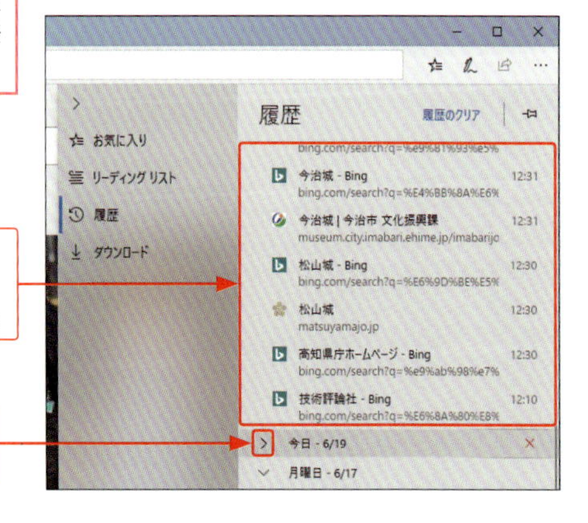

3 以前に見たWebページが日付順に一覧表示されます。

4 見たい日のここをクリックします。

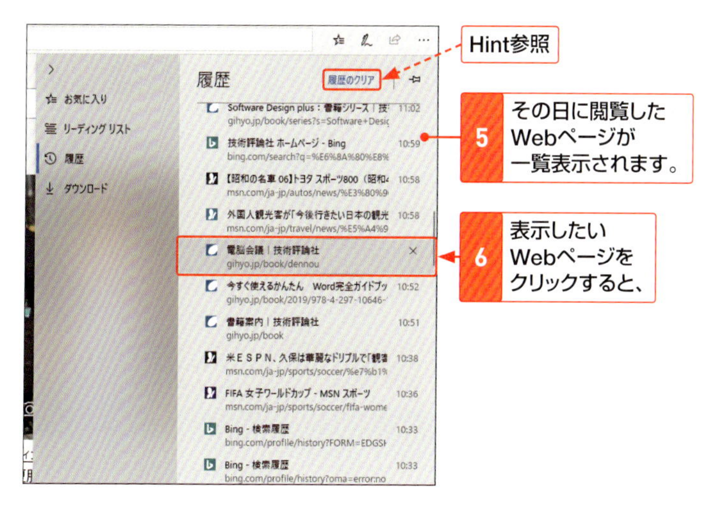

Hint

閲覧履歴を削除する

閲覧の履歴を削除するには、＜履歴＞画面の右上にある＜履歴をクリア＞をクリックします。＜閲覧データの消去＞画面が表示されるので、＜閲覧の履歴＞をクリックしてオンにし、＜クリア＞をクリックします。
閲覧の履歴のほか、クッキー（Cookie）やインターネット一時ファイルなどもオンにすればこの方法で消去することができます。

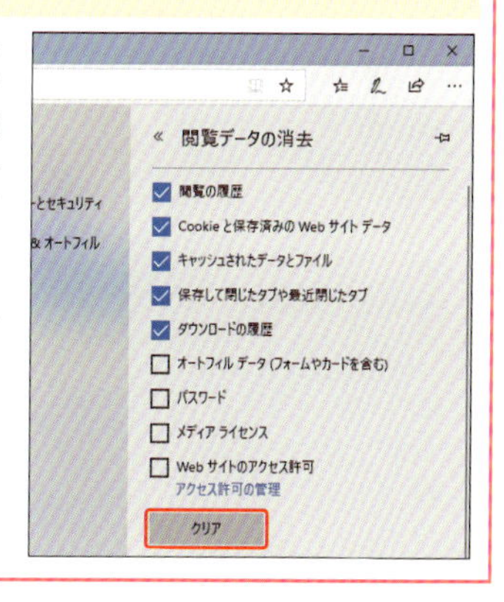

Webページ内を検索しよう

キーワードでWebページを検索しても、ページ内のどこに目的の用語があるのか、見つけにくい場合があります。このようなときは、ページ内の検索機能を利用すると便利です。

1 Webページ内でキーワード検索する

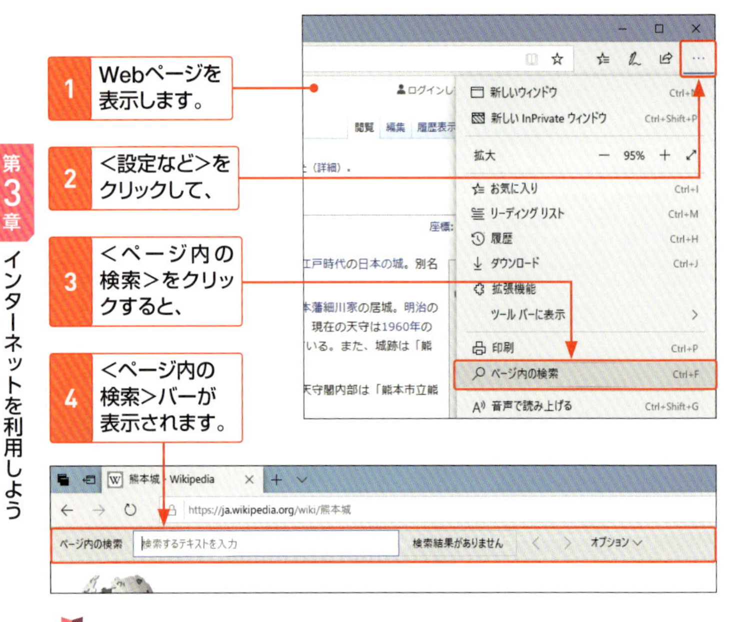

StepUp オプションの設定

<ページ内の検索>バーの<オプション>をクリックすると、<単語単位で探す>、<大文字と小文字を区別する>の条件を指定することができます。

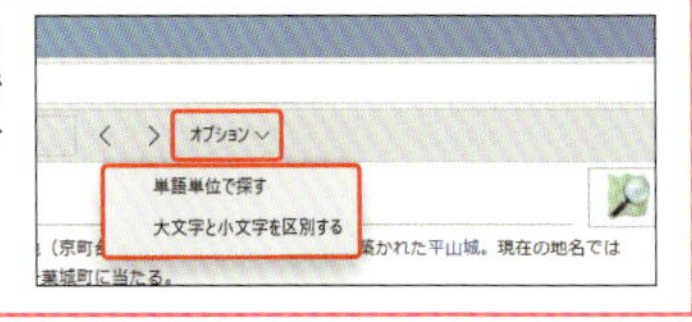

5 探したい用語を入力して Enter を押すと、

ここに検索結果数が表示されます。

6 入力した用語が検索されます。

7 <次の結果> ＞ をクリックすると、

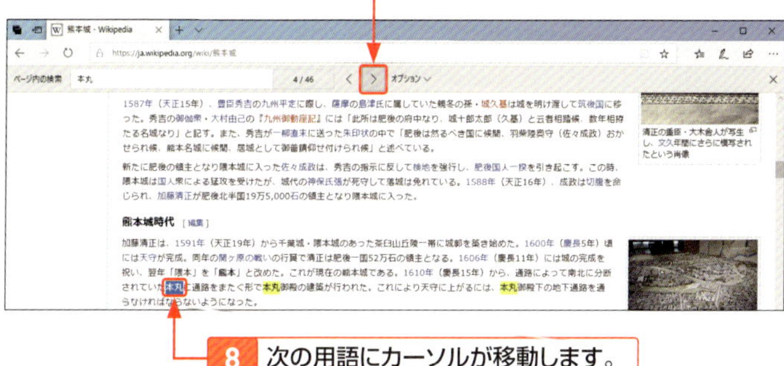

8 次の用語にカーソルが移動します。

9 <前の結果> ＜ をクリックすると、1つ前の用語にカーソルが移動します。

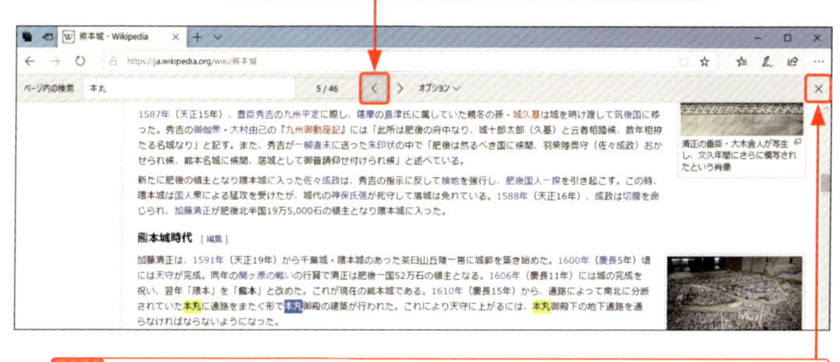

10 <閉じる>をクリックすると、<ページ内の検索バー>が閉じます。

Webページを印刷しよう

Webページの情報を手元に残したいときなどは、ページを印刷します。Webページを印刷するには、<設定など>から<印刷>をクリックします。プリンターや印刷結果などを確認してから印刷します。

1 印刷ページを確認する

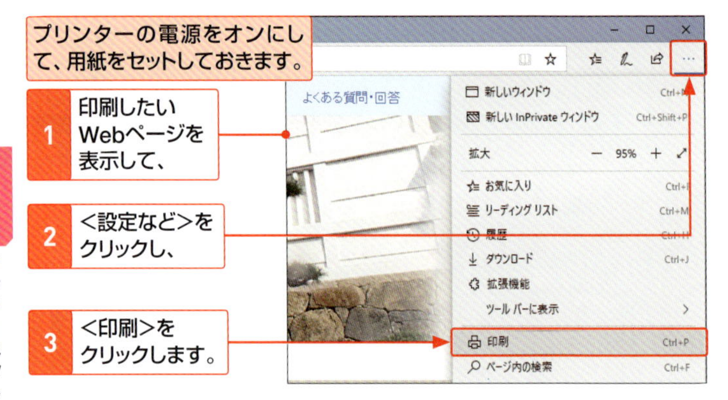

2 プリンターや印刷設定を変更して印刷する

1 プリンターをクリックして、使用するプリンターを指定します。

2 必要に応じて、印刷するページや拡大／縮小などを指定します。

3 ここで印刷部数を変更できます。

Memo参照

4 ＜印刷＞をクリックすると、印刷が開始されます。

Memo 印刷の詳細設定

＜印刷＞画面の＜その他の設定＞をクリックすると、ページレイアウトや用紙、印刷モードなどを設定できます。

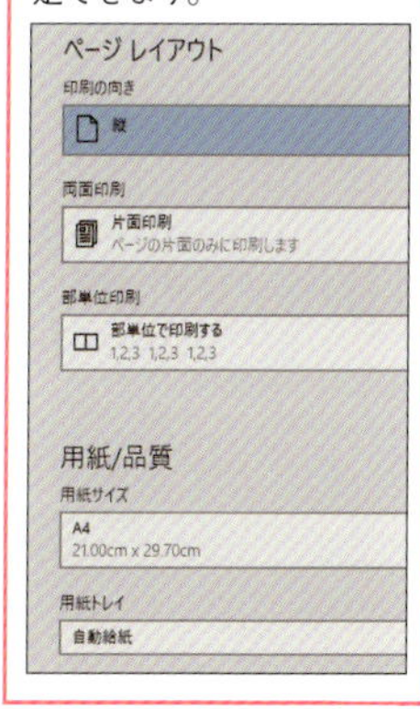

Hint 印刷範囲の指定

Webページ内の一部のページを印刷したい場合は、印刷画面を表示して、＜ページ＞で＜ユーザー設定の範囲＞を選択し、＜ページ範囲＞で印刷したいページを指定します。

ページ
ユーザー設定の範囲
例: 1-2
ページ範囲
2-4

ファイルを ダウンロードしよう

インターネット上で提供されているファイルを入手するときは、Webブラウザで目的のWebページを表示して、ダウンロード用のリンクをクリックし、パソコンに保存します。

1 ファイルをダウンロードする

1 Microsoft Edgeを起動して、ダウンロードするファイルのあるWebページを表示します。

2 ダウンロード用リンクをクリックして、

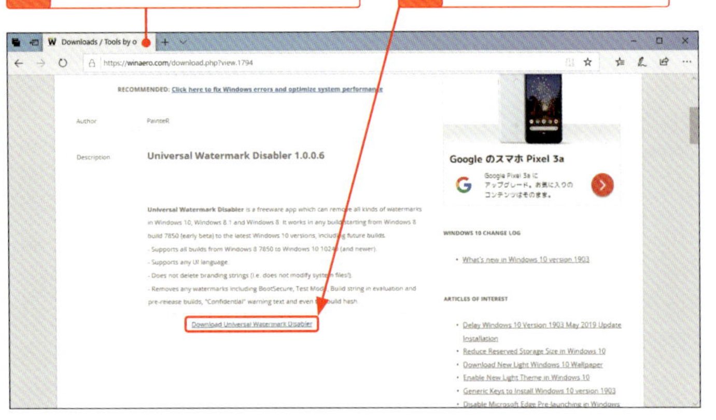

3 <保存>をクリックします。

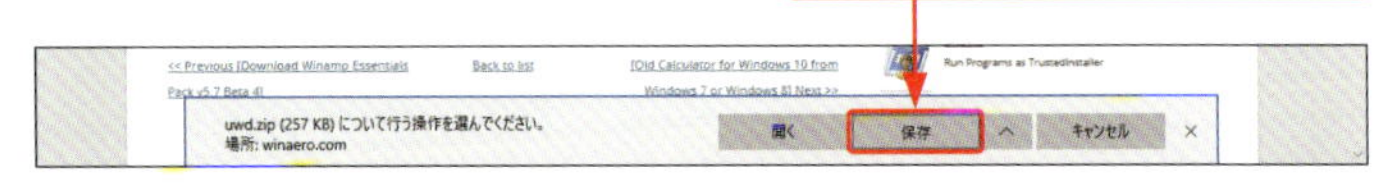

Memo ダウンロードの手順

操作手順は、ダウンロードするファイルによって異なります。表示される画面の指示に従ってください。なお手順3では、確実に安全なファイルであれば<開く>をクリックしてもかまいませんが、セキュリティ対策のためにも、<保存>をクリックしていったん保存するようにします。

4 ダウンロードが終わると、メッセージが表示されます。

5 <ダウンロードの表示>をクリックすると、

6 ダウンロードしたファイルの履歴が表示されます。

7 <フォルダーを開く>をクリックすると、

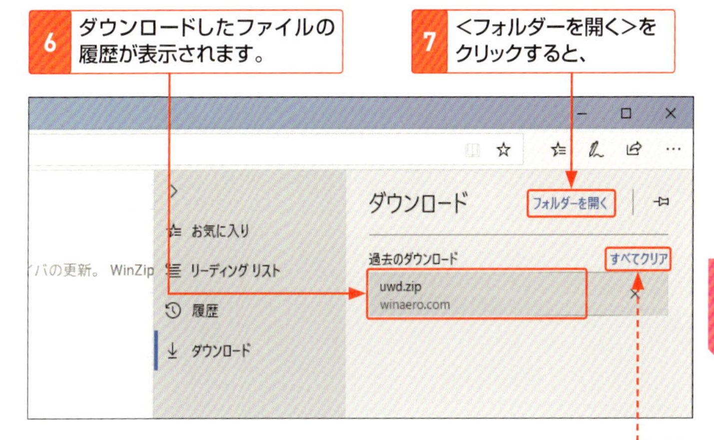

8 エクスプローラーが開き、ダウンロードしたファイルが表示されます。

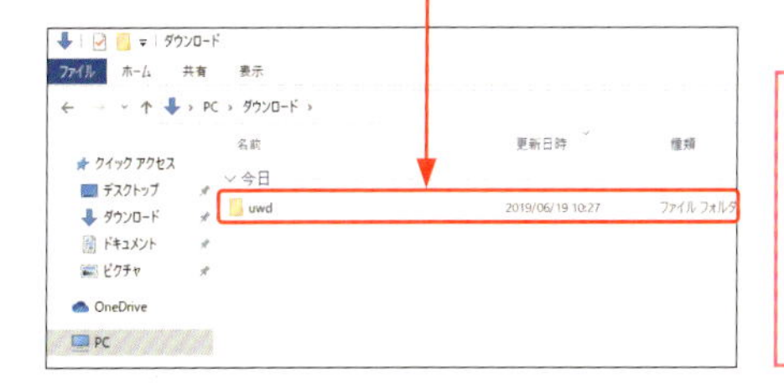

Memo

ファイルの保存先

Webページからダウンロードしたファイルは、既定では<ダウンロード>フォルダーに保存されます。

Hint

ダウンロードの履歴を削除する

手順**6**の画面で<すべてクリア>をクリックすると、ダウンロードしたファイルの履歴が削除されます。ただし、ダウンロードしたファイルは残ります。

StepUp

圧縮ファイルを展開する

ダウンロードされたファイルは、通常「圧縮ファイル」になっています。圧縮ファイルとはファイルのサイズ（容量）を小さくまとめたファイルのことで、メールに添付する場合にも利用します（Sec.43参照）。圧縮ファイルを、通常のファイル（フォルダー）に戻すことを展開（解凍）といいます。エクスプローラーの<圧縮フォルダーツール>を利用して展開します。

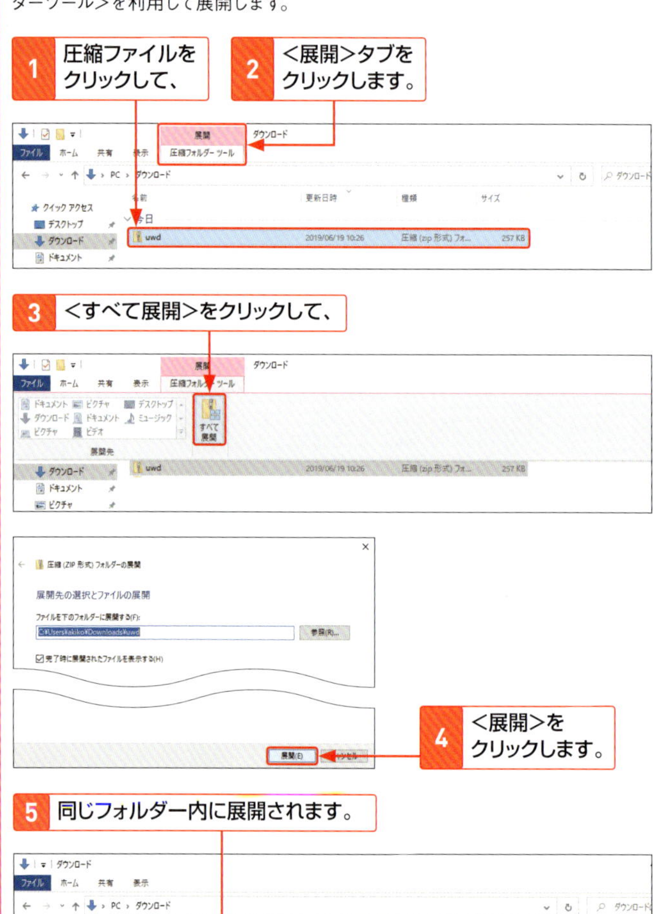

第4章

メールを使いこなそう

「メール」アプリを起動しよう

「メール」アプリは、Windows 10に標準で用意されているメールソフトです。ここでは、**Microsoftアカウントでサインイン**している状態で、「メール」アプリを起動します。

1 「メール」アプリを起動する

1 タスクバーの<メール>をクリックします。

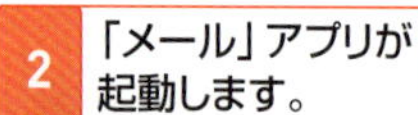

2 「メール」アプリが起動します。

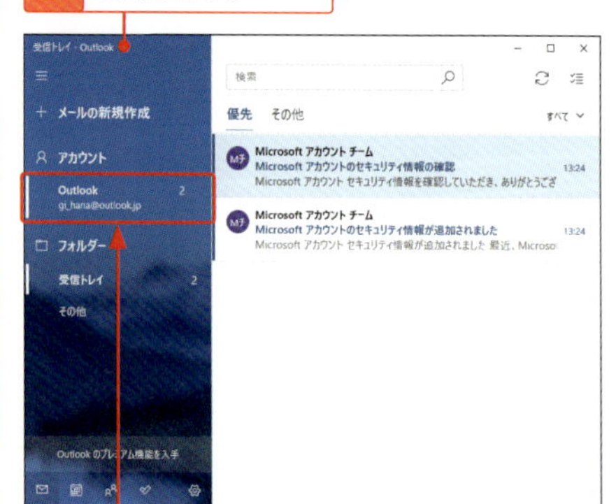

3 Windows 10にサインインしているMicrosoftアカウントのメールアドレスが、自動的に設定されます。

Memo タスクバーにアイコンがない場合

タスクバーに<メール>のアイコンが表示されていない場合は、<スタート>をクリックして、<メール>をクリックします。

Memo 確認メッセージの表示

以下のような確認メッセージが表示された場合は、<OK>をクリックします。

最初のユーザーです
hanako.g@outlook.jp で始まるアドレスに更新プログラムを展開しています。
お使いのアカウントで、新しく優先受信トレイを使用できるようになりました。すばやく検索して、効率を高めましょう。
OK

アカウントが設定されていない場合は、P.107のHintを参照してください。

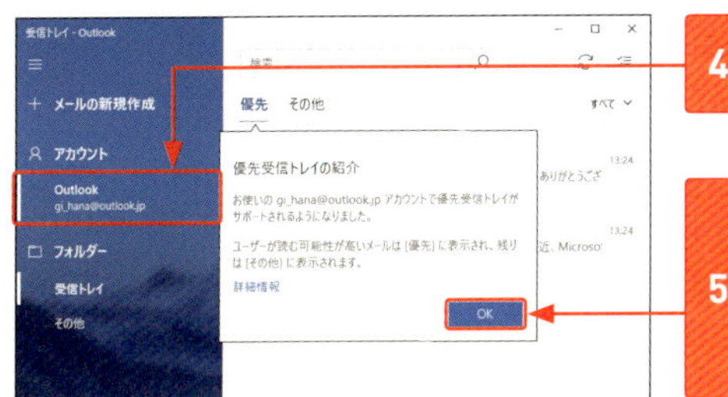

4 設定されたアカウントをクリックすると、

5 優先受信トレイの紹介が表示されるので（初回のみ）、<OK>をクリックします。

Hint メールアカウントを設定する

P.106の手順**2**でメールアカウントが設定されていない場合は、<アカウント>をクリックして、<アカウントの管理>から<アカウントの追加>をクリックします。<アカウントの追加>画面のメールアカウントをクリックすると、「メール」アプリに設定されます。
メールアカウントが表示されない場合は、新たにメールアカウントを追加します（Sec.38参照）。

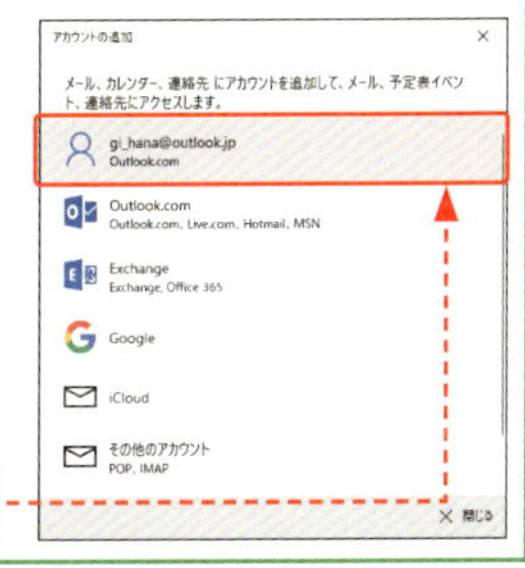

メールアカウントをクリックします。

2 受信メールを閲覧する

1 「メール」アプリを起動すると、<受信トレイ>が開きます。

2 受信したメールをクリックすると、

3 プレビューウィンドウにメールの内容が表示されます。

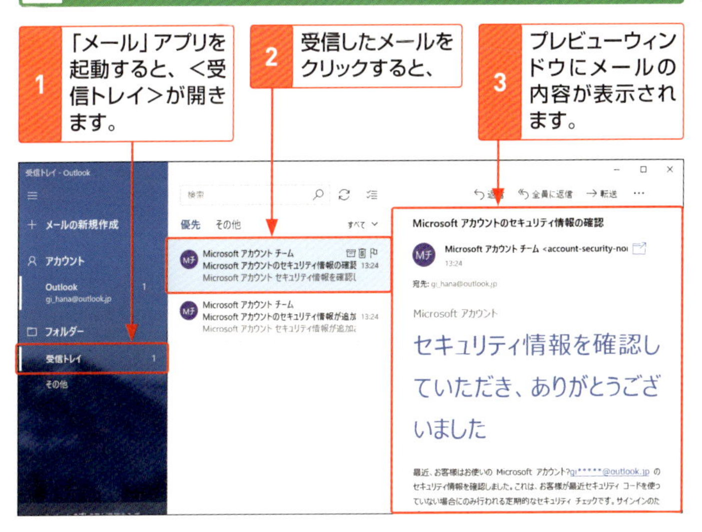

メールアカウントを追加しよう

「メール」アプリで、別のアカウントやプロバイダーのメールアカウントを使用したい場合は、最初にアカウントを追加します。Windows 10は、POP形式のメールにも対応しています。

1 アカウントを追加する

1 「メール」アプリを起動して（P.106参照）、

2 <アカウント>をクリックし、

3 <アカウントの追加>をクリックします。

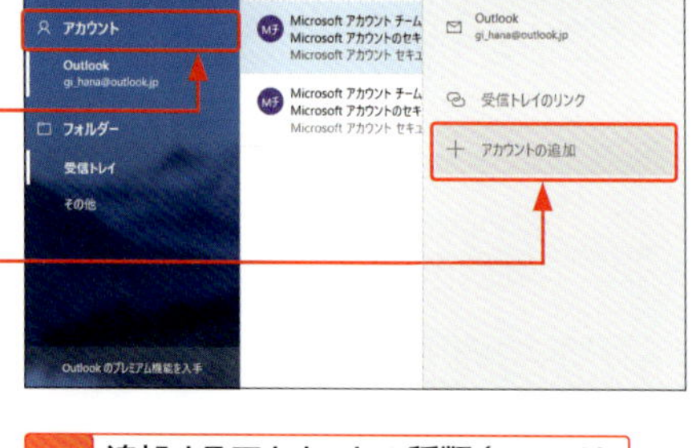

4 追加するアカウントの種類（ここではプロバイダーの情報を指定するので<詳細設定>）をクリックして、

Memo

メールサービスへの対応

「メール」アプリは、Outlook.com、Exchange、Gmail、Yahoo!メール、POPアカウント、IMAP、iCloudなどに対応しています。

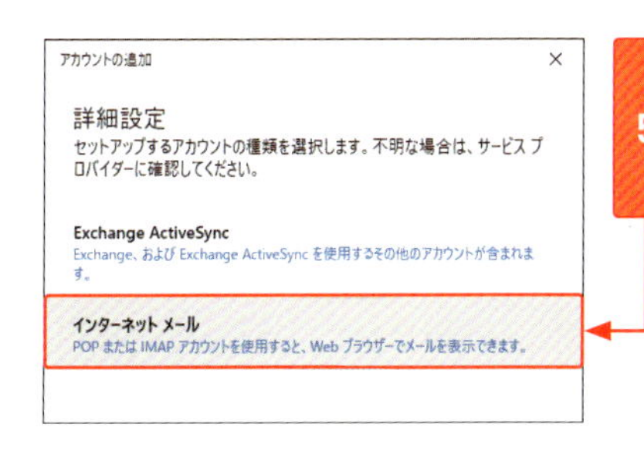

5 セットアップするアカウントの種類(ここでは＜インターネットメール＞)をクリックします。

Memo

アカウントの設定

アカウントの種類やメールサーバーの情報などは、プロバイダーから提供される情報を参考にします。

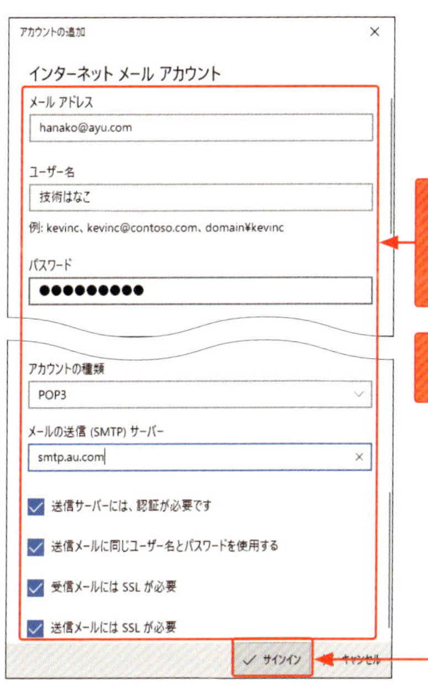

6 メールアドレスやユーザー名、メールサーバー情報など、必要な項目を設定して、

7 ＜サインイン＞をクリックします。

Memo

アカウントの追加

アカウントは、「メール」アプリの画面から追加することもできます。画面左下の＜設定＞をクリックして＜アカウントの管理＞をクリックし、＜アカウントの追加＞をクリックすると、手順**4**の画面が表示されます。

8 ＜完了＞をクリックすると、

9 アカウントが追加されます。

「メール」アプリの画面構成と機能を知ろう

「メール」アプリは、シンプルな画面で構成されています。画面には3つのウィンドウが表示されており、左のナビゲーションバーは、画面のサイズに応じて自動的に展開／折りたたまれます。

1 「メール」アプリの画面構成

ナビゲーションバー
メールが保存されるフォルダーの一覧が表示されます。

メールの新規作成
メールの新規作成画面を表示します。

メールの検索
メールを検索します。

選択モードを開始する
メールを選択します。

メールの返信や転送、削除、移動などを行います。

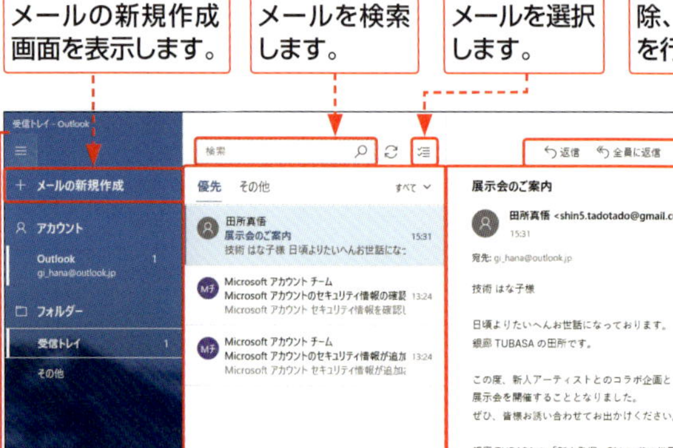

各コマンド
「メール」「カレンダー」「People」「ToDo」アプリと、「設定」画面を表示します。

メール一覧
選択したフォルダー内のメールが一覧表示されます。

プレビューウィンドウ
メール一覧でクリックしたメールの内容が表示されます。

ナビゲーションバーの展開／折りたたみ

画面のサイズによっては、ナビゲーションバーが折りたたまれ、アイコンのみが表示されます。画面左上の☰をクリックすると、展開されます。再度クリックすると、折りたたまれます。

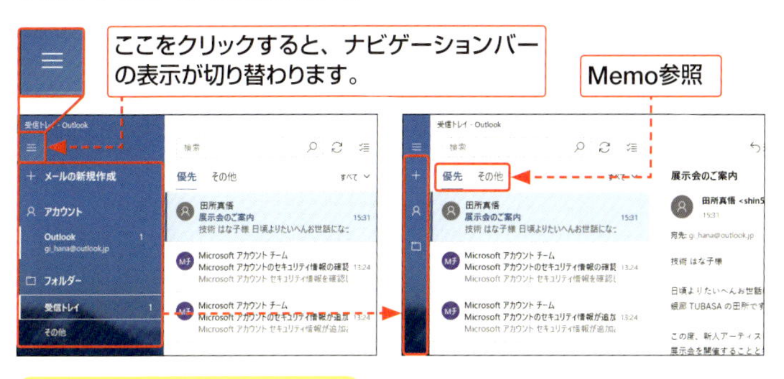

すべてのフォルダーを表示する

<その他>をクリックすると、すべてのフォルダーが表示されます。

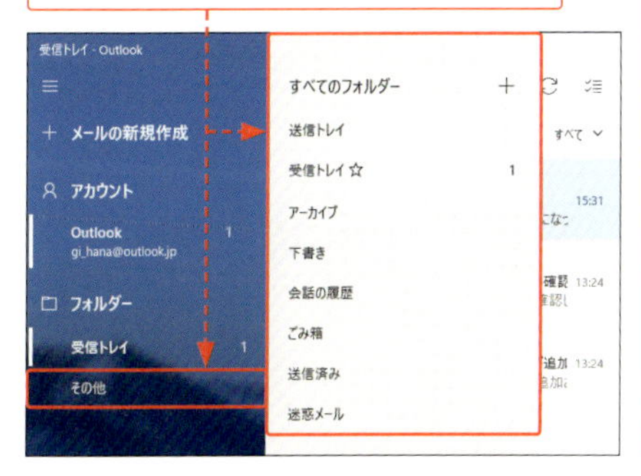

Memo <優先>タブと<その他>タブ

受信トレイは、<優先>と<その他>の2つのタブに分かれています。ユーザーにとって重要なメールは<優先>に、そのほかのメールは<その他>に振り分けられます。タブをクリックしてメールを確認します。

StepUp アカウント名を変更する

アカウント名は自動的に「Outlook」が付きますが、変更することができます。アカウント名を右クリックして<アカウント設定>をクリックし、<アカウント名>を変更して<保存>をクリックします。

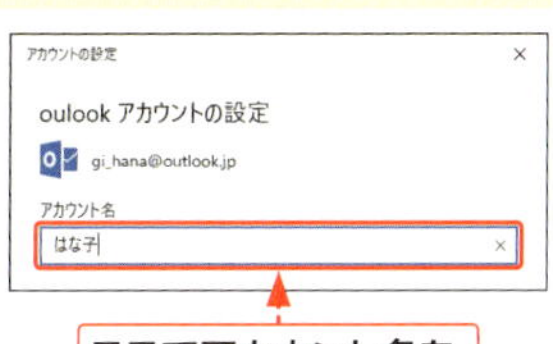

ここでアカウント名を変更します。

新しくメールを書いて送信しよう

「メール」アプリの<メールの新規作成>をクリックすると、メールの作成画面が表示されます。送信相手のメールアドレスや件名、メッセージなどを入力してメールを送信します。

1 メールを作成して送信する

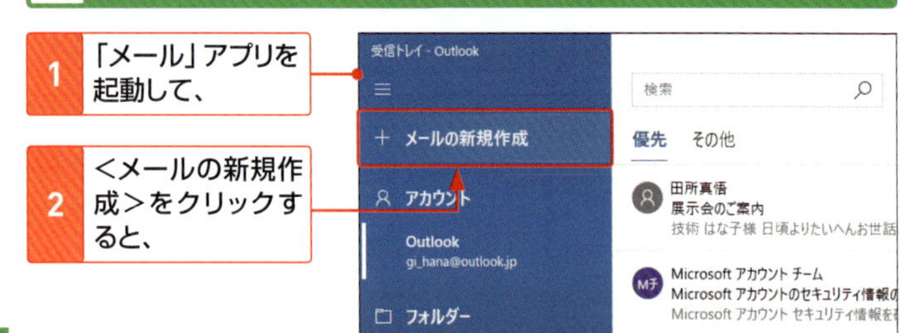

3 メールの作成画面が表示されます。

Memo参照

ここをクリックすると、メールの作成画面が新しいウィンドウで表示されます。

Memo メッセージに書式を設定する

「メール」アプリでは、メッセージに太字や斜体、段落書式、見出しなどの書式を設定することができます。また、表や画像などを埋め込むこともできます。

4 <宛先>に送信先のメールアドレスを入力して、

5 ここをクリックし、

6 件名を入力します。

7 メールのメッセージ（本文）を入力して、

8 <送信>をクリックすると、送信されます。

9 <その他>から<送信済みアイテム>をクリックすると、

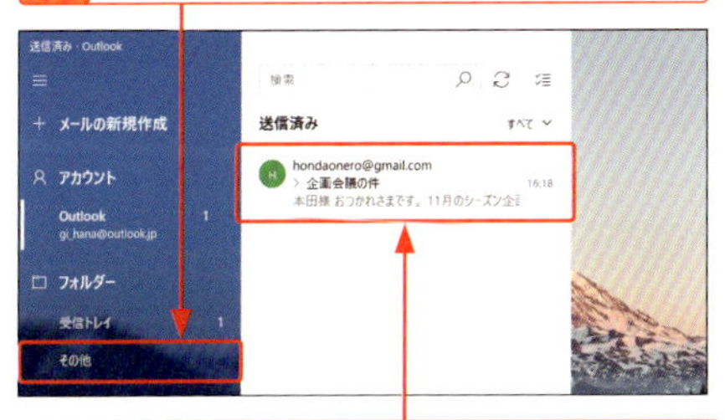

10 メールが送信されたことが確認できます。

Hint
メールを破棄する

メールの作成を中止する場合は、画面右上の<破棄>をクリックします。

Memo
Windows 10版のメールから送信とは?

メッセージ欄に表示される「Windows 10版のメールから送信」は、送信元を示す初期設定の署名で自動的に挿入されます。不要なら[Delete]を押して削除しましょう。

Hint
宛先を候補から選択する

<宛先>にメールアドレスを入力し始めると、送受信した相手やアドレス帳（Sec.46参照）の中から該当する候補が表示される場合があります。一覧に目的のアドレスがある場合は、クリックします。

メールに返信しよう／メールを転送しよう

受信したメールは、返信したり、ほかの人へ転送したりすることができます。受信メールを表示したウィンドウから<返信>あるいは<転送>をクリックして、メッセージを入力して送信します。

1 受信したメールに返信する

1 返信するメールをクリックして、

2 <返信>をクリックすると、

3 送信用の画面が表示され、送信者のメールアドレスが自動的に入力されます。

4 返信メッセージを入力して、

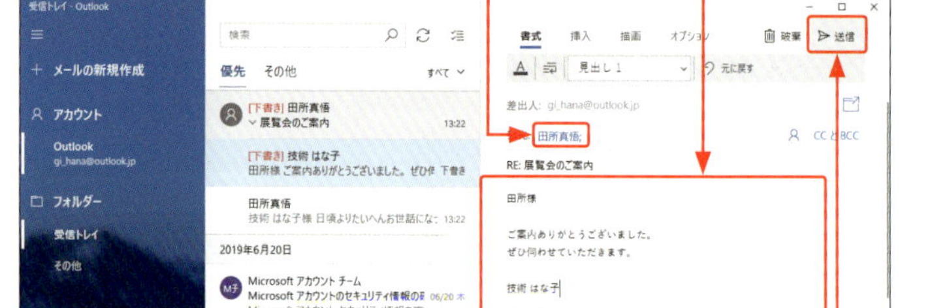

受信したメールの内容が引用されます。

5 <送信>をクリックすると、メールが返信されます。

Memo

件名の「RE:」

返信メールの作成画面では、件名が引用され、先頭に返信メールであることを示す「RE:」が自動的に付きます。

2 受信したメールをほかの人に転送する

1 転送するメールをクリックして、

2 <転送>をクリックすると、

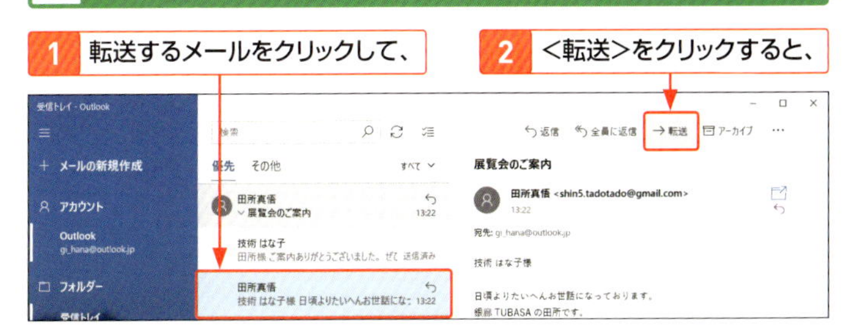

3 転送用の画面が表示されます。

4 <宛先>に転送先のメールアドレスを入力して、

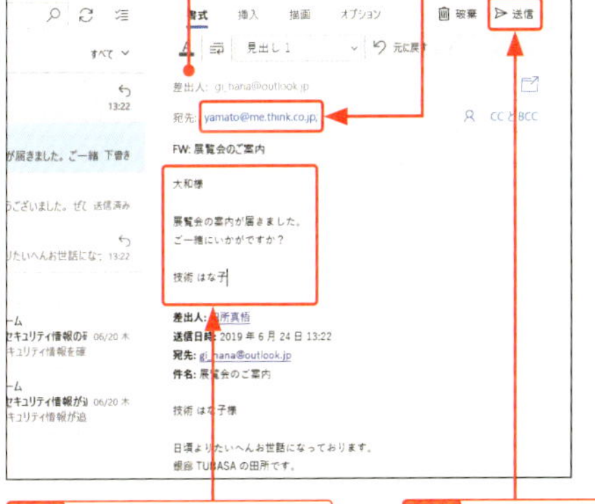

5 メッセージを入力し、

6 <送信>をクリックすると、メールが転送されます。

Memo
件名の「FW:」

転送メールの作成画面では、件名が引用され、先頭に転送メールであることを示す「FW:」が自動的に付きます。

Hint
スレッドの表示/非表示

受信したメールに対して返信や転送した場合は、スレッド機能により、1つにまとめられて表示されます。まとめて表示したくない場合は、スレッドマーク[v]をクリックして切り替えます。

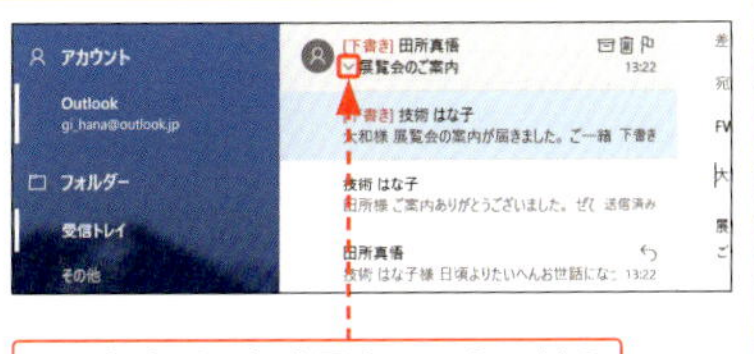

ここをクリックすると、スレッドの表示/非表示が切り替わります。

複数の人に同時にメールを送信しよう

複数の人に同じメールを同時に送る場合は、<宛先>に**送信先全員のアドレス**を入力します。また、**CC**や**BCC**を利用すると、宛先以外の人に同じ内容のメールを送信することができます。

1 <宛先>に複数の送信先を指定する

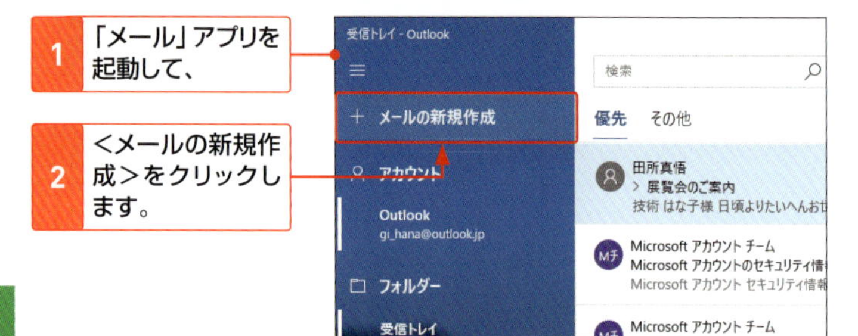

1 「メール」アプリを起動して、

2 <メールの新規作成>をクリックします。

3 <宛先>に1人目のメールアドレスを入力して Enter を押し、

4 次の宛先のメールアドレスを入力します。

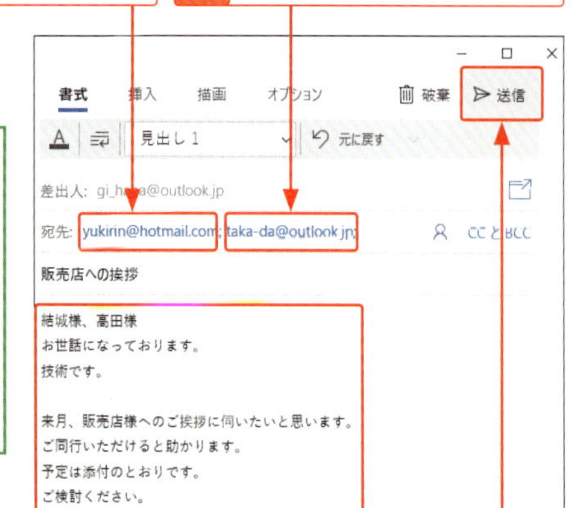

5 件名と本文を入力して、

6 <送信>をクリックします。

Memo

メールアドレスの区切り文字

メールアドレスを入力すると、最後に区切り文字として「;」（セミコロン）が挿入されます。続けて次のメールアドレスを入力できます。

2 ＜CC＞や＜BCC＞を使う

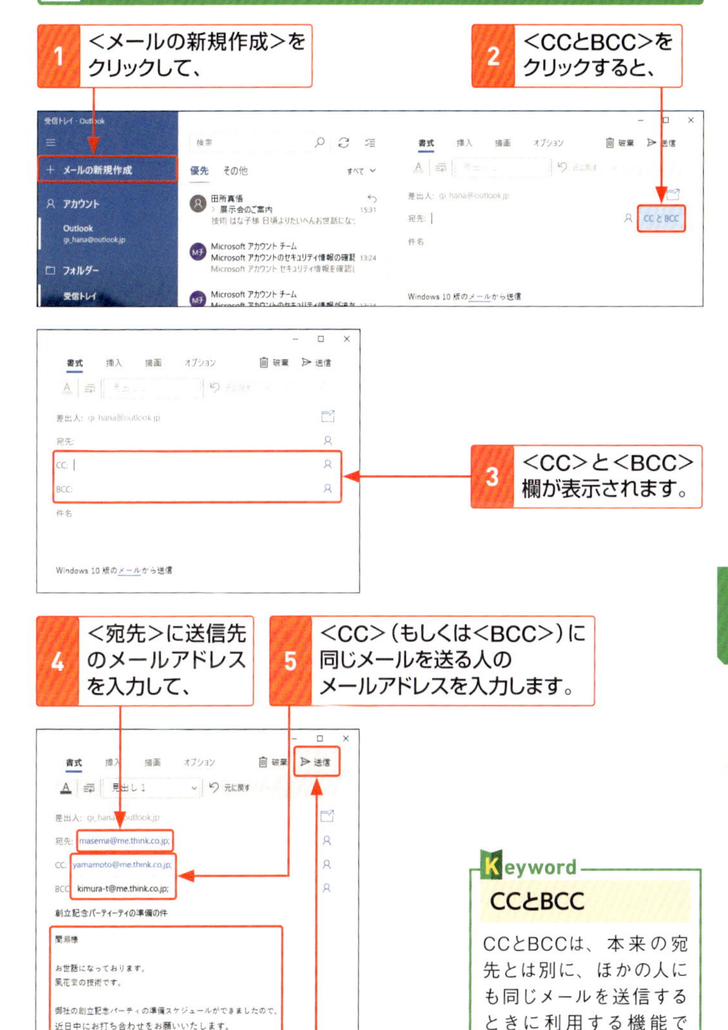

Keyword

CCとBCC

CCとBCCは、本来の宛先とは別に、ほかの人にも同じメールを送信するときに利用する機能です。CCに入力した宛先は受信者に表示されますが、BCCに入力した宛先はほかの受信者には表示されません。

ファイルを添付して送信しよう

メールではメッセージだけでなく、写真や文書などのファイルをメールに添付して送信することができます。写真を添付する場合は、ファイルサイズに注意が必要です。

1 メールにファイルを添付して送信する

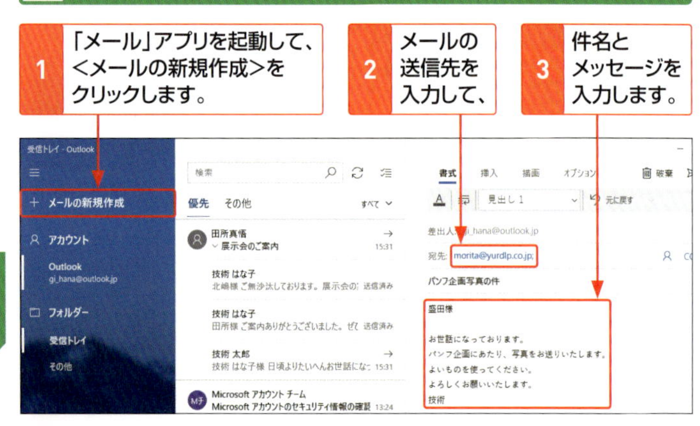

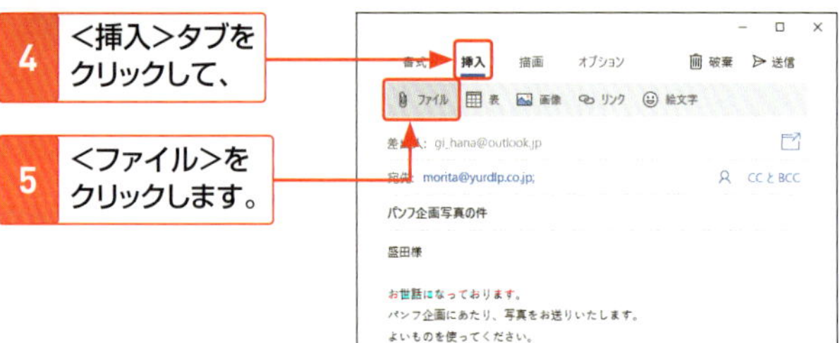

Keyword

添付ファイル

メールといっしょに送信する写真や文書などのファイルを添付ファイルといいます。メールに添付できるのは、ファイルもしくは圧縮ファイルです。通常のフォルダーは、そのままでは添付できません。

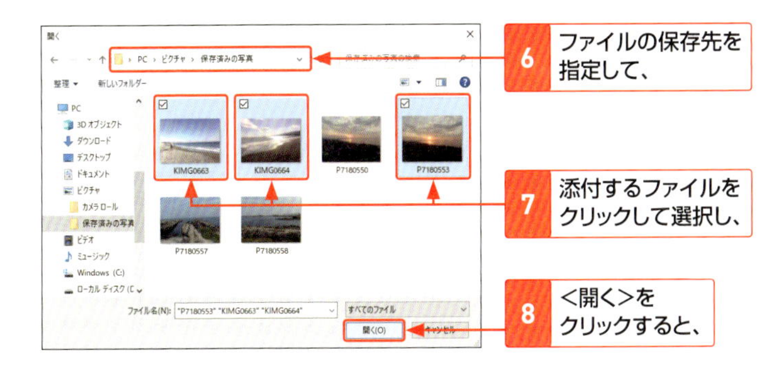

6 ファイルの保存先を指定して、

7 添付するファイルをクリックして選択し、

8 <開く>をクリックすると、

9 メールにファイルが添付されます。

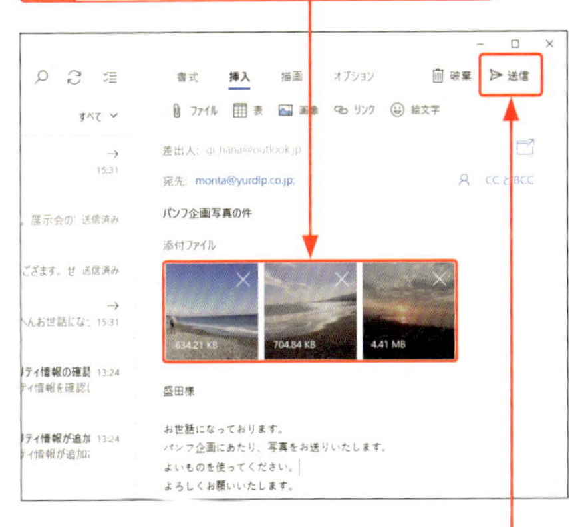

10 <送信>をクリックすると、メールが送信されます。

Memo

添付ファイルのサイズに注意する

写真を添付する場合、ファイルの容量が大きすぎると、送受信に時間がかかったり、エラーになってしまうことがあります。一般的に2MBまでにします。容量が大きい場合は、ファイルを圧縮して添付するとよいでしょう（StepUp参照）。

StepUp

ファイルやフォルダーを圧縮する

サイズの大きなファイルや複数のファイルを添付ファイルで送りたい場合は圧縮します。また、フォルダーも圧縮すれば添付できます。
圧縮するには、エクスプローラーでファイル（フォルダー）をクリックして選択し、<共有>タブの<Zip>をクリックするか、ファイル（フォルダー）を右クリックして、<送る>→<圧縮（zip形式）フォルダー>をクリックします。

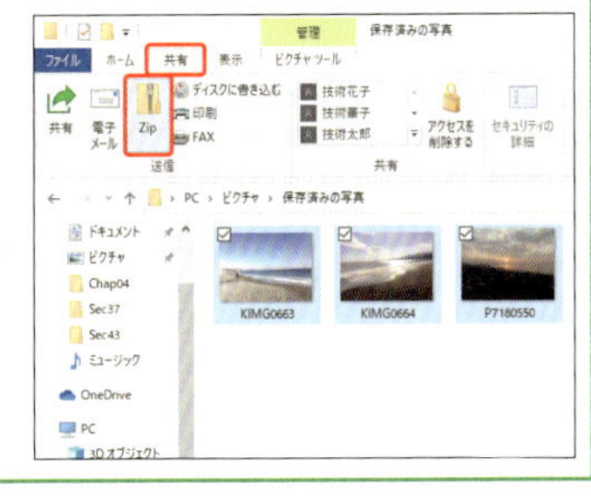

添付されてきたファイルを開いてみよう

添付ファイルがある受信メールには、**添付ファイルを示すマーク**が表示されます。添付ファイルの対応するアプリがある場合は、**直接開く**ことができます。また、**アプリを選択して開く**ことができます。

1 添付されたファイルを開く

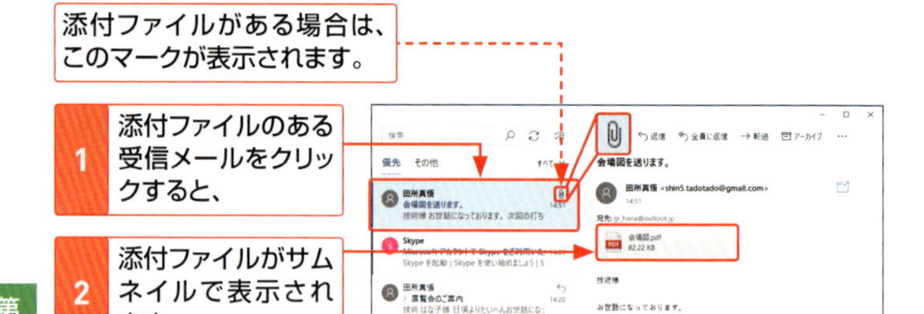

3 ファイルを右クリックして、

4 <開く>をクリックします。

Memo 添付ファイルを開く

添付ファイルに対応するアプリがある場合、また添付ファイルが圧縮されていない場合は、手順のように開くことができます。
圧縮されているファイルはいったん保存して、展開する必要があります（P.104参照）。ただし、プログラムファイル（exe）などはウイルスの場合があります。知らない相手からのファイルなども、直接開かないようにしましょう。

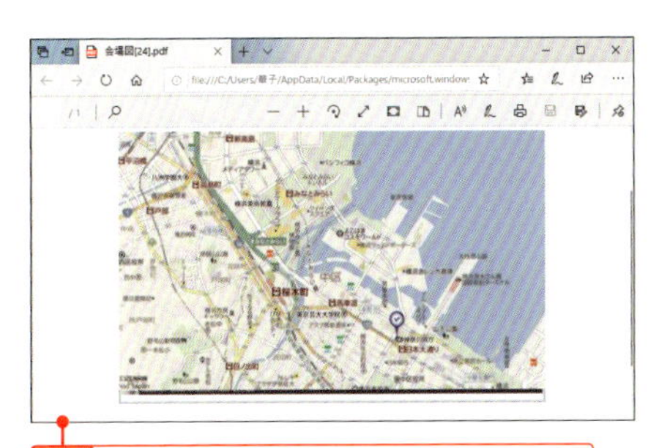

5 対応するアプリが自動的に起動して、ファイルが開きます。

> **Memo**
> ### 対応するアプリがない場合
> 手順**4**のあとで「このファイルを開く方法を選んでください」画面が表示された場合は、以下の操作を参照ください。

2 アプリを指定してファイルを開く

1 添付ファイルを開くアプリが不明な場合、この画面が表示されます。

2 ファイルを開くアプリをクリックして、

3 <OK>をクリックすると、指定したアプリが起動して、ファイルが開きます。

> **Memo**
> ### ファイルを開く方法
> 添付されたファイルの形式が不明な場合や利用できるアプリが複数ある場合は、ファイルを開く方法を選択する画面が表示されます。利用できるアプリがない場合は、<Microsoft Storeでアプリを探す>をクリックして、アプリを選択・ダウンロードします。

> **Hint**
> ### 添付ファイルを保存する
> 添付ファイルを右クリックして、<保存>をクリックすると、<名前を付けて保存>ダイアログボックスが表示されます。保存先を指定して、<保存>をクリックします。ファイル名はそのままでも、自分用に変更してもかまいません。

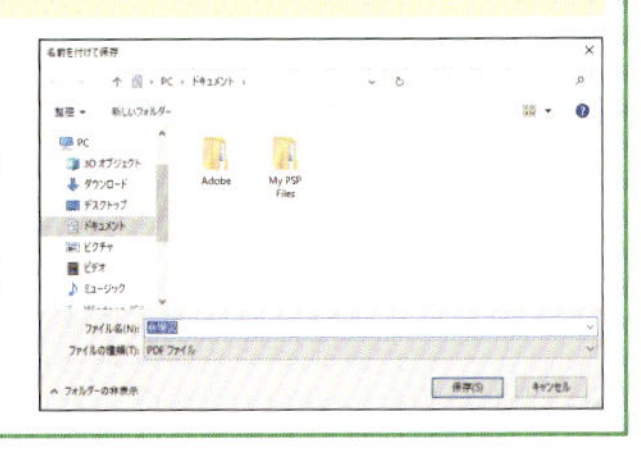

迷惑メールを振り分けて削除しよう

受信トレイには、知らない相手からのメールも届くようになります。受信メールを迷惑メールに指定したり、不要なメールを削除したりして振り分け、常にフォルダー内を整理しておきましょう。

1 迷惑メールを振り分ける

1 <受信トレイ>をクリックして、

2 迷惑メールを右クリックし、

3 <迷惑メールにする>をクリックします。

4 <その他>をクリックして、

5 <迷惑メール>をクリックすると、

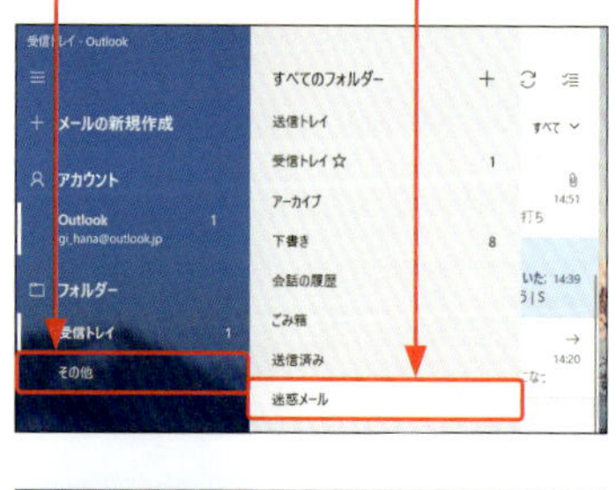

> **Keyword**
> **迷惑メール**
> 「迷惑メール」とは、知らない相手から届くWebサイトなどの広告や勧誘メールなどを指します。手順の方法で、迷惑メールに振り分けると、同じメールは自動的に迷惑メールと判断されます。

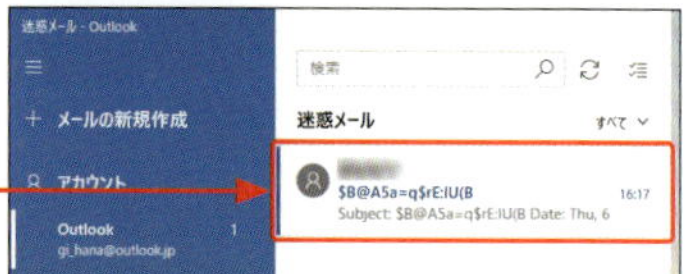

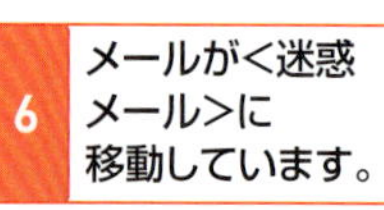

6 メールが<迷惑メール>に移動しています。

第4章 メールを使いこなそう

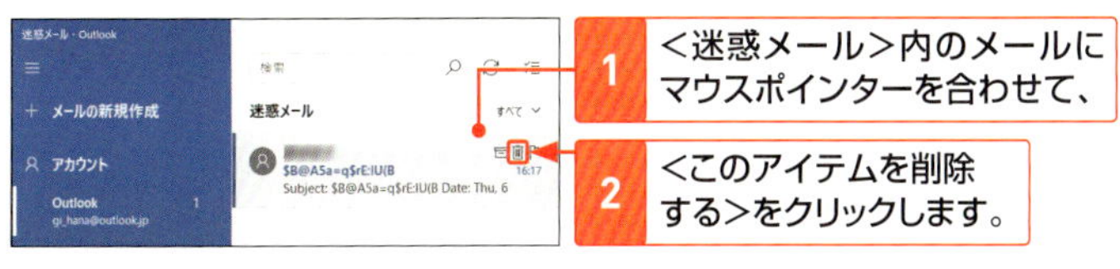

2 迷惑メールを削除する

1 <迷惑メール>内のメールにマウスポインターを合わせて、

2 <このアイテムを削除する>をクリックします。

3 迷惑メールが削除されます。

Hint 複数のメールを削除する

複数のメールを削除する場合は、<選択モードを開始する>をクリックして選択ボックスを表示し、削除するメールをオンにして、<選択したアイテムを削除します>をクリックします。

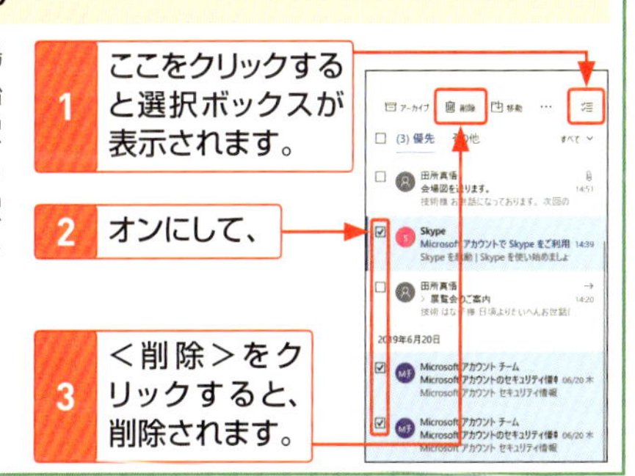

1 ここをクリックすると選択ボックスが表示されます。

2 オンにして、

3 <削除>をクリックすると、削除されます。

StepUp 振り分けたメールを戻す

誤ってほかのフォルダーに振り分けたメールを戻すには、メールを右クリックして、<移動>をクリックし、戻したいフォルダーをクリックします。

1 右クリックして、

2 <移動>をクリックし、

3 移動先をクリックします。

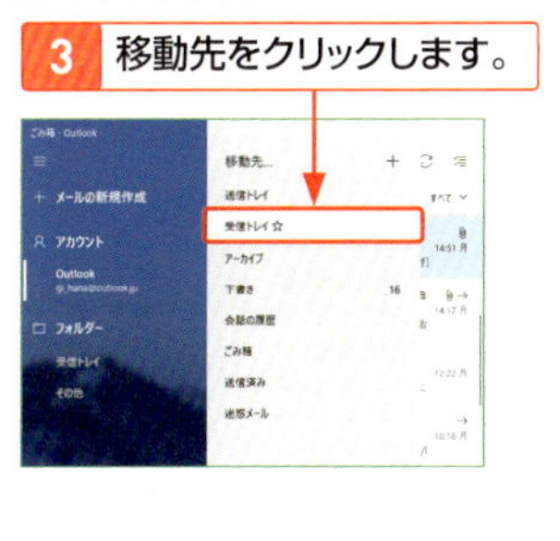

第4章 メールを使いこなそう

よく使う連絡先を登録しよう

「メール」アプリでは、「People」アプリで連絡先を管理し、アドレス帳として利用します。「People」アプリから連絡先を指定して、メールを作成し、送信することもできます。

1 「People」アプリに連絡先を登録する

1 「メール」アプリを起動して、

2 <連絡先に切り替える>をクリックします。

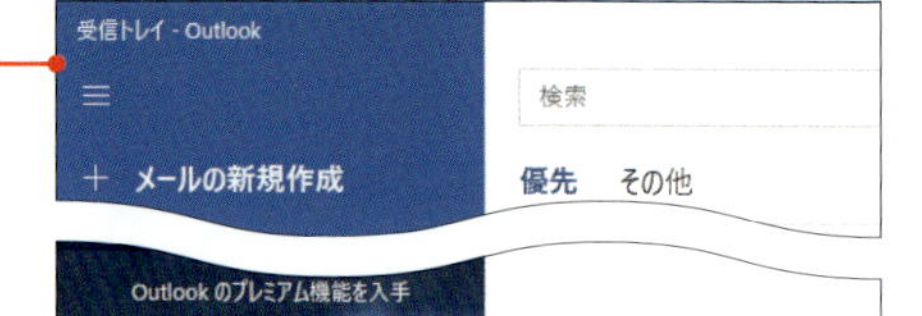

3 初めて起動したときは、<Peopleアプリへようこそ!>画面が表示されます。

4 <はじめましょう>をクリックして、

「People」アプリの起動

Windows 10の<スタート>をクリックしてスタートメニューから<People>をクリックしても、起動することができます。

5 <開始>をクリックして、

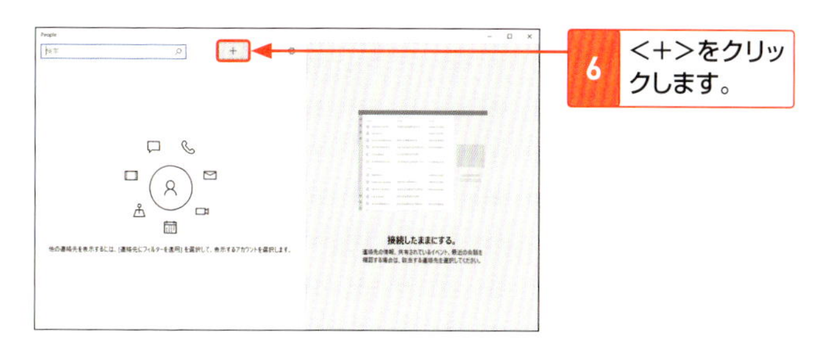

6 <+>をクリックします。

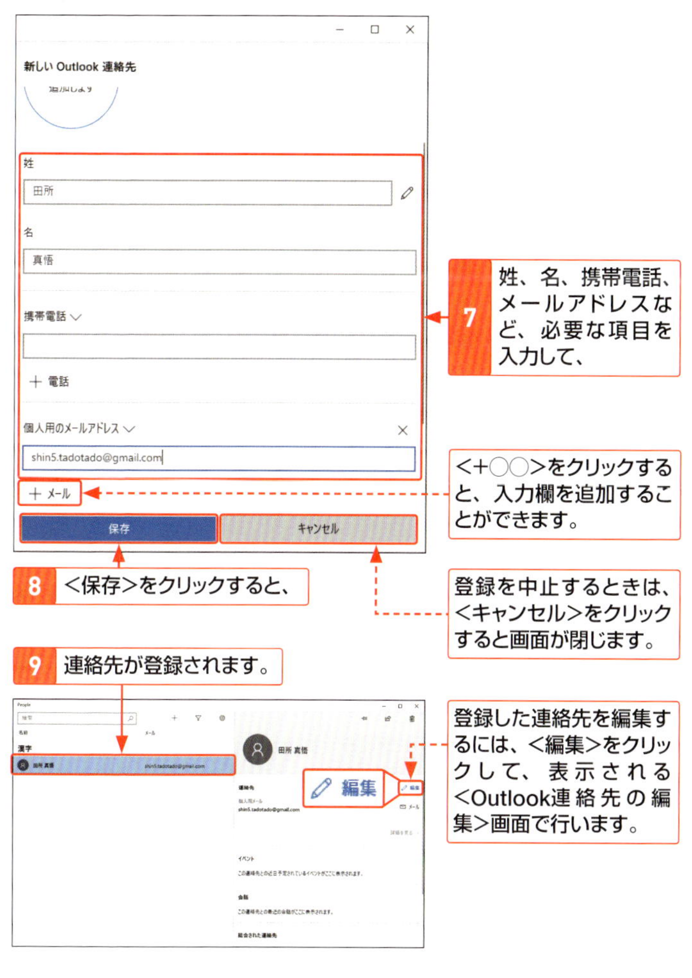

7 姓、名、携帯電話、メールアドレスなど、必要な項目を入力して、

<+○○>をクリックすると、入力欄を追加することができます。

8 <保存>をクリックすると、

登録を中止するときは、<キャンセル>をクリックすると画面が閉じます。

9 連絡先が登録されます。

登録した連絡先を編集するには、<編集>をクリックして、表示される<Outlook連絡先の編集>画面で行います。

2 連絡先からメールを送信する

「People」アプリを起動しています。

1 メールを送信する相手をクリックして、

2 <メール>をクリックします。

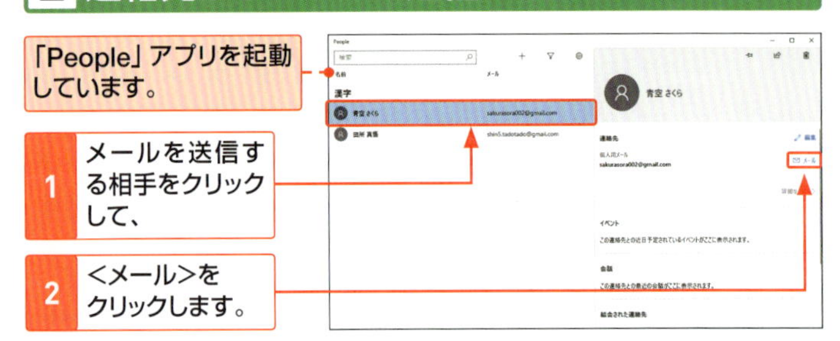

3 「メール」アプリが開き、<宛先>に連絡先が入力された状態でメールの作成画面が表示されます。

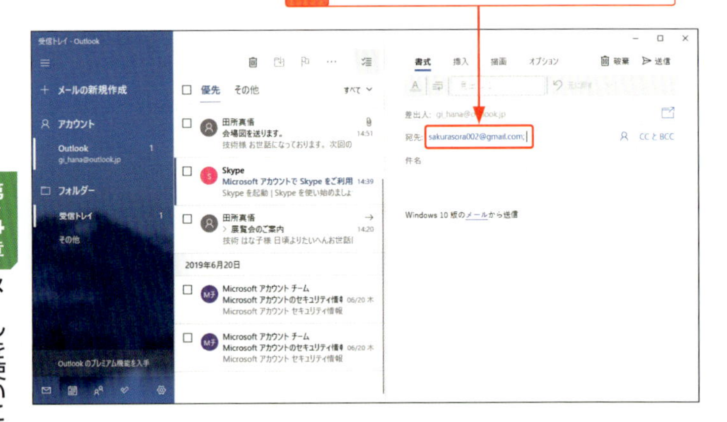

Hint 連絡先を削除する

連絡先を削除するには、削除する相手を右をクリックして、<削除>をクリックし、表示される確認画面で<削除>をクリックします。

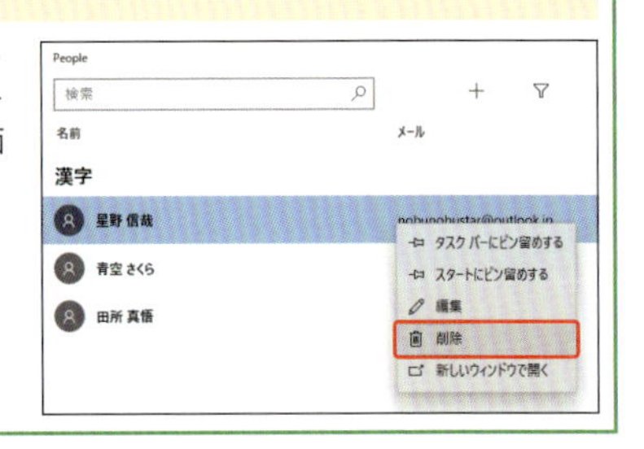

第5章

アプリで写真・動画・音楽を楽しもう

デジカメの写真をパソコンに取り込もう

デジタルカメラなどで撮影した写真は、カメラをUSBケーブルでパソコンに接続する、メモリーカードをパソコンに差し込むなどの操作で写真を取り込むことができます。

1 デジタルカメラから写真を取り込む

1 デジタルカメラとパソコンをUSBケーブルで接続し、デジタルカメラの電源を入れます。

2 通知メッセージが表示されるのでクリックし、

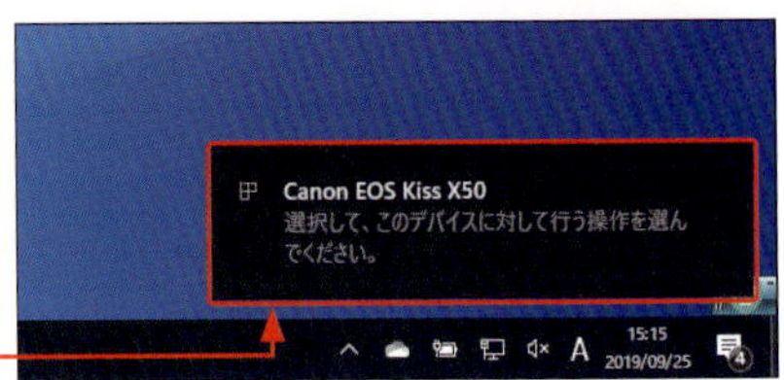

3 <デバイスを開いてファイルを表示>をクリックします。

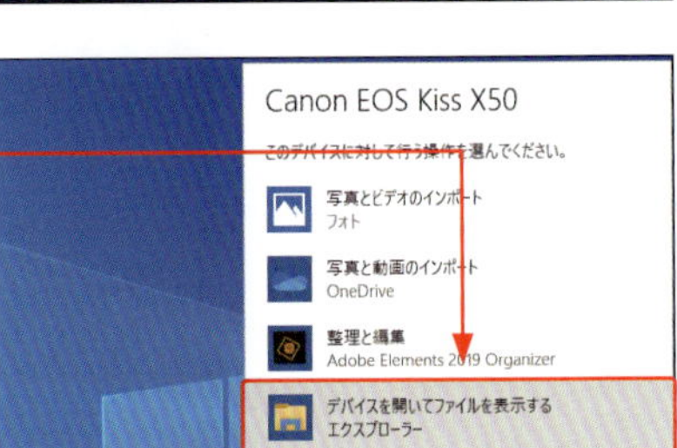

4 写真が保存されているフォルダーが表示されるので、「DCIM」をクリックして、

Hint 通知メッセージが表示されない場合

手順2の通知メッセージが表示されない場合は、エクスプローラーを表示して、デジタルカメラのドライブをクリックし、手順4からの操作を行います。

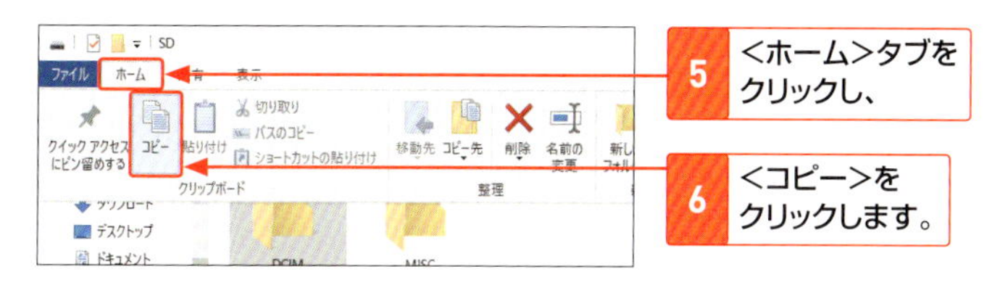

5 <ホーム>タブをクリックし、

6 <コピー>をクリックします。

7 写真をコピーする場所（ここでは<ピクチャ>）をクリックして、

8 <ホーム>タブをクリックします。

9 <貼り付け>をクリックすると、

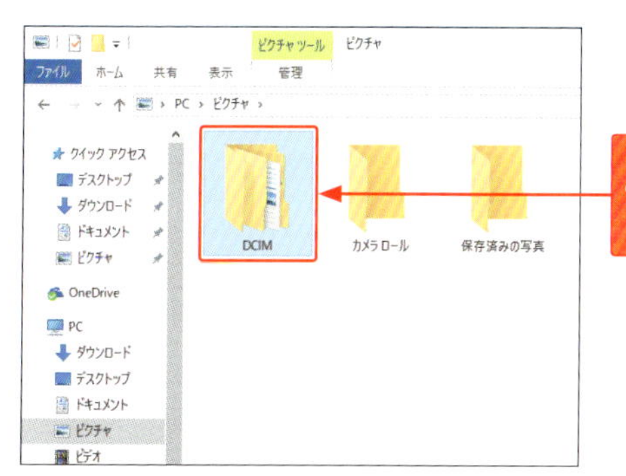

10 写真が<ピクチャ>フォルダーにコピーされます。

11 フォルダーを開くと、写真が取り込まれているのが確認できます。

Memo

そのほかのコピー方法

写真が保存されているフォルダーを<ピクチャ>フォルダーにドラッグしてもコピーすることができます。

写真をスライドショーで見て楽しもう

パソコンに取り込んだ写真は、「フォト」アプリで一覧表示にしたり、個別に表示して拡大したりして見ることができます。また、写真を次々と自動的に表示するスライドショーを実行できます。

1 パソコンに取り込んだ写真を確認する

1 <スタート>をクリックして、

2 <フォト>をクリックすると、

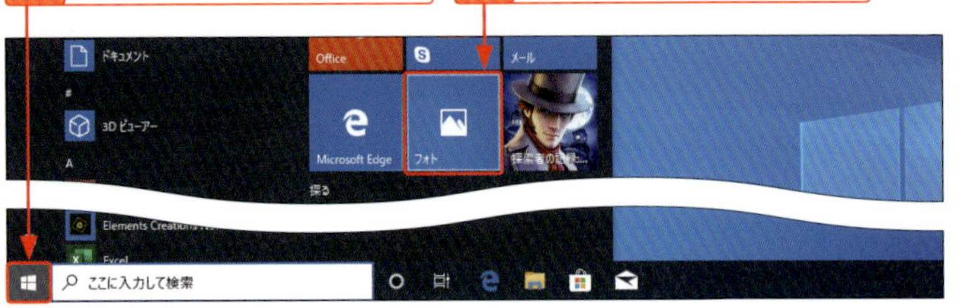

3 「フォト」アプリが起動し、タイムラインの日付順に写真が一覧で表示されます。

4 見たい写真をクリックします。

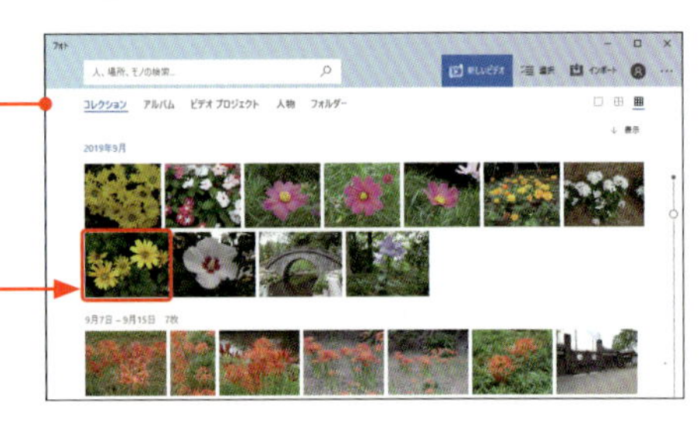

Memo 起動時の画面

「フォト」アプリを初めて起動したときは、「フォトとは」という画面が表示されます。<次へ>をクリックして、順に内容を確認し、<開始する>をクリックします。

5 写真が拡大表示されます。

ここをクリックすると、写真の一覧表示に戻ります。

Memo参照

Memo

写真の表示

マウスポインターを写真の左または右に移動すると、＜や＞が表示されます。クリックすると、前または次の写真を表示します。

2 スライドショーを実行する

1 ＜もっと見る＞をクリックして、

2 ＜スライドショー＞をクリックすると、

3 スライドショーが開始されます。

4 画面内をクリックするとスライドショーが終了します。

写真を回転・修整してみよう

「フォト」アプリでは、写真の**回転**や**自動補正**、**トリミング**、**明るさやコントラスト**、**赤目の除去**などの調整が行えます。また、写真の見た目を変化させる**フィルター効果**を設定することもできます。

1 横向きの写真を縦に回転する

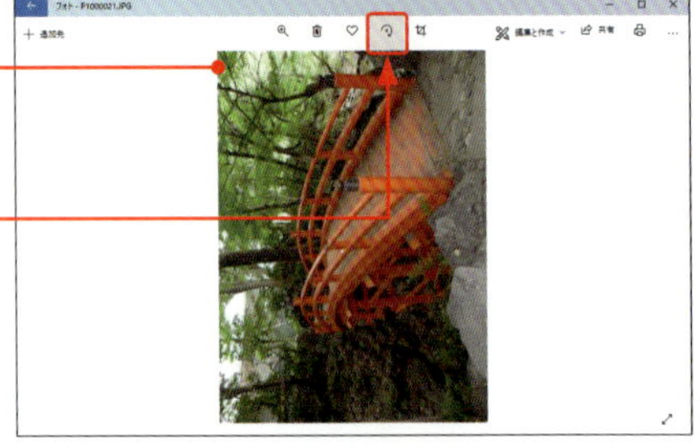

1 横向きの写真をクリックして表示します（Sec.48参照）。

2 <回転>をクリックすると、

3 縦に配置されます。

Memo

写真の回転

<回転>をクリックするたびに、右方向へ90度回転します。逆方向に回転した場合は、何度かクリックして目的の配置にします。

StepUp

傾きの調整

P.133の手順3の<トリミングと回転>画面でも回転できます。また、<傾きの調整>をドラッグすると、写真の傾きを調整できます。

2 写真をトリミングする

1 整理したい写真を表示します。

2 <トリミング>をクリックします。

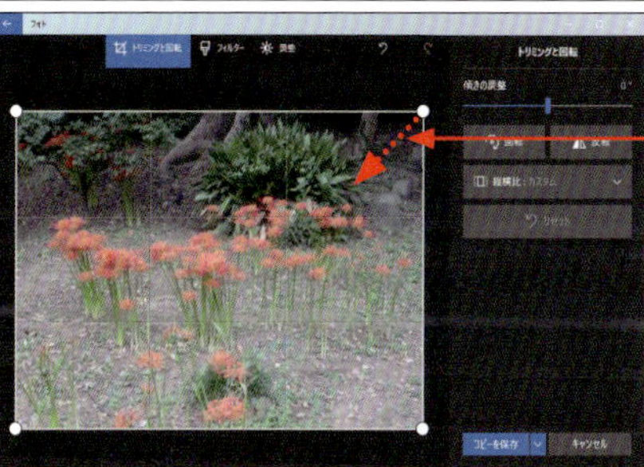

3 四隅のハンドル○をドラッグして、

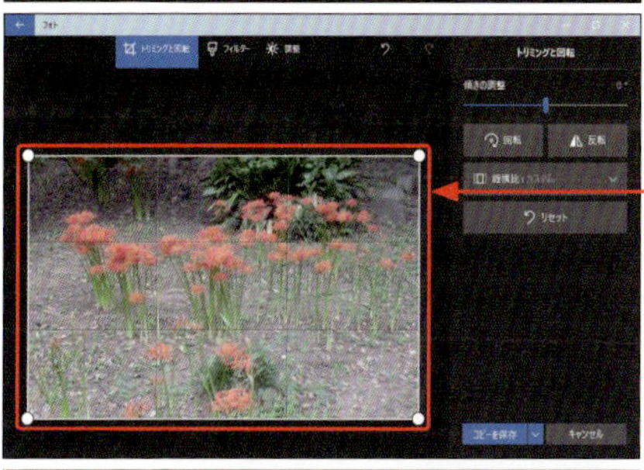

4 不要な部分を隠します。

Keyword

トリミング

写真の不要な部分を隠す機能をトリミングといいます。トリミングしても、写真のデータ自体はもとのままです。トリミング後の写真を保存するには、P.135を参照してください。

5 写真がトリミングされます。

3 写真の色味を調整する

1 修整したい写真を表示して、<トリミング>（または<編集を作成>→<編集>）をクリックして、編集画面を表示します。

2 <調整>をクリックして、

3 プレビューを見ながら調整します。

4 これらをドラッグすると色味を変更できます。

Hint

修整を取り消す

写真を修整したあとで、修整を取り消したい場合は、<キャンセル>をクリックします。保存するまでは、元に戻せます。

5 色味が調整されます。

Hint

写真の補正

色味のほか、フィルター機能を使っても写真の補正ができます。
手順2で<フィルター>をクリックして、<写真の補正>の中央をドラッグするか、<フィルターの選択>から目的の写真を選択します。

4 調整した写真を保存する

コピーを保存する

1 修整した写真をもとの写真とは別に保存したい場合は、＜コピーを保存＞をクリックします。

2 コピーとして保存され、

3 もとのファイル名に「(2)」が付いて保存されます。

> **Memo**
>
> **修正後の写真の保存方法**
>
> 修整した写真を保存するには、もとの写真を残して保存するコピー保存と、上書き保存を選択できます。

上書き保存する

1 修整した写真ともとの写真を置き換えたい場合は、ここをクリックして、

2 ＜保存＞をクリックします。

3 上書き保存されます。

写真をデスクトップやロック画面の壁紙にしよう

デスクトップやロック画面の写真は用意されている写真から選択しますが、手持ちの写真に変更することもできます。通常は<設定>画面で変更しますが、「フォト」アプリでも設定できます。

1 写真をロック画面に設定する

1 ロック画面にしたい写真を表示します。

2 <もっと見る>をクリックして、

3 <設定>をクリックし、

4 <ロック画面に設定>をクリックします。

Memo

ロック画面、背景写真を変更する

ロック画面や背景の写真は、操作を繰り返すだけで、何度でも変更することができます。季節に合わせて変更するのもよいでしょう。

5 ロック画面の写真が変更されます。

2 写真をデスクトップの背景として設定する

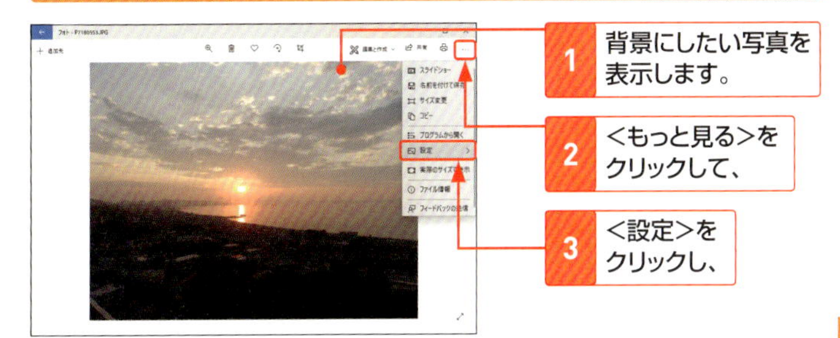

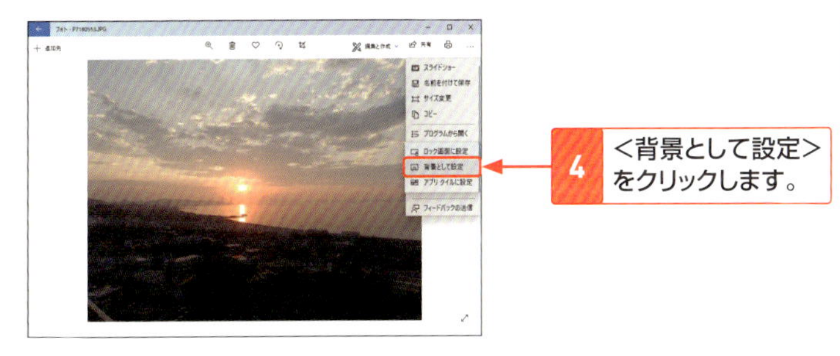

StepUp

写真をもとに戻す

ロック画面や背景を変更後にもとの写真に戻したい場合は、Windows 10の＜設定＞画面で＜個人用設定＞を選び、＜ロック画面＞＜背景＞から写真を指定します。＜設定＞画面については、Sec.74を参照してください。

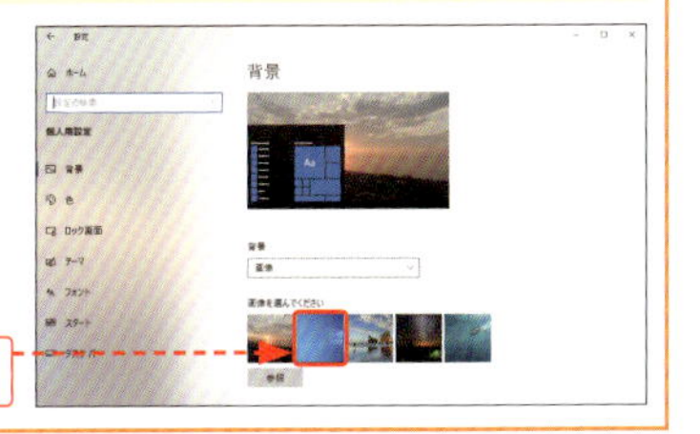

もとの写真を指定します。

お気に入りの写真を印刷しよう

パソコンに取り込んだ写真を印刷するときも、「フォト」アプリを利用できます。印刷したい写真を表示して、<印刷>をクリックし、必要な設定を行って印刷します。

1 写真を印刷する

1 「フォト」アプリを起動して、

2 印刷したい写真をクリックします。

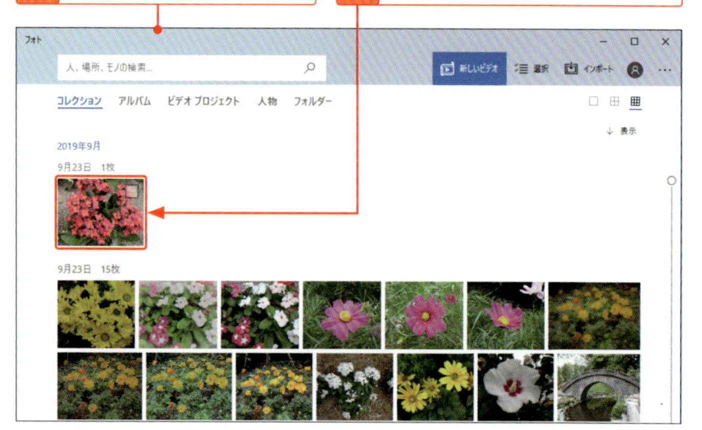

3 <印刷>をクリックします。

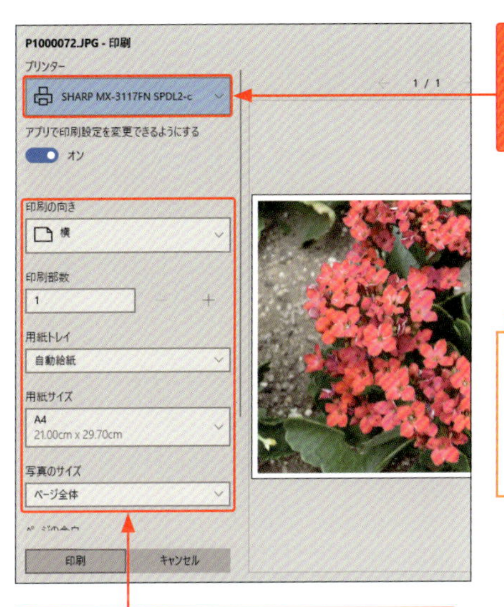

4 ここをクリックして、印刷に使用するプリンターを指定します。

5 印刷部数や印刷の向き、用紙サイズや写真のサイズを設定して、

6 <印刷>をクリックすると、印刷が開始されます。

Hint参照

Memo

印刷画面

印刷画面は、使用するプリンターによって表示内容が異なります。

Hint

その他の設定

印刷画面の<その他の設定>をクリックすると、用紙の種類や両面印刷、カラーモードなど詳細設定の画面が表示されます。

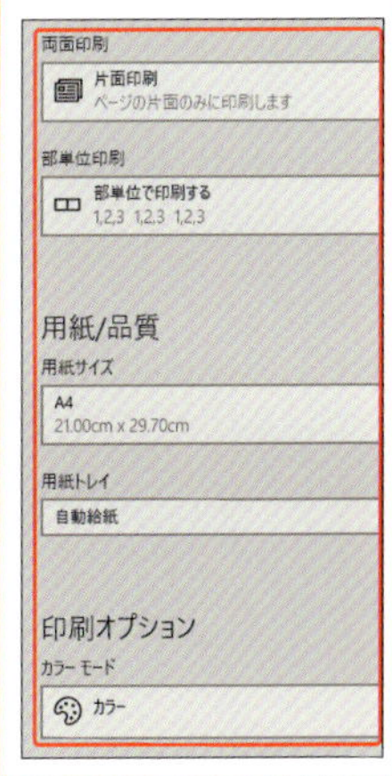

ビデオ映像をパソコンに取り込もう

デジタルカメラで撮影したビデオ映像（動画）は、デジタルカメラをUSBケーブルでパソコンに接続する、メモリーカードをパソコンに差し込むなどの操作で取り込むことができます。

1 デジタルカメラからビデオ映像を取り込む

1 デジタルカメラとパソコンをUSBケーブルで接続し、デジタルカメラの電源を入れます。

2 通知メッセージが表示されるのでクリックし、

Canon EOS Kiss X50
選択して、このデバイスに対して行う操作を選んでください。
15:15
2019/09/25

Memo

通知メッセージ

デジタルカメラの設定が済んでいる場合は、通知メッセージが表示されず、手順4の画面が表示される場合があります。

3 <デバイスを開いてファイルを表示する>をクリックすると、

Canon EOS Kiss X50
このデバイスに対して行う操作を選んでください。
写真とビデオのインポート
フォト
写真と動画のインポート
OneDrive
整理と編集
Adobe Elements 2019 Organizer
デバイスを開いてファイルを表示する
エクスプローラー
何もしない

4 デジタルカメラのドライブが開くので、ダブルクリックします。

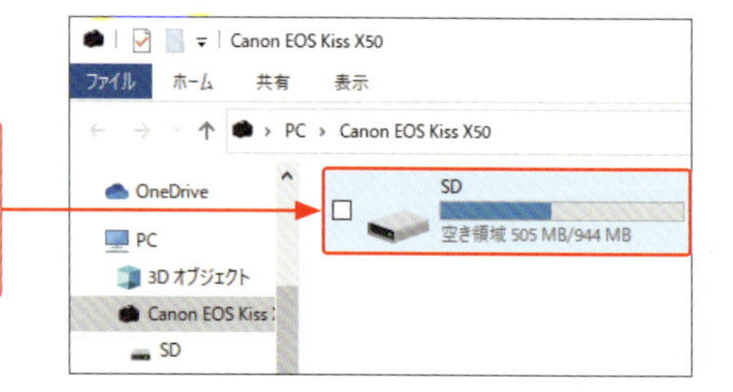

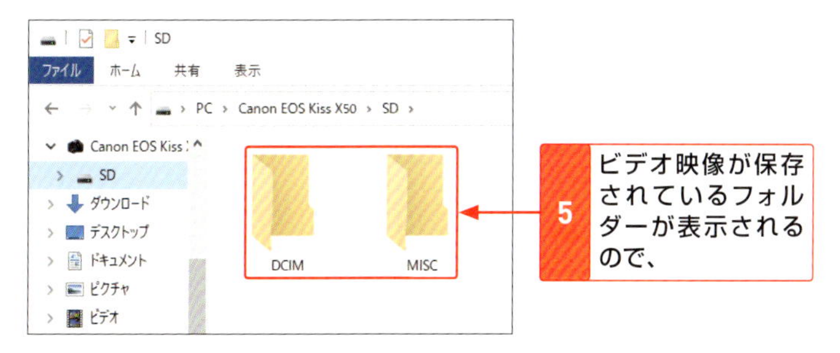

5 ビデオ映像が保存されているフォルダーが表示されるので、

6 「DCIM」を<ビデオ>フォルダーにコピーします。

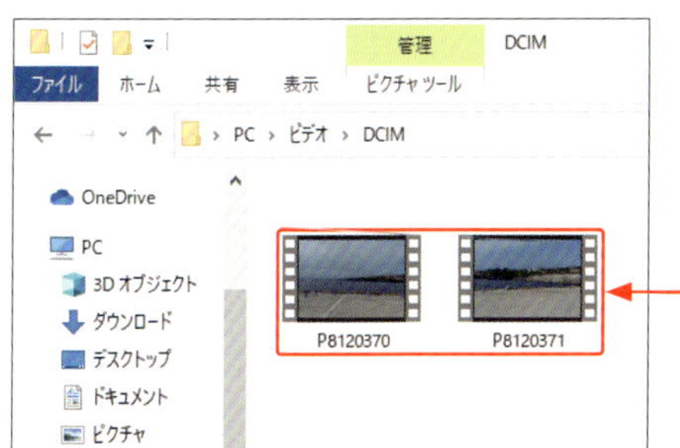

7 フォルダーを開くと、ビデオ映像が取り込まれているのが確認できます。

Memo

ビデオと写真データ

ビデオや写真を撮影すると、<DCIM>フォルダーに保存されます。写真データがある場合は一緒にコピーされます。ビデオデータのみを選択して、<ビデオ>フォルダーにコピーするとよいでしょう。

Hint

通知メッセージが表示されない場合

手順2の通知メッセージが表示されない場合は、エクスプローラーを表示してデジタルカメラを右クリックし、<画像とビデオのインポート>をクリックして、表示される画面の指示に従います。

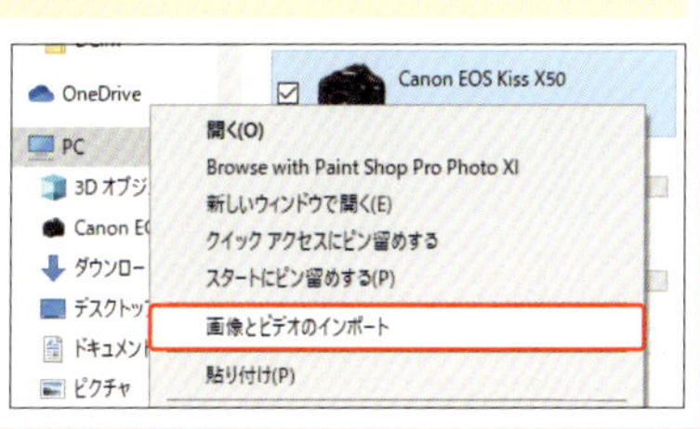

取り込んだビデオ映像を再生しよう

パソコンに取り込んだビデオ映像は、「映画&テレビ」アプリや「フォト」アプリ、Windows Media Playerを利用して再生することができます。ここでは、「映画&テレビ」アプリで再生してみます。

1 ビデオ映像を再生する

1 <スタート>をクリックして、

2 <映画&テレビ>をクリックすると、

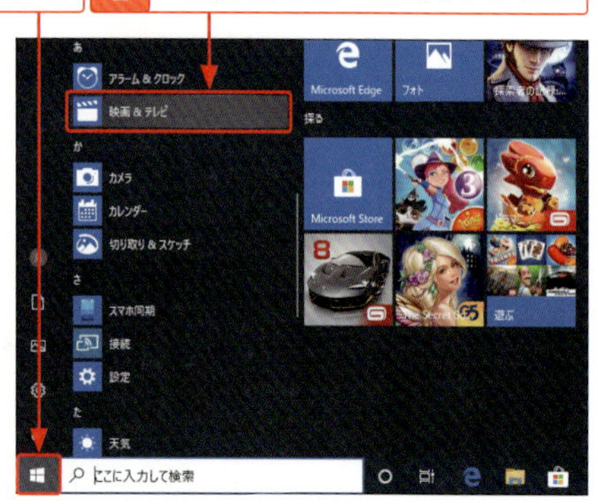

3 「映画&テレビ」アプリが起動します。

4 <パーソナル>をクリックすると、

Hint

再生可能な動画ファイル

「映画&テレビ」アプリで再生可能な動画ファイルは、拡張子がavi、wmv、mp4などのファイルです。こちらで再生できないものでも、「Windows Media Player」(Sec.55参照)で再生できる場合もあります。

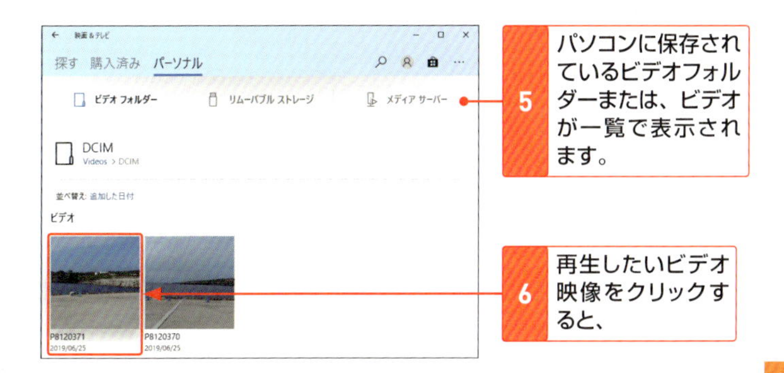

5 パソコンに保存されているビデオフォルダーまたは、ビデオが一覧で表示されます。

6 再生したいビデオ映像をクリックすると、

ここをクリックすると、ビデオ映像の一覧に戻ります。

7 ビデオ映像が再生されます。

8 再生中に画面上にマウスポインターを移動すると、再生時間や再生位置の目印、操作用のアイコンなどが表示されます。

Hint

「フォト」アプリで再生する

ビデオ映像は、「フォト」アプリで再生することもできます。「フォト」アプリで再生するときは、<ピクチャ>フォルダーにビデオ映像を保存しておきます。

写真や動画をCD／DVDに保存しよう

写真や動画を保管したり、ほかの人に渡したりする場合は、CDやDVDを利用すると便利です。**CDやDVDに保存（コピー）する**ことを**書き込む**といい、ディスクに書き込む方法を選択して実行します。

1 写真をCD／DVDに保存する

ここではCDに保存します。

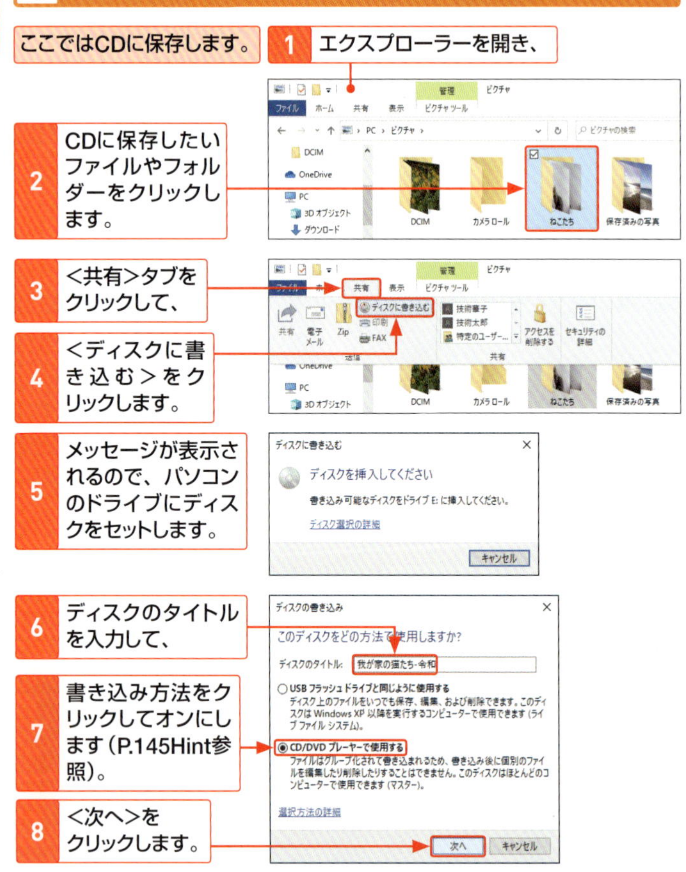

1. エクスプローラーを開き、
2. CDに保存したいファイルやフォルダーをクリックします。
3. <共有>タブをクリックして、
4. <ディスクに書き込む>をクリックします。
5. メッセージが表示されるので、パソコンのドライブにディスクをセットします。
6. ディスクのタイトルを入力して、
7. 書き込み方法をクリックしてオンにします（P.145Hint参照）。
8. <次へ>をクリックします。

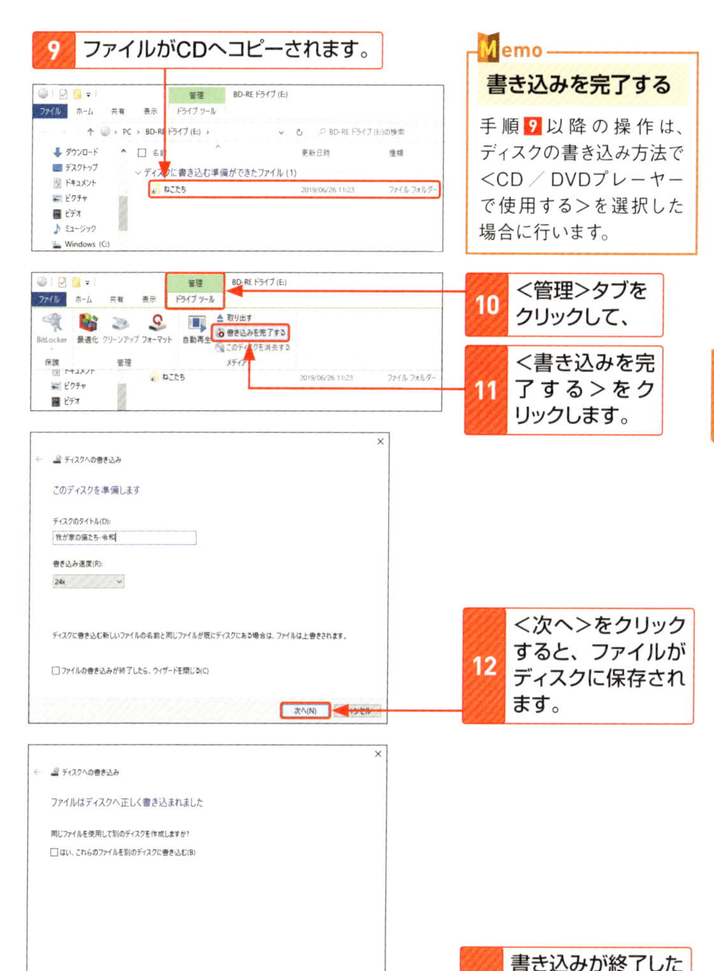

Memo

書き込みを完了する

手順 9 以降の操作は、ディスクの書き込み方法で<CD／DVDプレーヤーで使用する>を選択した場合に行います。

Hint

CD／DVDの書き込み方法

手順 7 のディスクの書き込み方法には、<CD／DVDプレーヤーで使用する>と<USBフラッシュドライブと同じように使用する>があります。前者を選択した場合、以降は手順どおりに操作します。後者の場合、手順 8 のあとにディスクがフォーマットされ、自動的にファイルがコピー（保存）されます。

CDから音楽をパソコンに取り込もう

音楽をパソコンに取り込むには、Windows Media Playerを使用します。曲を取り込んでおくと、次回以降、音楽CDをセットしなくても、いつでも好きなときに音楽を聴くことができます。

1 音楽CDの曲をパソコンに取り込む

1 <スタート>をクリックして、

2 <Windowsアクセサリ>をクリックし、

3 <Windows Media Player>をクリックします。

4 初めて起動したときはこの画面が表示されるので、

5 <推奨設定>をクリックしてオンにし、

6 <完了>をクリックします。

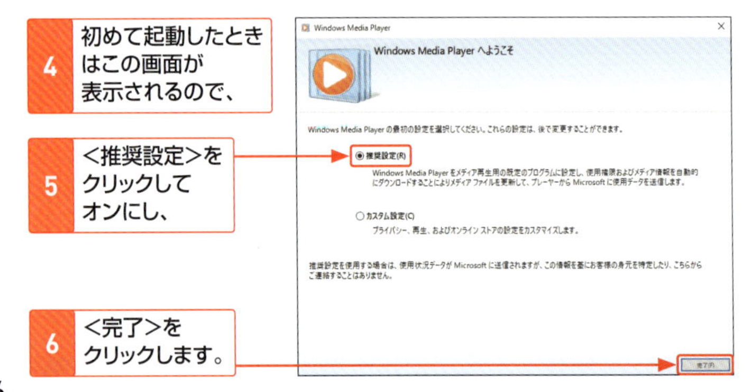

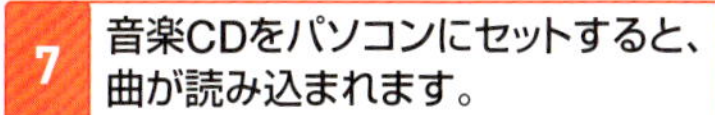

7 音楽CDをパソコンにセットすると、曲が読み込まれます。

8 <CDの取り込み>をクリックします。

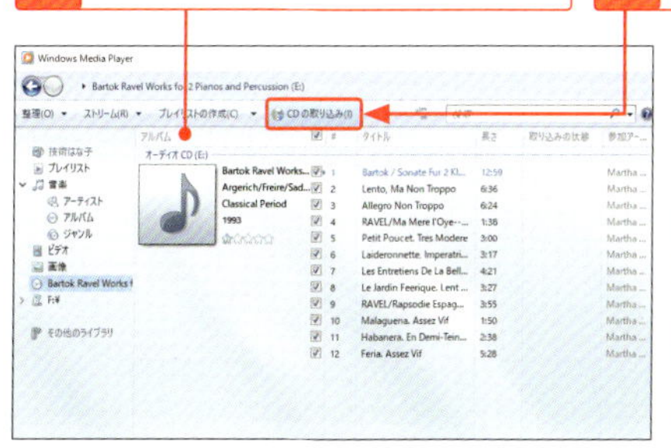

Hint

取り込む曲を指定する

ここではすべての曲を取り込みますが、個別に取り込みたい場合は、取り込まない曲の左のチェックボックスをクリックしてオフ（取り込む曲だけオン）にします。

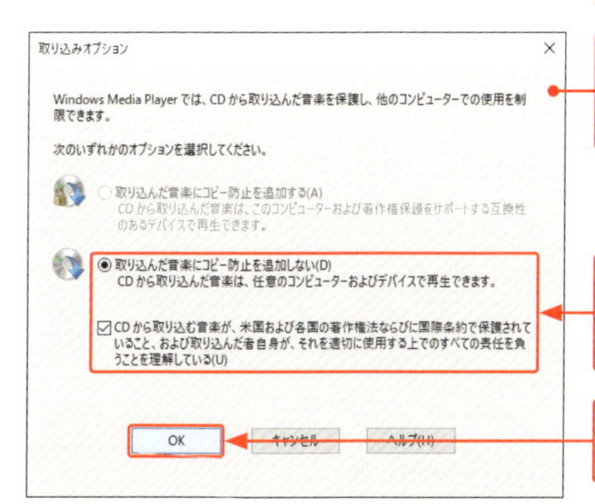

9 <取り込みオプション>画面が表示された場合は、

10 この2つの項目をクリックしてオンにします。

11 <OK>をクリックすると、

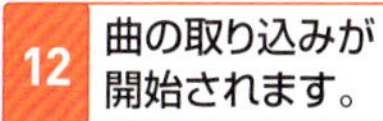

12 曲の取り込みが開始されます。

どの曲を取り込んでいるかが確認できます。

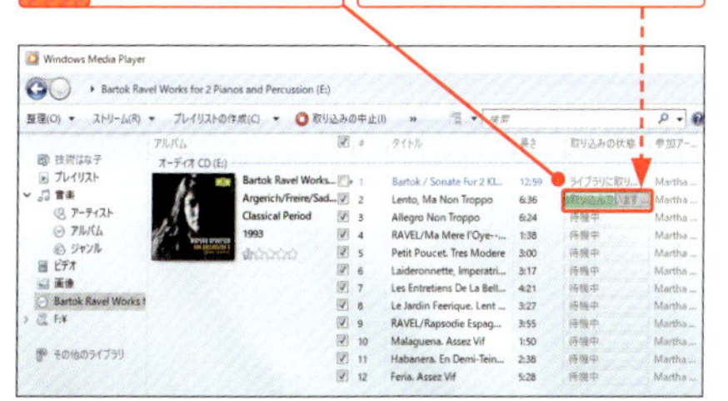

13 取り込みが終了すると、曲が再生されます。停止する場合は<停止>をクリックします。

Memo

CDの取り出し

曲が取り込まれたら、CDを取り出します。エクスプローラーを移動して、CDドライブをクリックし、<管理>タブの<取り出す>をクリックします。

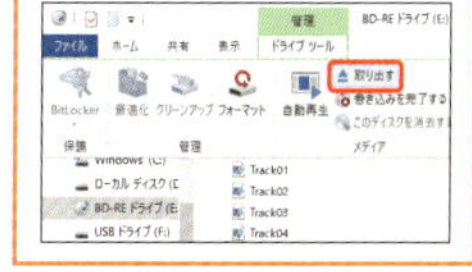

パソコンで音楽を再生しよう

パソコンに取り込んだ曲は、音楽ファイルとして「ミュージック」フォルダーに保存されます。音楽を再生するには、「Groove ミュージック」アプリまたはWindows Media Playerを使用します。

1 「Groove ミュージック」アプリで再生する

1 <スタート>をクリックして、

2 <Groove ミュージック>をクリックすると、

3 「Grooveミュージック」アプリが起動します。

4 再生したいアルバムをクリックします。

<すべて再生>をクリックすると、アルバムの曲がすべて再生されます。

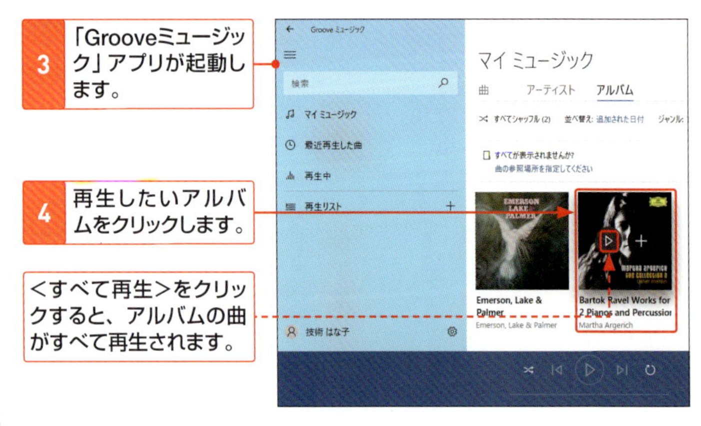

StepUp

Windows Media Playerで再生する

<Windows Media Player>を起動して（Sec.55参照）、<アルバム>をクリックします。再生したいアルバムを右クリックして<再生>をクリックすると、曲が再生されます。また、Ctrlを押しながら再生したい曲をクリックして同様に操作すると、指定した曲だけが再生されます。

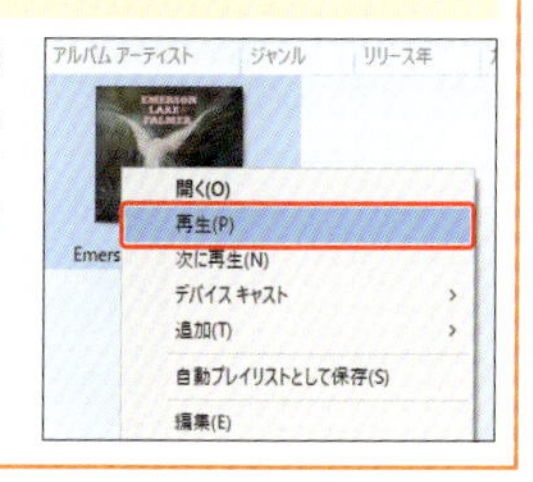

Bluetoothスピーカー／イヤホンで音楽を聴こう

音楽を聴くには、通常は機器にスピーカーやイヤホンを接続しますが、無線の**Bluetoothスピーカーやイヤホン**を利用できます。接続するには、最初にお互いを認識させる**ペアリング**を行います。

1 Bluetoothスピーカーを設定する

Keyword

Bluetooth

Bluetoothとは、近くで使う機器とデータをやり取りするための無線通信規格です。スピーカーやイヤホンなど、これまでケーブルで接続していた周辺機器がワイヤレスで使える仕組みです。

1 <スタート>をクリックして、

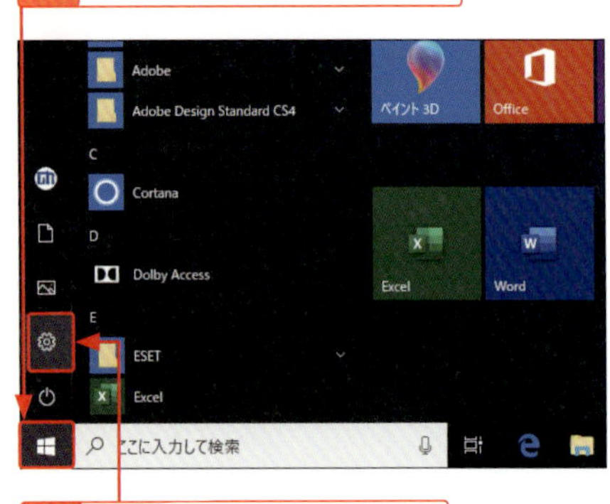

2 <設定>をクリックします。

Memo

ペアリング設定

無線の場合、最初にスピーカーやイヤホンと対になるパソコン（端末）を設定する必要があります。これがペアリング設定です。ペアリングは一度登録すればOKで、2回目からは電源を入れるだけで自動的に相手と接続します。

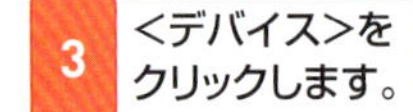

3 <デバイス>をクリックします。

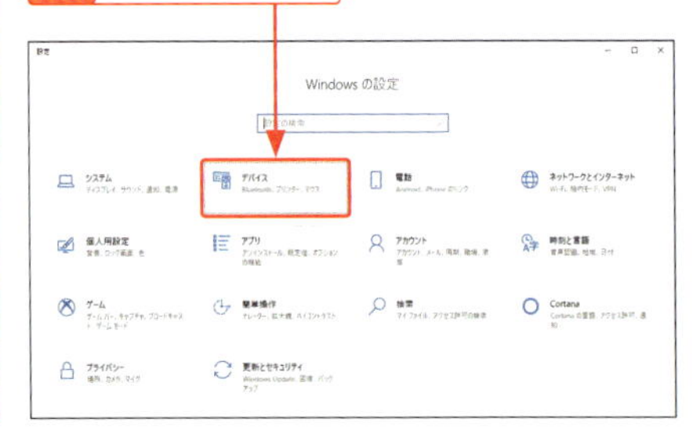

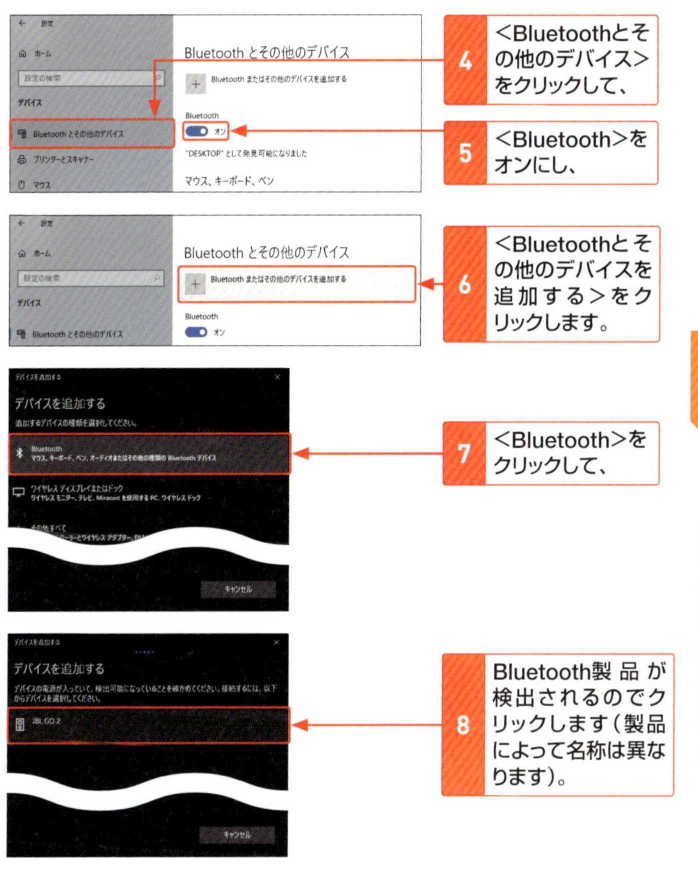

Memo

Bluetoothイヤホンを利用する

Bluetoothイヤホンの設定も、基本的に同じです。手順8でイヤホンの製品名をクリックします。音が出ない場合は、通知領域の<スピーカー>アイコンを右クリックして<サウンドの設定を開く>を選択します。<サウンド>設定画面で、関連項目の<サウンドコントロールパネル>をクリックして、<サウンド>画面を開きます。<再生>タブでイヤホンの製品名を右クリックし、<既定の通信デバイスとして設定>をクリックしてオンにします。

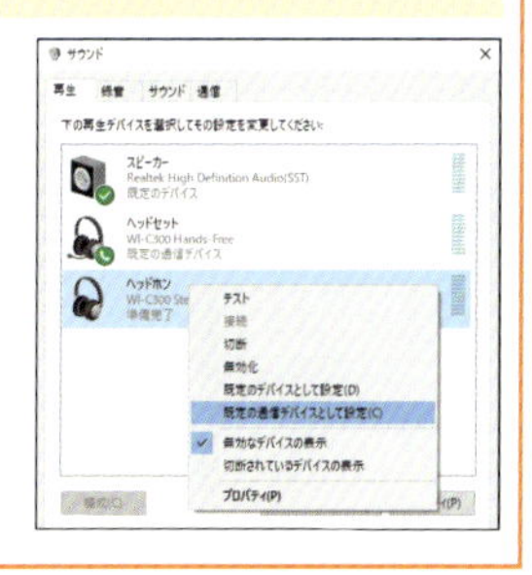

9 ペアリングが開始され、

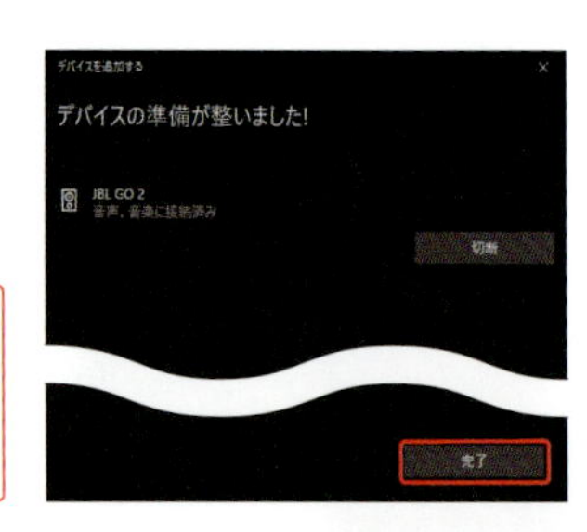

10 <音声、音楽に接続済み>が表示されたら、<完了>をクリックします。

11 音楽を再生します（Sec.56参照）。

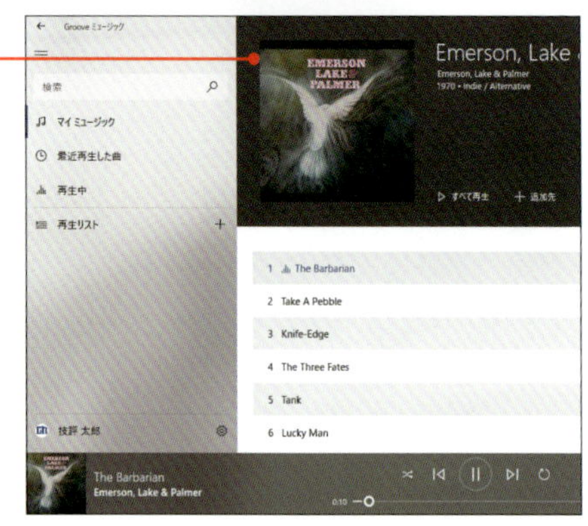

Hint

次回以降の操作

Bluetoothスピーカーの設定が済めば、次回以降の操作は、以下のとおりです。<音声、音楽に接続済み>が表示されたら利用できます。

①Bluetoothスピーカーの電源をオンにする。
②アクションセンターの<接続>をクリックする。
③<ペアリング済み>をクリックする。

StepUp

音が出ない場合

音が出ない原因は、接続が正しく設定されていないことが考えられます。アクションセンター（Sec.79参照）で<Bluetooth>をオンにしてから右クリックし、<設定を開く>をクリックして、ペアリング済みのデバイスで<デバイスの削除>をクリックしていったん削除します。再度、ペアリングモードにして、接続を実行してみましょう。

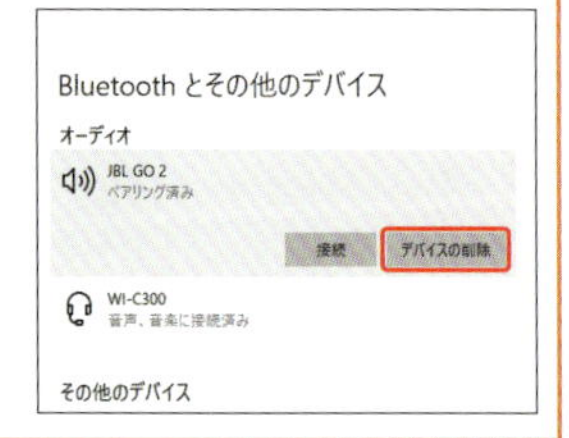

第6章

生活を便利にする アプリ・サービスを使おう

ニュースを見よう

Webブラウザを起動したり、Yahoo!などのポータルサイトを開いたりすると最新ニュースが表示されます。ここではWindows 10に搭載されているMicrosoftニュースを起動します。

1 Microsoftニュースを起動する

1 <スタート>をクリックして、

2 <Microsoftニュース>をクリックします。

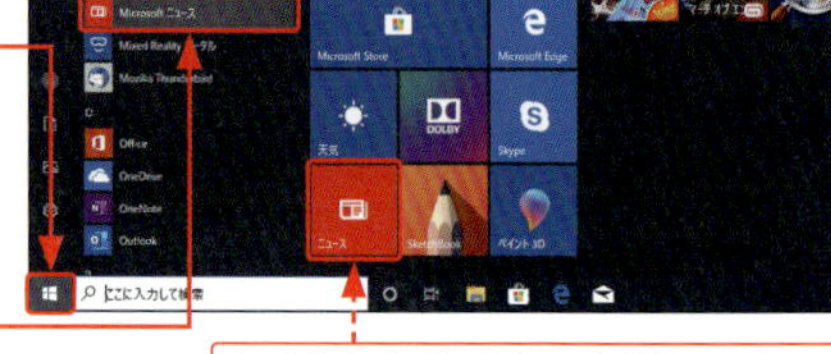

タイルをクリックしても同じです。

3 初めて起動する場合は、この画面が表示します。

4 <スキップ>(Hint参照)をクリックすると、起動します。

Hint マイニュースの設定

手順4で<開始>をクリックすると、関心分野を設定できます。

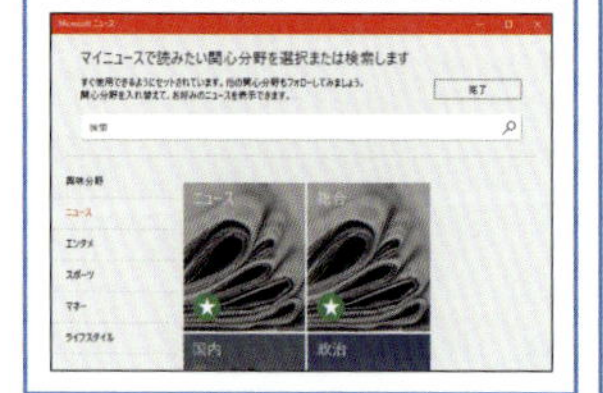

Memo 通知を設定する

Microsoftニュース起動後に、<通知>画面が表示されます。<はい>をクリックすると、毎回この画面が表示されます。通知設定方法は、P.155のStepUPを参照してください。

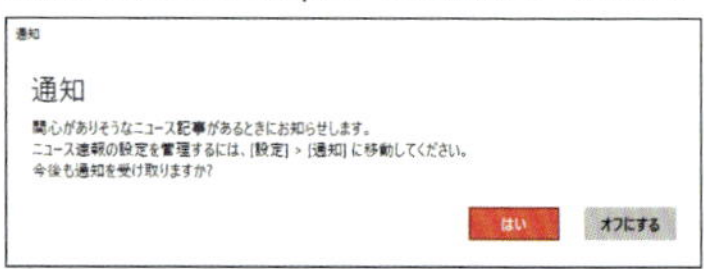

2 ニュースを見る

1 Microsoftニュースを起動すると、トップニュースが表示されます。

2 見たいカテゴリーをクリックすると、

3 カテゴリ別のニュースが表示されます。

4 ここをクリックすると、

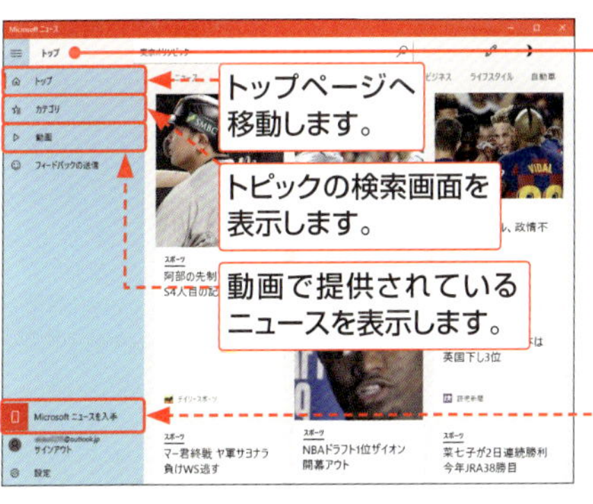

5 メニューが広がります。

iOSとAndroidでニュースを受け取れます。

StepUp ニュースの通知を設定する

ニュース速報などを通知するように設定できます。<Microsoftニュース>画面の<設定>をクリックして、<通知>の項目をクリックしてオンにします。

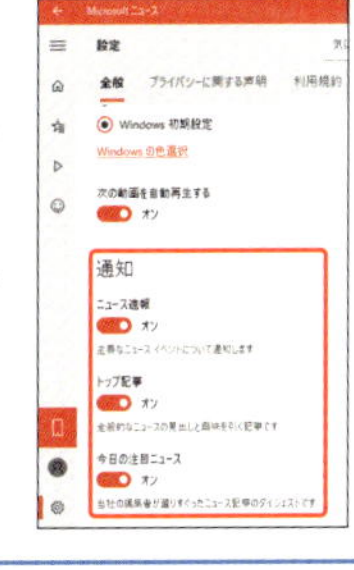

Memo ニュースを検索する

検索ボックスにキーワードを入力して検索すると、関連するニュースが表示されます。

パソコンで地図を見よう

「マップ」アプリを使うと、目的地の場所を地図で検索して表示することができます。地図を航空写真に切り替えたり、ドラッグして任意の場所を表示することもできます。

1 目的地の地図を検索する

1 P.56の方法で「マップ」アプリを起動します。

2 検索ボックスをクリックして、

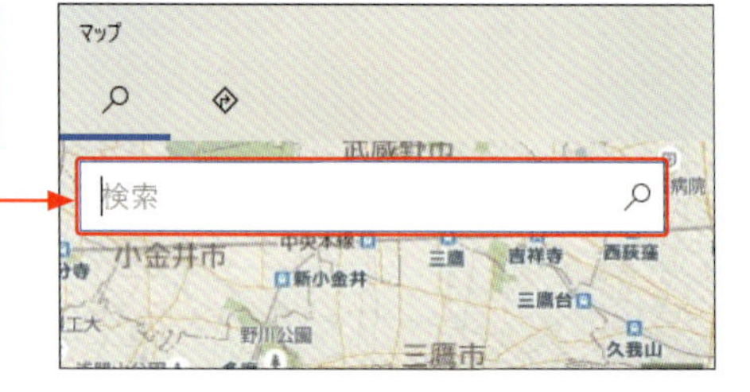

3 目的の場所を入力します。

4 ここをクリックするか、Enterを押すと、

Memo 位置情報を使用する

初めて「マップ」アプリを起動すると、位置情報にアクセスするかどうかの確認画面が表示されるので＜はい＞をクリックします。なお、位置情報にアクセスするかどうかは、＜設定＞→＜プライバシー＞→＜位置情報＞からも設定できます。

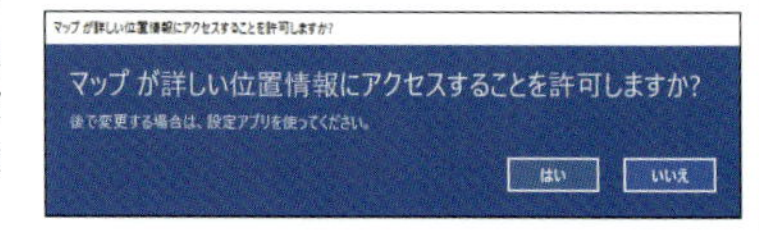

5 検索結果が表示され、

6 検索した場所の地図が表示されます。

2 地図の表示形式を変更する

1 <マップビュー>をクリックして、

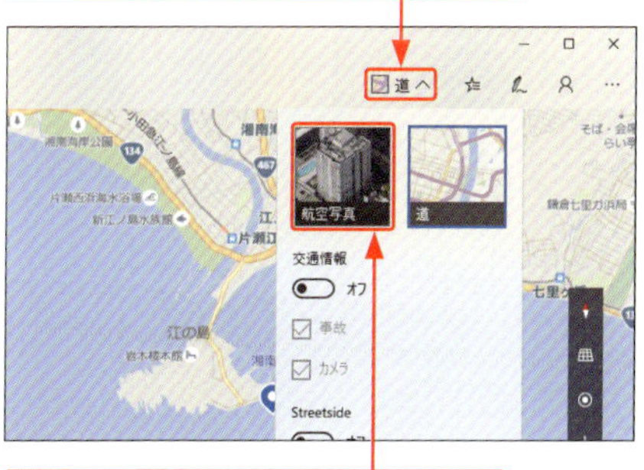

2 <航空写真>をクリックすると、

Hint

地図の拡大・縮小・移動

地図の右端にある＋をクリックすると、地図が拡大されます。－をクリックすると、縮小されます。地図上をドラッグすると、地図が移動します。

3 地図の表示が航空写真に切り替わります。

ここをクリックすると、検索画面が閉じます。

地図で目的地までの経路を調べよう

「マップ」アプリでは、現在地から目的地までのルートを検索することができます。車、路線、徒歩から移動手段を選ぶことができるので、目的に応じたルートを検索できます。

1 ルートを検索する

1 「マップ」アプリを起動して、目的地を入力し、

2 ここをクリックするか、Enter を押すと、

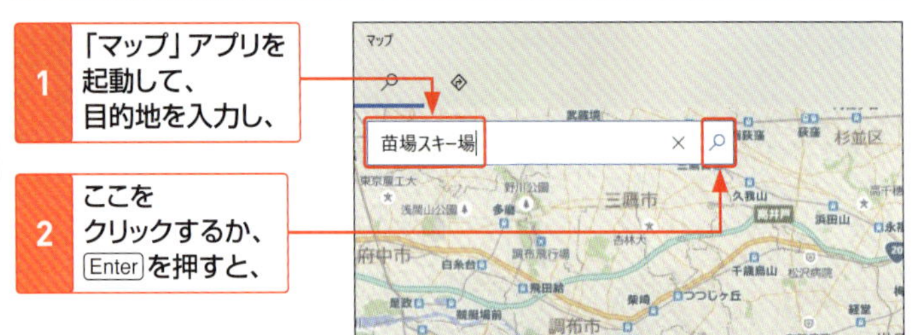

3 目的地が検索されます。

4 <ルート案内>をクリックして、

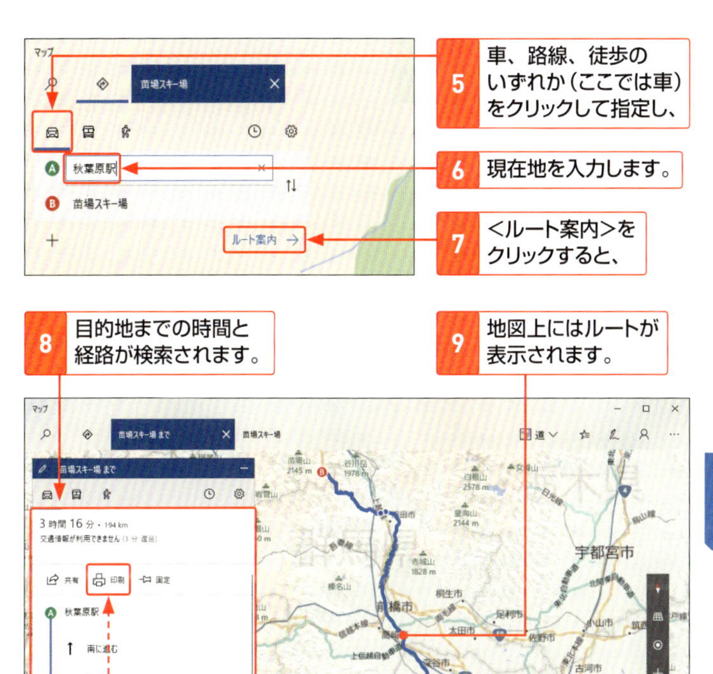

5 車、路線、徒歩のいずれか（ここでは車）をクリックして指定し、

6 現在地を入力します。

7 <ルート案内>をクリックすると、

8 目的地までの時間と経路が検索されます。

9 地図上にはルートが表示されます。

<印刷>をクリックすると、ルートを印刷することができます。

ルートのオプションの設定

ルート案内画面の<ルートのオプション>⚙をクリックすると、有料道路、高速道路など、回避する項目を指定することができます。オプションの内容は、手順**5**で指定する移動手段によって異なります。

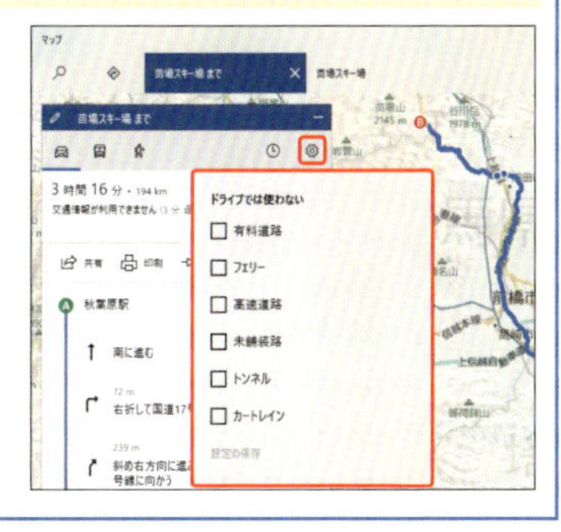

地図のお気に入りに場所を保存しよう

目的地をお気に入りに保存しておくと、出発地を入力するだけでかんたんにルートを検索することができます。マップ右上の<保存した場所>をクリックして、目的の場所を追加します。

1 目的地をお気に入りに保存する

1 「マップ」アプリを起動して、<保存した場所>をクリックします。

2 <お気に入り>をクリックして、

3 <場所の追加>をクリックします。

Hint

自宅や勤務先を追加

手順3で自宅や勤務先の<追加>をクリックすると、自宅や勤務先の場所を<お気に入り>に保存することができます。

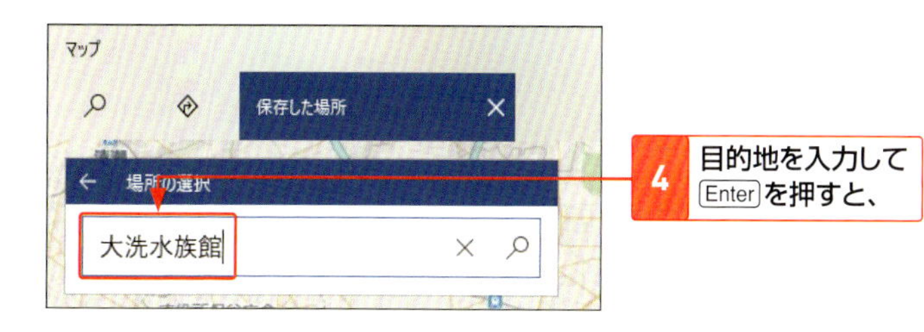

4 目的地を入力して Enter を押すと、

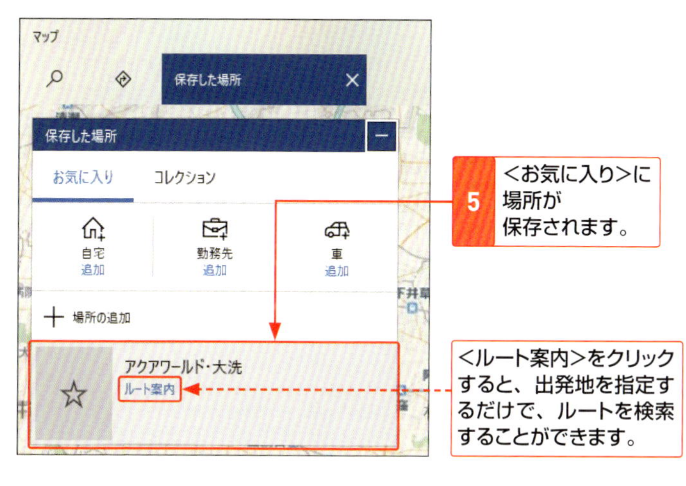

5 <お気に入り>に場所が保存されます。

<ルート案内>をクリックすると、出発地を指定するだけで、ルートを検索することができます。

Hint

お気に入りに保存した場所を削除する

お気に入りに保存した場所を削除するには、手順1の操作で<保存した場所>画面を表示して、削除したい場所をクリックし、<お気に入りから削除>をクリックします。

第6章 生活を便利にするアプリ・サービスを使おう

「カレンダー」アプリで予定を管理しよう

「カレンダー」アプリは、オンラインで利用できるスケジュール帳です。予定を登録して管理するほかに、招待者にメール送信したり、予定を知らせるアラームやオンライン会議を設定したりできます。

1 カレンダーに予定を入力する

1 P.56の方法で「カレンダー」アプリを起動して、

2 日付(ここでは10月7日)をクリックします。

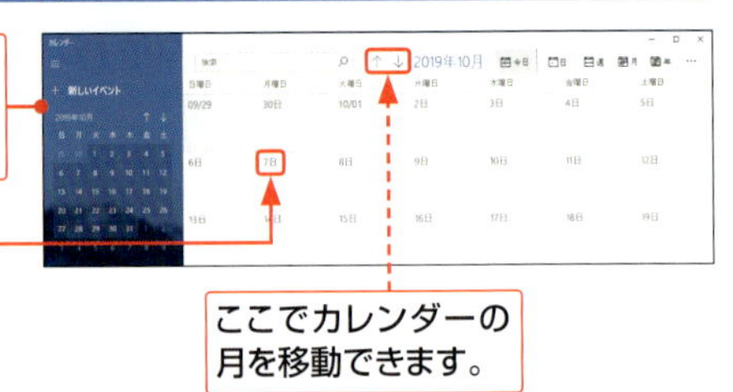

ここでカレンダーの月を移動できます。

3 ウィンドウが表示されるので、内容を入力します。

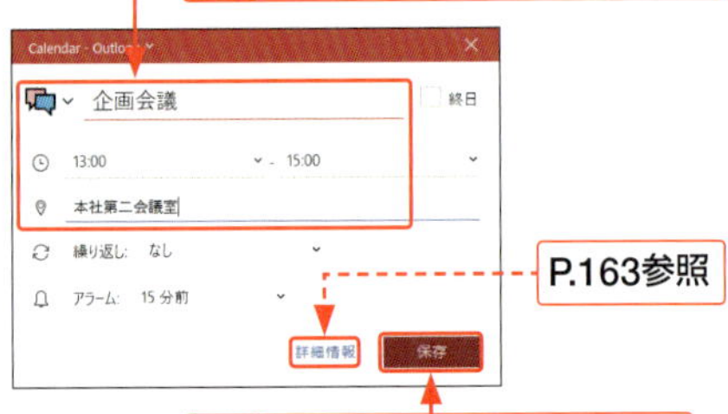

P.163参照

4 <保存>をクリックすると、

5 予定が登録されます。

Hint カレンダーの表示形式

カレンダーの表示形式は、今日、日、週、月、年の5種類が用意されています。初期設定では月単位で表示されます。

Memo 位置情報を使用する

初めて「カレンダー」アプリを起動すると、位置情報にアクセスするかどうかの確認画面が表示されるので<はい>をクリックします(P.156のMemo参照)。

2 詳細情報を入力する

1 予定にマウスポインターを合わせてウィンドウを表示し、

2 ＜イベントの表示＞をクリックします。

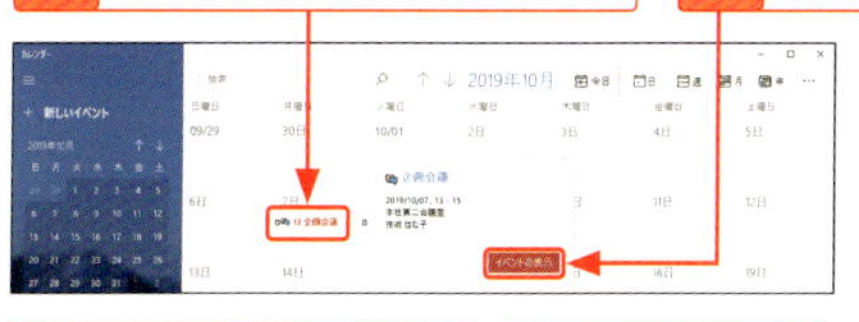

3 詳細画面が表示されるので、追加する情報を入力し、

4 ＜保存＞をクリックします。

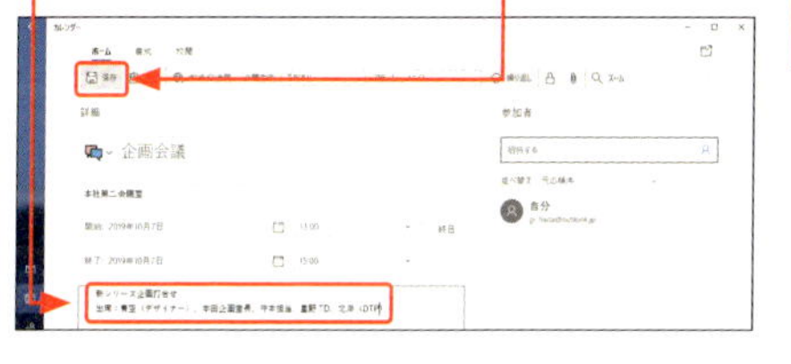

Memo

予定を確認、修正する

詳細な予定を確認したり修正したい場合は、登録した予定にマウスポインターを合わせて＜イベントの表示＞をクリックし、詳細画面を表示します。

3 イベントに招待する

1 詳細画面で＜参加者＞のここをクリックして、

2 連絡先画面から招待したい相手を指定します。

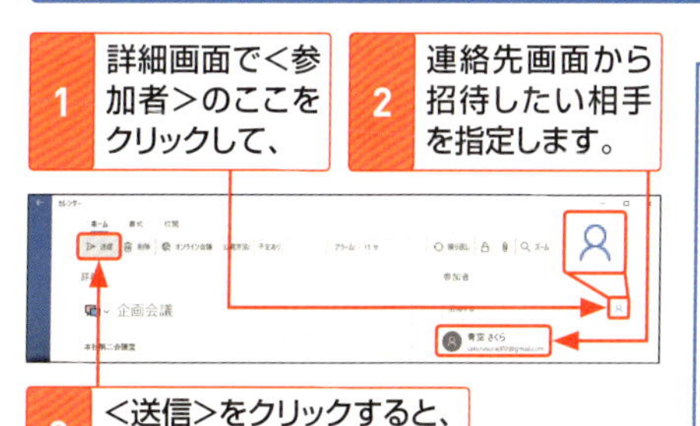

3 ＜送信＞をクリックすると、メールで送信されます。

StepUp

オンライン会議を利用する

＜オンライン会議＞をクリックすると、Skype会議の設定が行えます。利用する前に、相手に招待メールを送信する必要があります。

Memo

アラームの通知

予定の開始日時に近づいたことを知らせる機能を「アラーム」といい、設定した日時に通知メッセージが表示されます。

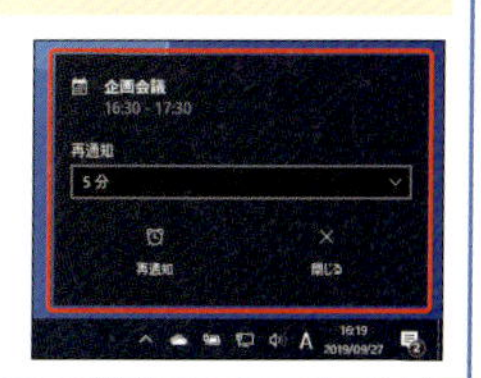

「ペイント3D」アプリで 3Dイラストを描いてみよう

「ペイント3D」アプリは、3Dのイラストを作成できるアプリです。用意されているテンプレートなどを利用して、かんたんに描くことができます。作成したイラストは、回転や絵柄の変更もできます。

1 3Dイラストを描く

1 <スタート>をクリックして、

2 <ペイント 3D>をクリックすると、

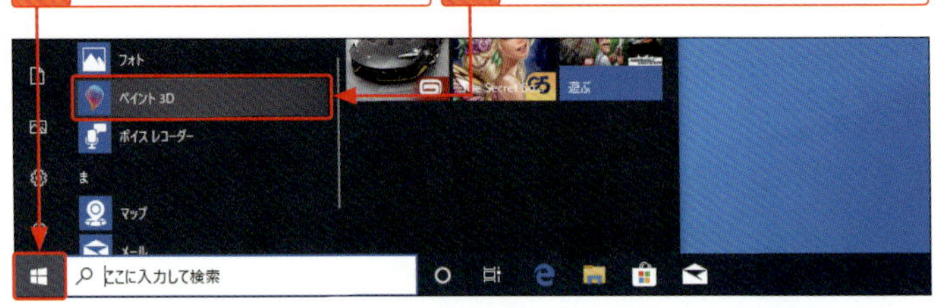

3 「ペイント 3D」アプリが起動して、<ようこそ>画面が表示されます。

4 <新規作成>をクリックすると、

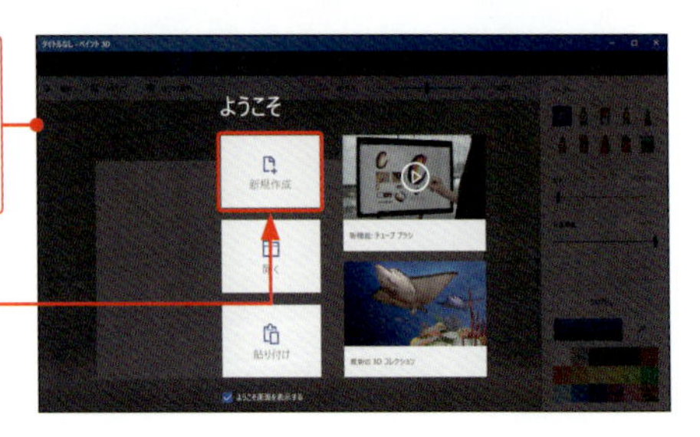

5 新規作成画面が表示されます。

2Dの描画機能も搭載されています。

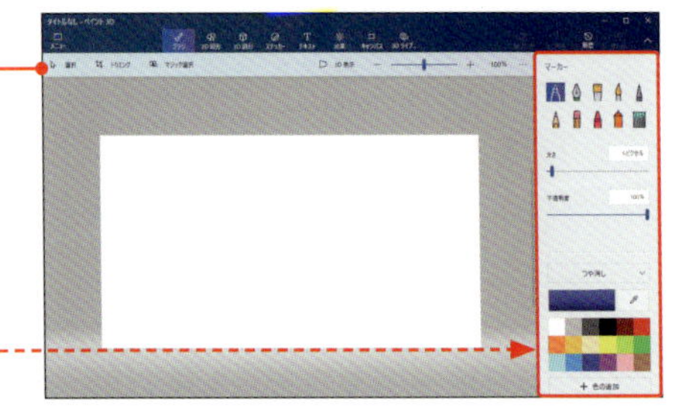

ここでは、あらかじめ用意されているイラストを描きます。

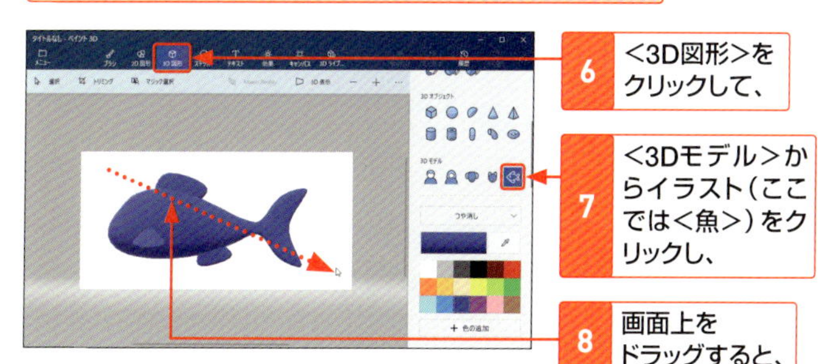

6 <3D図形>をクリックして、

7 <3Dモデル>からイラスト(ここでは<魚>)をクリックし、

8 画面上をドラッグすると、

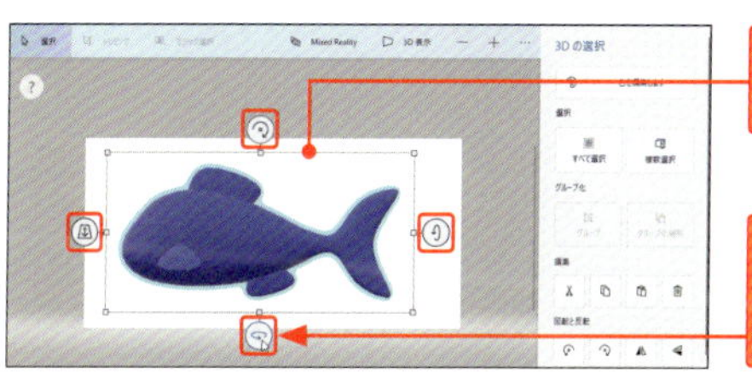

9 3Dイラストが描かれます。

10 周囲に表示される操作用のアイコンをドラッグすると、

11 イラストを自由に回転させることができます。

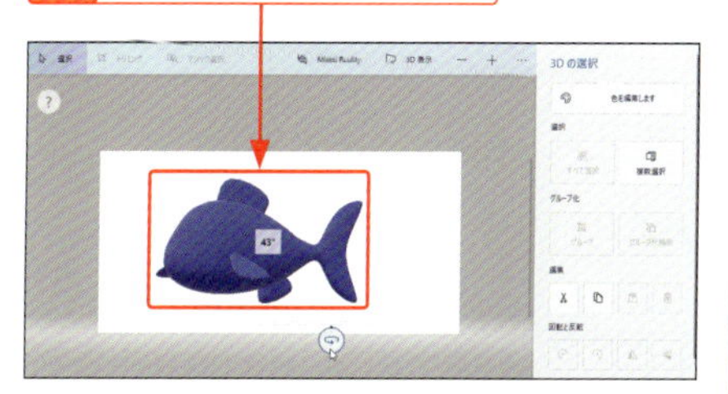

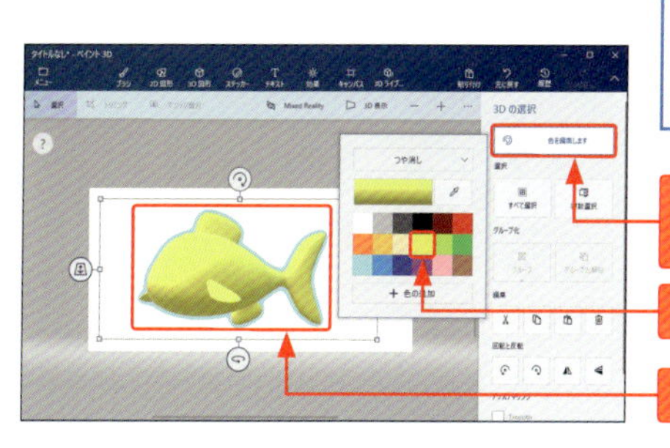

12 <色を編集します>をクリックして、

13 色をクリックすると、

14 色が変更されます。

Hint イラストを保存する

作成した3Dイラストを保存するには、<メニュー>→<名前を付けて保存>をクリックして、<ペイント3Dプロジェクトとして保存>をクリックし、名前を入力して、<ペイント3Dで保存します>をクリックします。

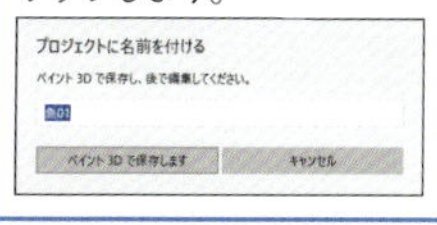

無料通話の「Skype」アプリを利用しよう

「Skype」アプリは、音声通話やビデオ通話、テキスト入力によるチャットなどを行えるアプリです。「Skype」アプリを初めて利用するときは、マイクやカメラの設定が必要です。

1 「Skype」アプリを起動／終了する

1 <スタート>をクリックして、

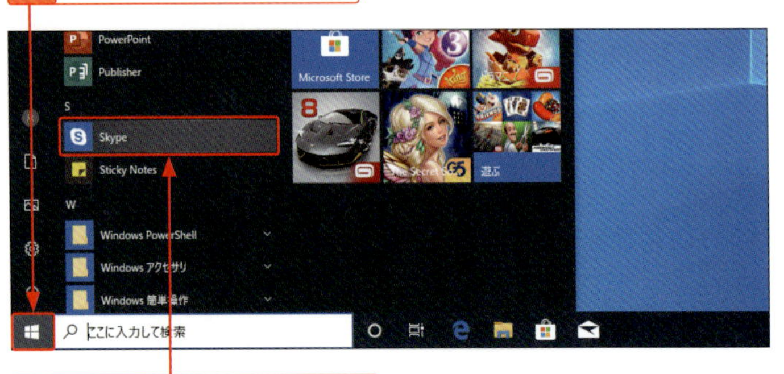

2 <Skype>をクリックします。

3 Skypeの開始画面が表示されるので、

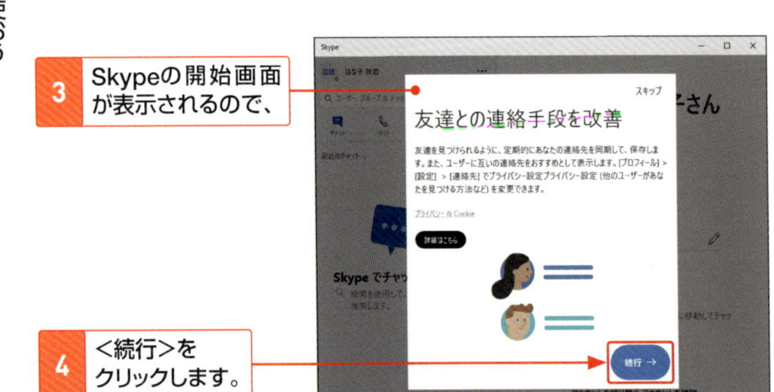

4 <続行>をクリックします。

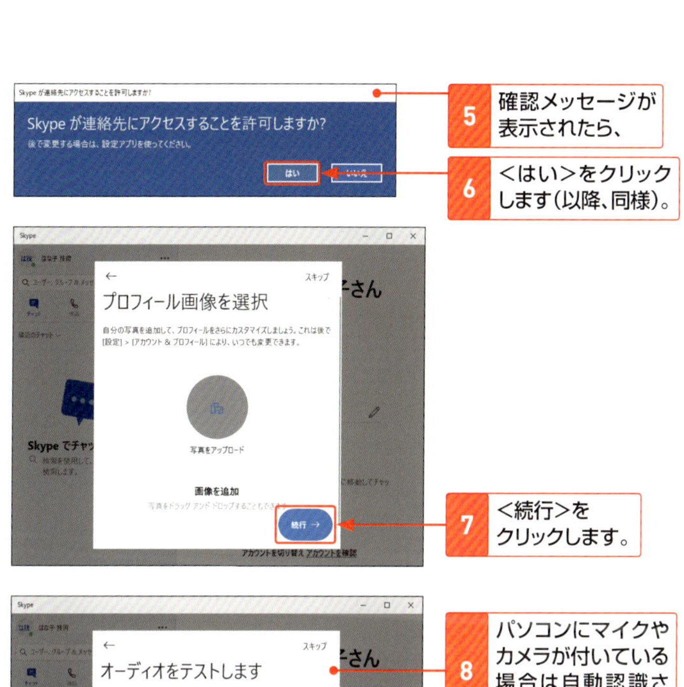
Skype が連絡先にアクセスすることを許可しますか?
Skype が連絡先にアクセスすることを許可しますか?
後で変更する場合は、設定アプリを使ってください。
はい
いいえ
5 確認メッセージが表示されたら、
6 <はい>をクリックします(以降、同様)。
Skype
プロフィール画像を選択
スキップ
自分の写真を追加して、プロフィールをさらにカスタマイズしましょう。これは後で[設定] > [アカウント & プロフィール] により、いつでも変更できます。
写真をアップロード
画像を追加
続行 →
アカウントを切り替え アカウントを確認
7 <続行>をクリックします。

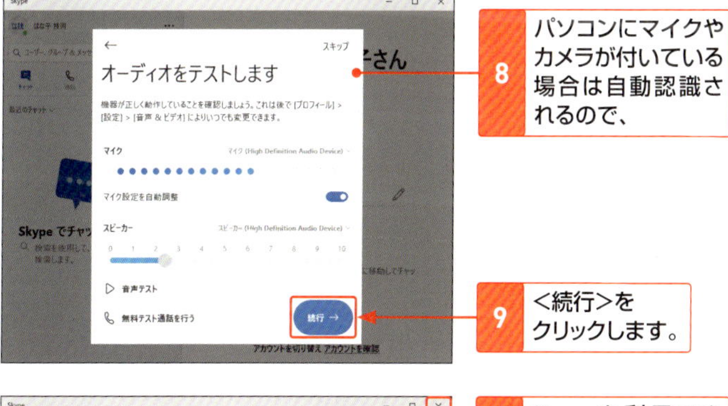
Skype
オーディオをテストします
スキップ
機器が正しく動作していることを確認しましょう。これは後で [プロフィール] > [設定] > [音声 & ビデオ] によりいつでも変更できます。
マイク
マイク (High Definition Audio Device)
マイク設定を自動調整
スピーカー
スピーカー (High Definition Audio Device)
音声テスト
無料テスト通話を行う
続行 →
アカウントを切り替え アカウントを確認
8 パソコンにマイクやカメラが付いている場合は自動認識されるので、
9 <続行>をクリックします。

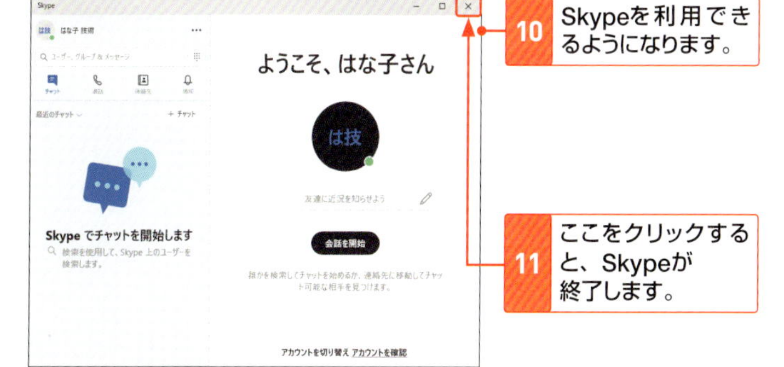
Skype
ようこそ、はな子さん
最近のチャット
Skype でチャットを開始します
会話を開始
アカウントを切り替え アカウントを確認
10 Skypeを利用できるようになります。
11 ここをクリックすると、Skypeが終了します。

「Skype」アプリでメッセージをやり取りしよう

Skypeを利用できるように設定したら、**連絡したい相手を登録**します。登録するには**相手の承諾**が必要です。相手が承諾をすると、お互いに**チャットや通話**などができるようになります。

1 連絡したい相手を登録する

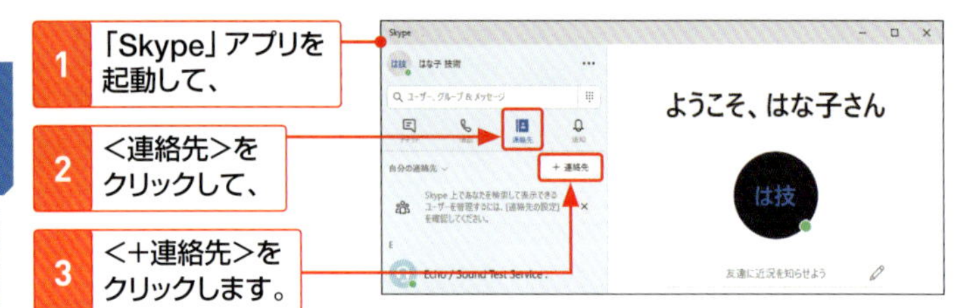

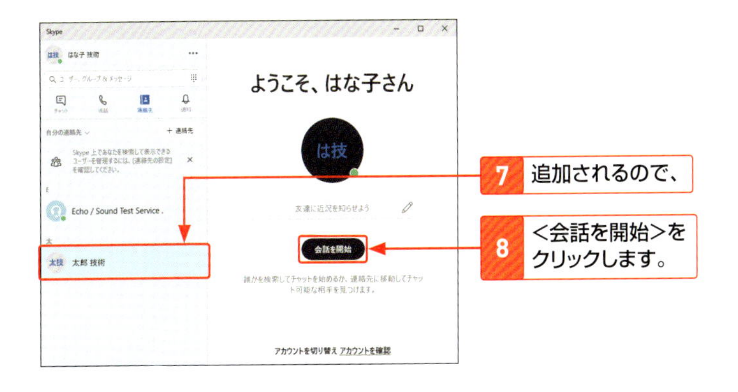
ようこそ、はな子さん
は技
会話を開始
Echo / Sound Test Service .
太郎 技術
アカウントを切り替え アカウントを確認
7 追加されるので、
8 <会話を開始>をクリックします。

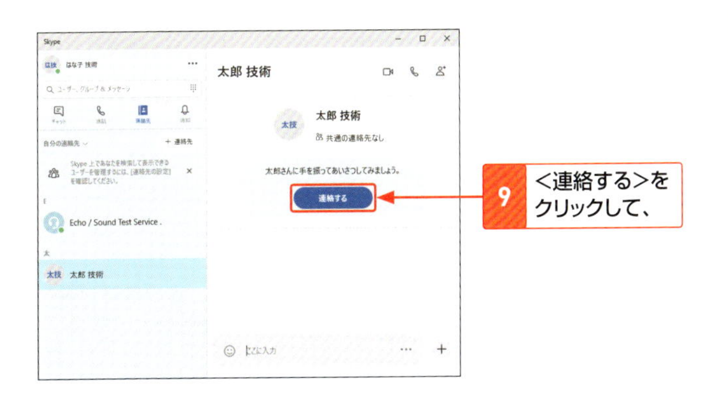
太郎 技術
共通の連絡先なし
太郎さんに手を振ってあいさつしてみましょう。
連絡する
Echo / Sound Test Service .
9 <連絡する>をクリックして、

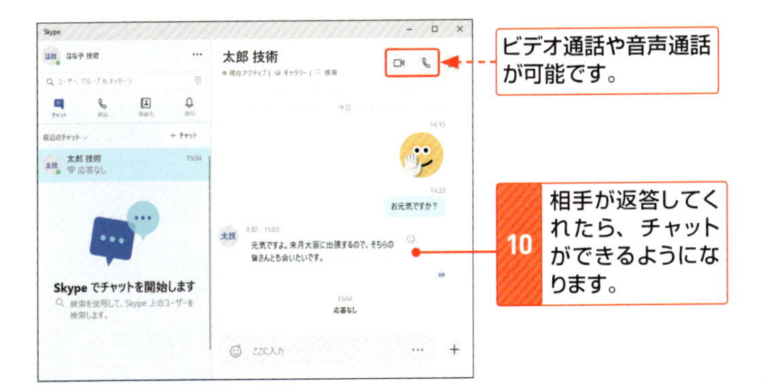
太郎 技術
お元気ですか？
元気ですよ。来月大阪に出張するので、そちらの皆さんとも会いたいです。
応答なし
Skype でチャットを開始します
ビデオ通話や音声通話が可能です。
10 相手が返答してくれたら、チャットができるようになります。

画面を画像として保存しよう

エラー表示などの画面を人に見せたいときは、画面をファイルにすると便利です。Windowsには画面を画像として保存できる**切り取り&スケッチ**機能があり、手書きのコメントも書くことができます。

1 画面を切り取って保存する

> **Hint**
> **通知領域にアイコンがない**
> ＜Windows Inkワークスペース＞が表示されていない場合は、タスクバーを右クリックして、＜Windows Inkワークスペースボタンを表示＞をクリックします。

1 保存したい画面を表示します。

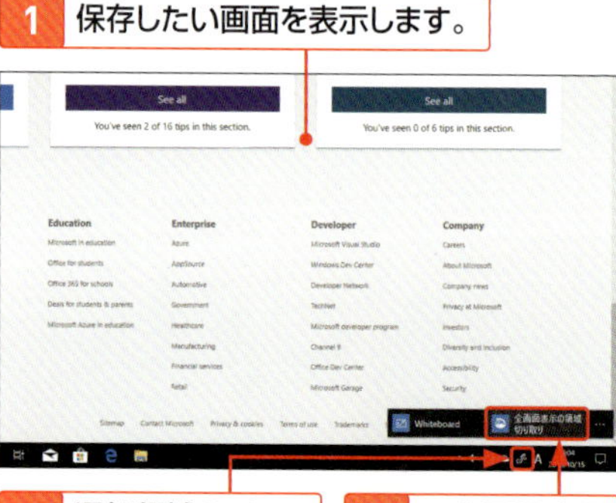

2 通知領域の＜Windows Inkワークスペース＞をクリックして、

3 ＜全画面表示の領域切り取り＞をクリックします。

4 ＜切り取り&スケッチ＞画面が開き、切り取った画面が表示されます。

5 ペンの種類をクリックします。

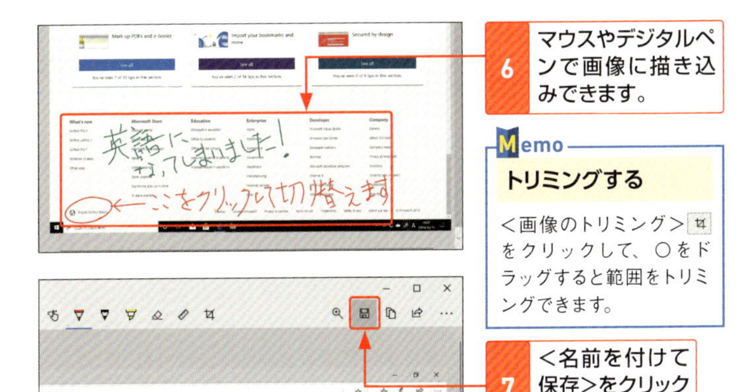

6 マウスやデジタルペンで画像に描き込みできます。

Memo トリミングする

＜画像のトリミング＞をクリックして、○をドラッグすると範囲をトリミングできます。

7 ＜名前を付けて保存＞をクリックします。

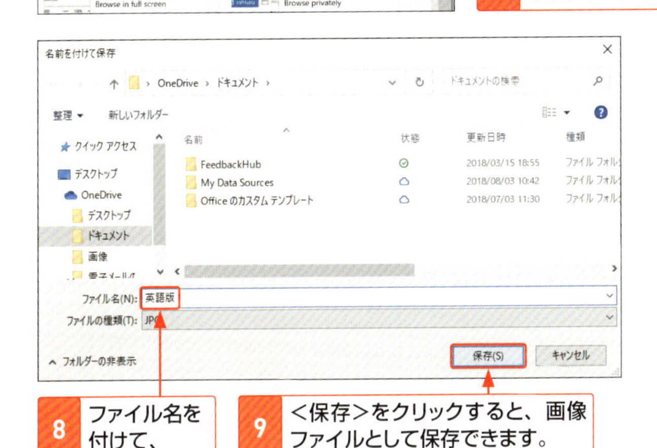

8 ファイル名を付けて、

9 ＜保存＞をクリックすると、画像ファイルとして保存できます。

Hint 画面切り取りのショートカットキー

画面を切り取る方法には、以下のようなショートカットキーが用意されています。

- ⊞（Windows）＋Shift＋S：＜切り取り＆スケッチ＞が起動します。
- PrintScreen：デスクトップ画面全体をキャプチャします。画像はクリップボードに保管されます。
- Alt＋PrintScreen：アクティブウィンドウをキャプチャします。画像はクリップボードに保管されます。
- ⊞（Windows）＋PrintScreen：＜ピクチャ＞フォルダーの＜スクリーンショット＞フォルダー内に保存されます。

このほか、OneDriveで設定すると、PrintScreenやAlt＋PrintScreenで、＜OneDrive＞の＜画像＞フォルダーの＜スクリーンショット＞内に保存できます。

PDFを閲覧して注釈を加えてみよう

Microsoft Edgeでは、WebページやダウンロードしたPDFに、手書きやキーボード入力でメモを書き込んだり、蛍光ペンを引いたりすることができます。書き込んだデータは保存できます。

1 PDFファイルをダウンロードする

1 Webページ内のPDFファイルのリンクをクリックします。

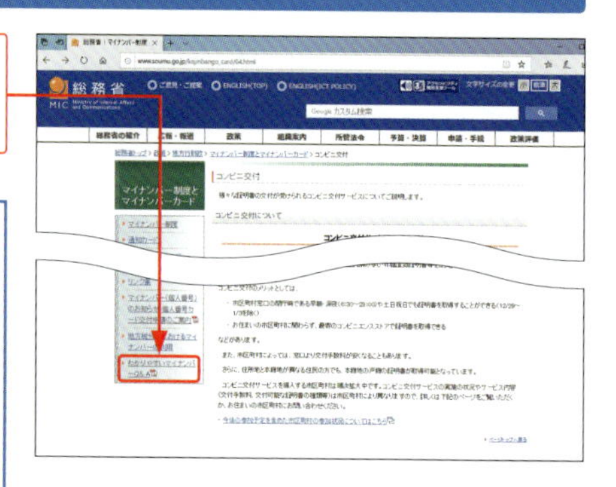

Keyword

PDF

PDFはアドビが開発した電子文書の形式で、文書の書式設定やレイアウトを崩さずに保存できるファイルです。「PDF」と明記されているか、が表示されています。

2 PDFファイルが表示されます。

Hint参照

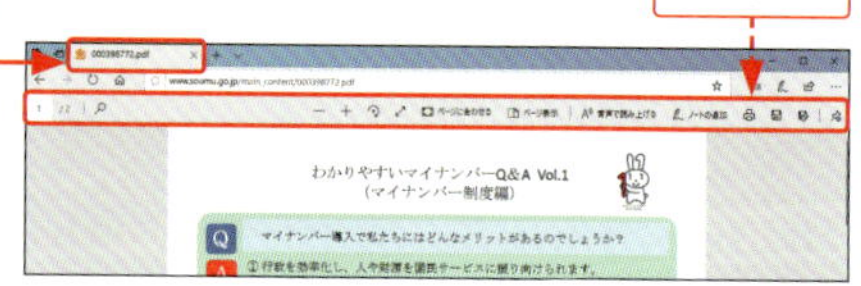

Memo

PDFファイルの表示

通常、PDFファイルはAcrobat Readerで開きますが、Acrobat ReaderがなくてもMicrosoft Edgeで開くことができます。

Hint

ツールバーの表示

PDFファイルを表示すると、自動的にツールバーが表示されます。ツールバーには、拡大／縮小／回転／全画面表示／ページレイアウトなどのページ表示に関連するコマンドや音声読み上げ、ページ上に書き込めるノートの追加、ページの保存などのコマンドが用意されています。なお、PDFによっては<ノートの追加>が利用できないものもあります。

2 手書きで注釈を書き込む

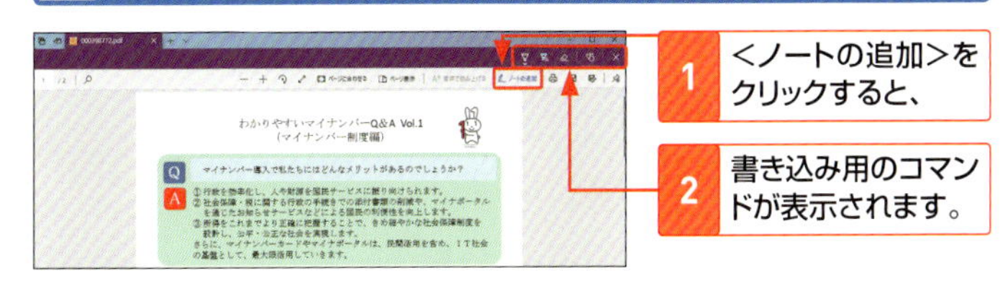

1 <ノートの追加>をクリックすると、

2 書き込み用のコマンドが表示されます。

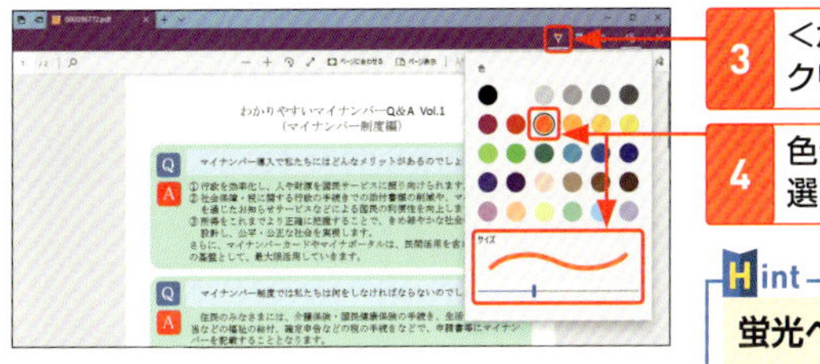

3 <ボールペン>をクリックして、

4 色や太さを選びます。

Hint

蛍光ペンを利用する

ペンと同様の操作で蛍光ペンが利用できます。<蛍光ペン>をクリックして、太さや色を選択し、マーカーを引きます。

5 デジタルペンやマウスで手書きします（Memo参照）。

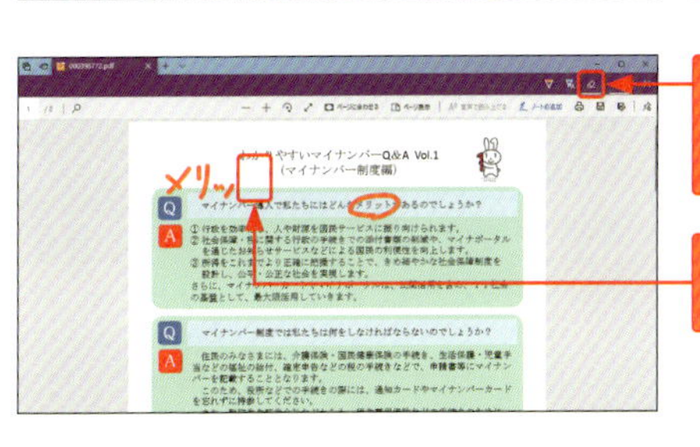

6 消したい場合は、<消しゴム>をクリックして、

7 書いた部分をドラッグします。

Memo

デジタルペンで手書きする

タッチパネル対応のディスプレイの場合は、<タッチによる手書き>をクリックしてオンにする必要があります。デジタルペン（あるいは指）を画面に当てて文字を書きます。タッチパネル非対応の場合は、マウスをドラッグします。

3 書き込みしたページを保存する

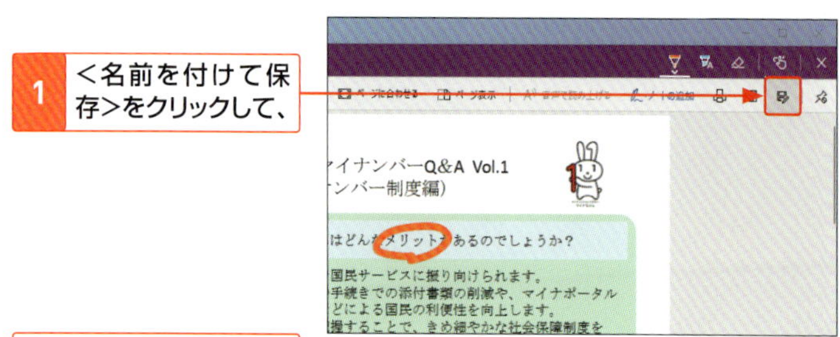

1 <名前を付けて保存>をクリックして、

保存先は自動的に<ドキュメント>が指定されます。ほかの場所に変更できます。

2 ファイル名を入力して、

3 <保存>をクリックします。

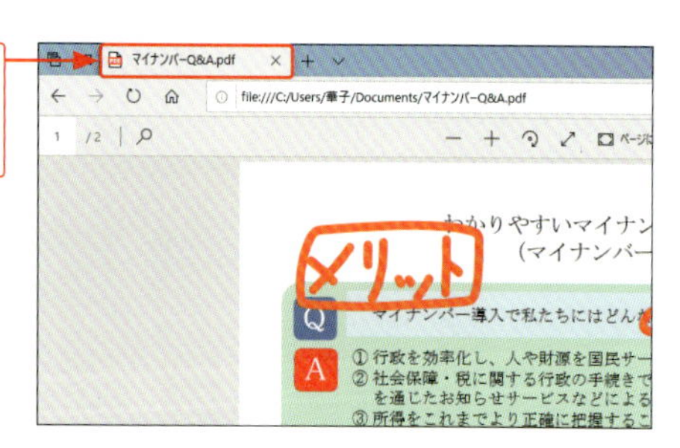

4 保存され、タブの名称がファイル名に変わります。

Hint 保存したPDFファイルを開く

保存したPDFファイルを開くには、エクスプローラーで保存先を指定して、ファイルをダブルクリックすると、自動的にMicrosoft Edgeが起動してページが表示されます。

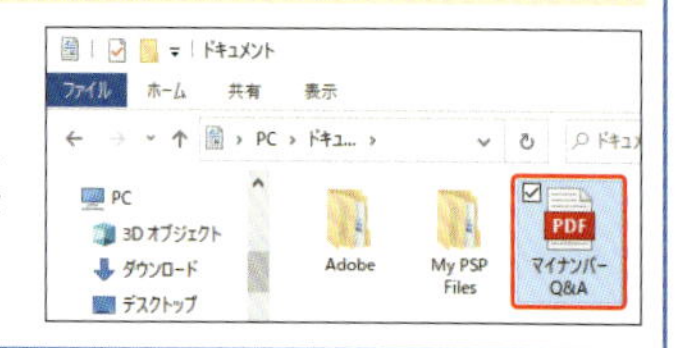

Hint

Webページに書き込み／保存する

Webページを表示して＜メモを追加する＞をクリックすると、同様にツールバーが表示され、文字を書き込んだり、吹き出しメモを挿入したりすることができます。＜ボールペン＞は、ペンの色と太さを選んで手書き文字が入力できます（P.173参照）。＜ノートの追加＞は、吹き出しにメモを入力できます。

書き込んだページを保存するには、＜Webノートの保存＞をクリックして、保存先に＜OneNote＞＜お気に入り＞＜リーディングリスト＞のいずれかを選んで保存します。

保存したページを開くには、＜設定など＞…をクリックして、保存先を開き、目的のページをクリックします。

メモを追加する

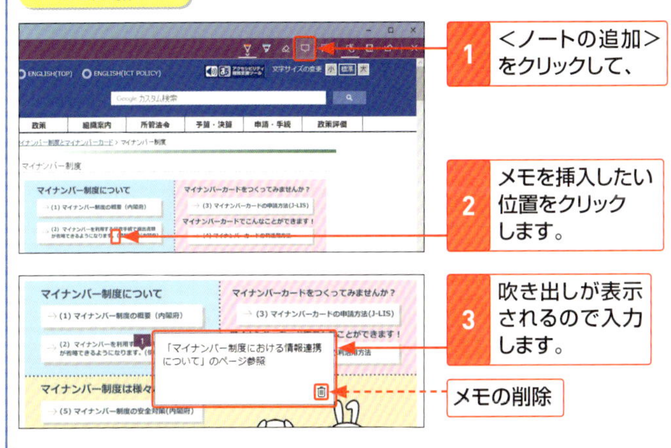

ページを保存する

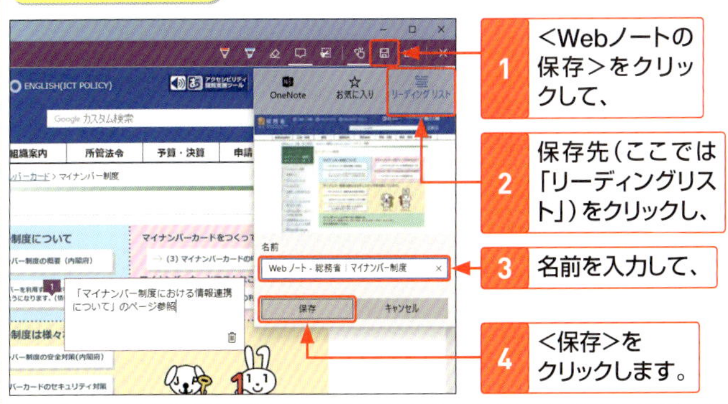

追加でアプリをインストールしよう

Windows 10にアプリを追加したいときは、「Microsoft Store」からダウンロードしてインストールします。アプリは種類ごとに分類され、アプリの評価やレビューを参考に選ぶことができます。

1 Storeからアプリをインストールする

ここでは、無料のアプリをインストールします。

1 タスクバーの<Microsoft Store>をクリックすると、

2 「Microsoft Store」が起動します。

3 インストールするアプリ（ここでは<BINGO>）をクリックして、

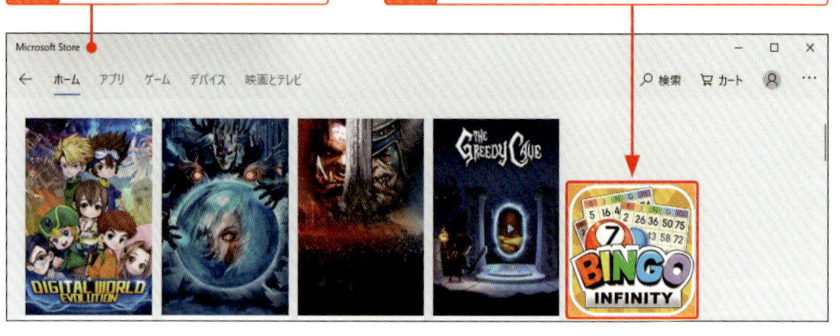

4 <入手>をクリックします。

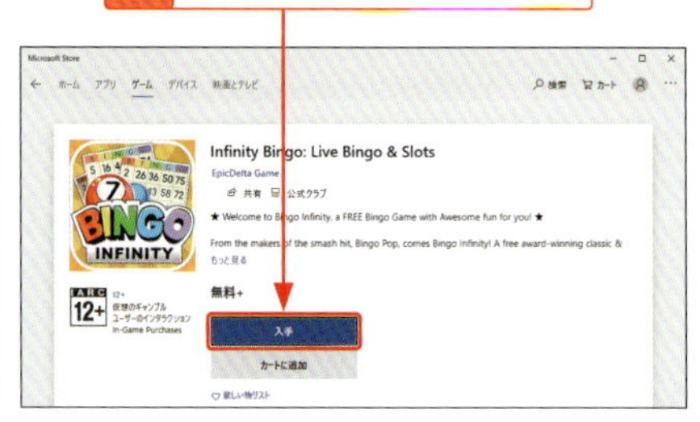

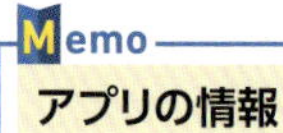

アプリの情報

手順4の画面下方には、システムの必要条件やレビューなどが表示されます。

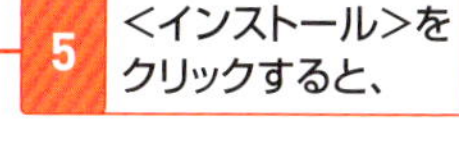

5 ＜インストール＞をクリックすると、

6 ダウンロードとインストールが実行されます。

ここをクリックすると、取り消すことができます。

> **Memo アプリの起動**
>
> アプリがインストールされると、スタートメニューに登録されるので、クリックします。インストール後に、起動できる＜プレイ＞などが表示される場合もあります。
>
> 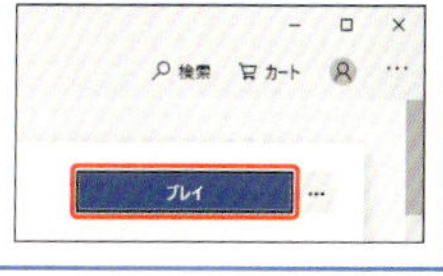
>

7 スタートメニューを表示して、アプリをクリックすると起動します。

2 アプリをアンインストールする

1 スタートメニューを表示して、アプリを右クリックし、

2 ＜アンインストール＞をクリックします。

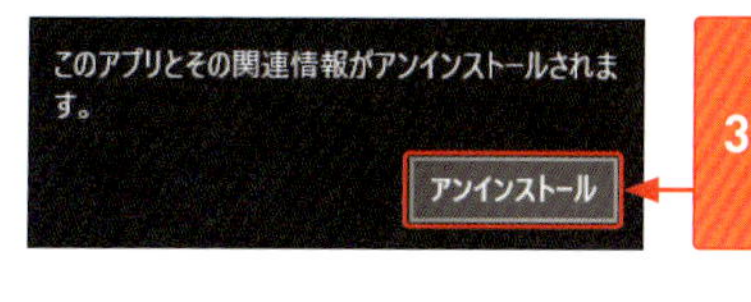

3 確認のメッセージが表示されるので、＜アンインストール＞をクリックすると、アプリがアンインストールされます。

OneDriveを利用してクラウドに保存しよう

OneDriveはマイクロソフトが提供するオンラインストレージサービスです。Microsoftアカウントでサインインすると、エクスプローラーからOneDriveを利用することができます。

1 エクスプローラーからOneDriveを利用する

1 タスクバーの<エクスプローラー>をクリックして、

2 エクスプローラーが起動します。

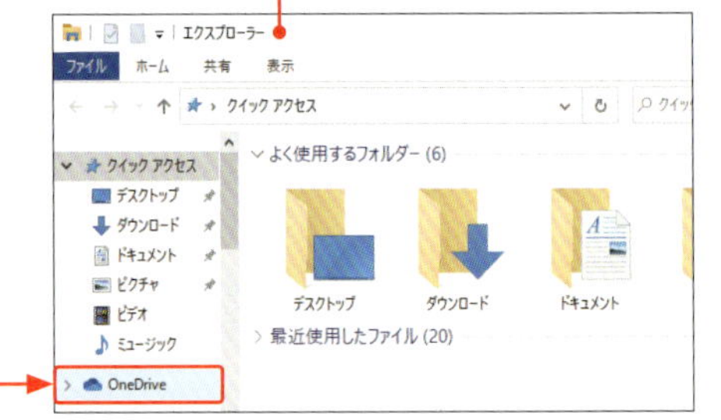

3 <OneDrive>をクリックすると、

4 <OneDrive>フォルダーが開きます。

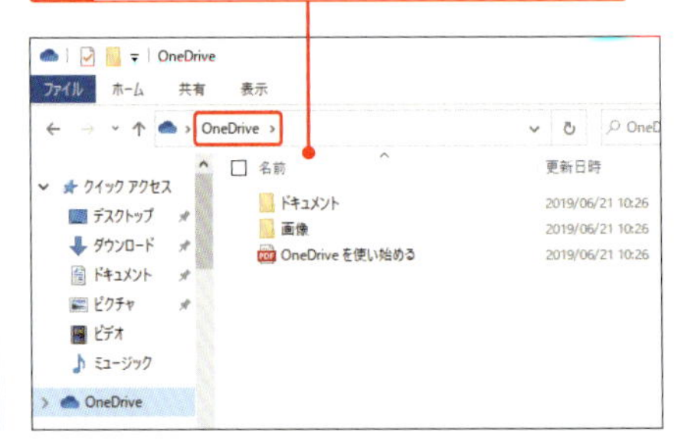

Keyword

OneDrive

OneDriveは、インターネット上にファイルを保存しておく場所のことです。インターネットを利用できる環境であれば、いつでもどこからでもファイルの保存（アップロード）や取り出し（ダウンロード）が可能です。

2 OneDriveにフォルダーを追加する

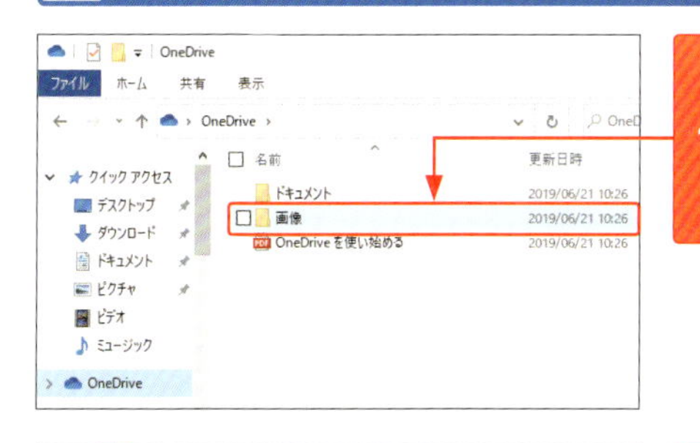

1 フォルダーを作成するフォルダー（ここでは＜画像＞）をダブルクリックして開きます。

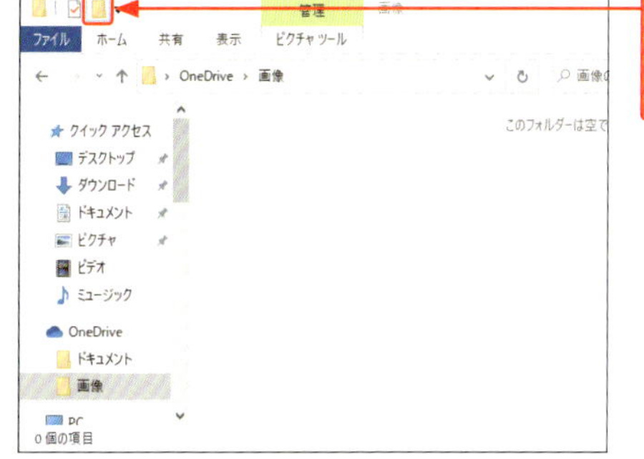

2 ＜新しいフォルダー＞をクリックすると、

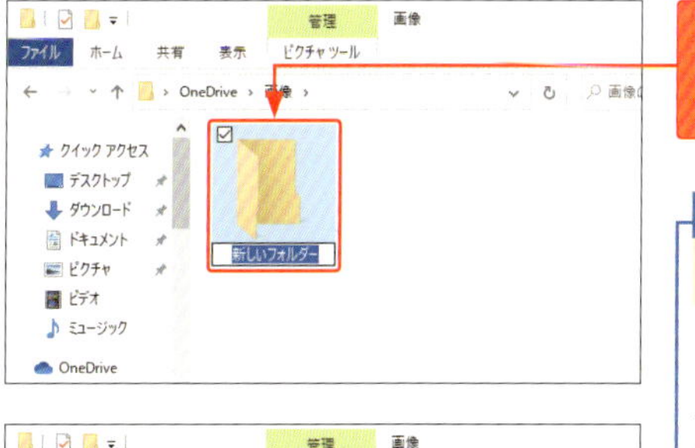

3 ＜新しいフォルダー＞が作成されるので、

4 フォルダー名を入力して Enter を押します。

> **Memo**
> **フォルダーの作成**
>
> ここでは、＜画像＞フォルダー内にフォルダーを作成していますが、＜OneDrive＞や＜ドキュメント＞フォルダー内にも同様にフォルダーを作成できます。

3 OneDriveにファイルをアップロードする

1 ファイルの保存先を表示して、

2 OneDriveに保存したいファイルをクリックして選択します。

3 <ホーム>タブをクリックして、

4 <コピー>をクリックします。

5 OneDrive内のコピー先フォルダーを表示します。

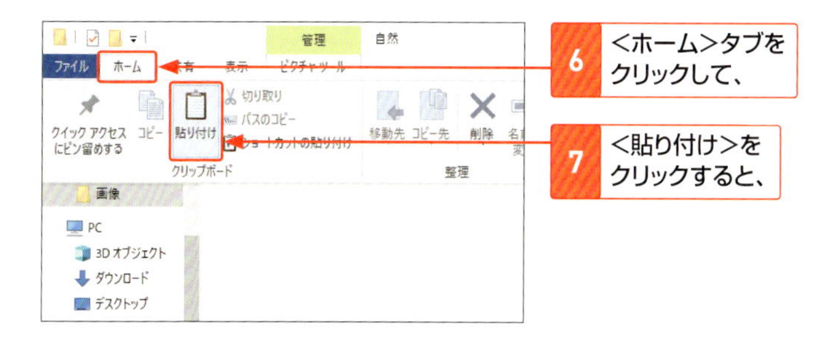

8 OneDriveにファイルがコピー（アップロード）されます。

9 OneDriveに保存されると同時に、同期されます。

ファイルの同期

エクスプローラー上の<OneDrive>は、インターネット上のOneDriveと同期しています。パソコン内にあるファイルをOneDriveにコピーすることで、インターネット上のOneDriveから同じファイルを利用することができます（Sec.70参照）。

第6章 生活を便利にするアプリ・サービスを使おう

ブラウザから OneDriveを利用しよう

OneDriveは、インターネットからアクセスして利用することもできます。エクスプローラーからアクセスするOneDriveと自動的に同期されるため、データは常に最新の状態に保たれます。

1 OneDrive.comにアクセスする

1 Microsoft Edgeを起動して、「https://onedrive.live.com」にアクセスします。

2 <画像>をクリックすると、

3 P.179で追加したフォルダー（ここでは「自然」）が確認できます。クリックすると、

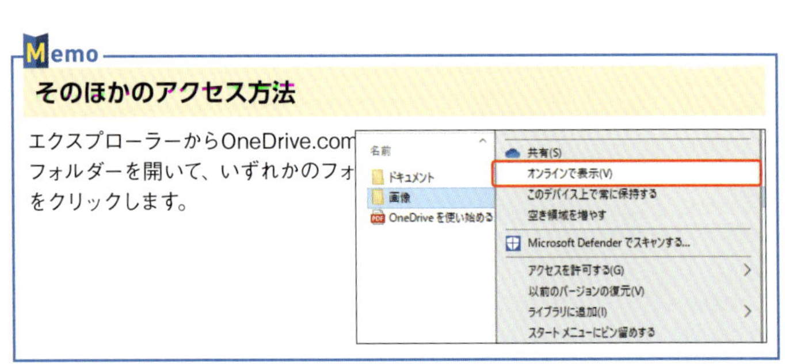

Memo

そのほかのアクセス方法

エクスプローラーからOneDrive.com
フォルダーを開いて、いずれかのフォ
をクリックします。

第6章 生活を便利にするアプリ・サービスを使おう

4 エクスプローラーからOneDriveに保存した画像ファイルを確認できます。

2 ファイルをダウンロードする

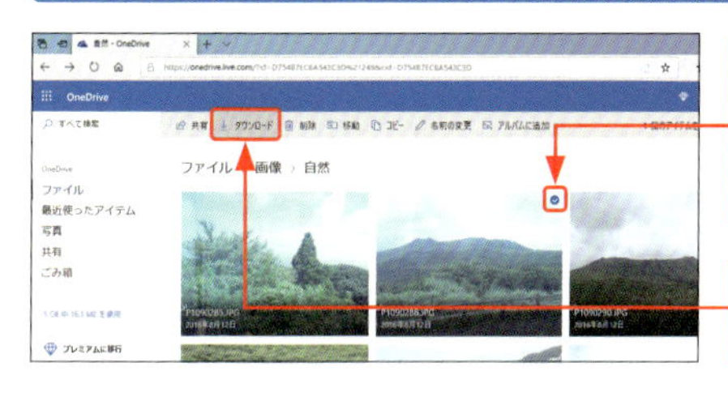

1 ダウンロードしたいファイルのここをクリックして、オンにし、

2 ＜ダウンロード＞をクリックします。

3 ＜保存＞をクリックするとファイルがダウンロードされ、＜ダウンロード＞フォルダーに保存されます。

ここをクリックすると、保存先やファイル名を指定して保存できます。

Hint ファイルのダウンロード

フォルダーも同様の方法でダウンロードできます。フォルダーの場合は、圧縮した状態でダウンロードされます。

StepUp フォルダーの作成やファイルのアップロード

OneDrive内でのフォルダーの作成やファイルのアップロードは、画面上部にある＜新規＞や＜アップロード＞を利用して行うことができます。

OneDriveでファイルを共有しよう

OneDriveを利用すると、ファイルのやり取りや写真の閲覧など、ほかの人との**ファイルの共有**が可能になります。共有するには、共有を設定して、相手にファイルのリンクを送信します。

1 共有するファイルをメールで送信する

1. OneDriveのWebサイトにアクセスして（P.182参照）。Microsoftアカウントにログインします。
2. OneDriveが開いたら、共有したいファイルをクリックします。

3. ファイルが開くので、
4. ＜共有＞をクリックします。

Hint かんたんに共有のリンクを送信する

手順**2**で共有するファイルの右上の○をクリックして選択します。メニューバーの＜共有＞をクリックすると、ポップアップで＜リンクの送信＞ウィンドウが表示されます。

共有したい相手のメールアドレス、メッセージを入力して、＜送信＞をクリックすれば、相手のメールにリンクのURLが届きます。

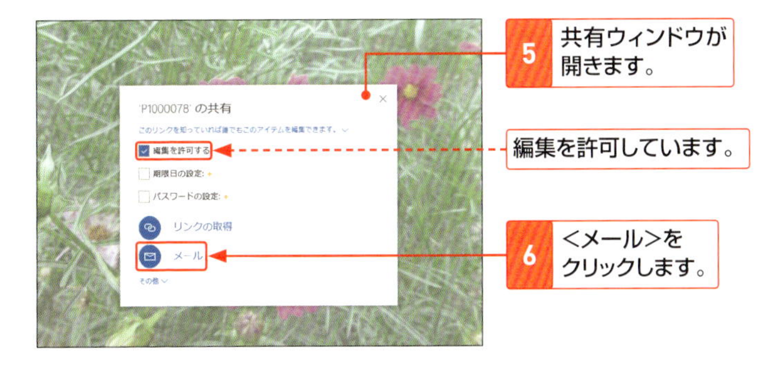

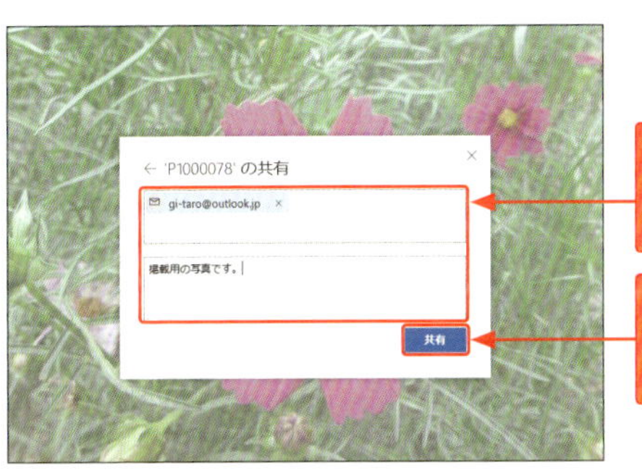

7 メールアドレスとメッセージを入力します。

8 <共有>をクリックすると、送信されます。

9 メッセージが表示されます。

Memo 受信者の対応

メールを受信したら、共有ファイルのURLをクリックして、ファイルを開きます。

Memo 共有の種類

共有を設定する画面の<編集を許可する>はオンになっていますが、編集されたくない場合はオフにしてから送ります。なお、<期限日の設定>と<パスワードの設定>はOneDriveのプレミアムの契約をしていなければ利用できません。

Memo 共有のマーク

共有設定をしたあとでファイルを確認すると、設定したファイルには、共有マークが付いています。

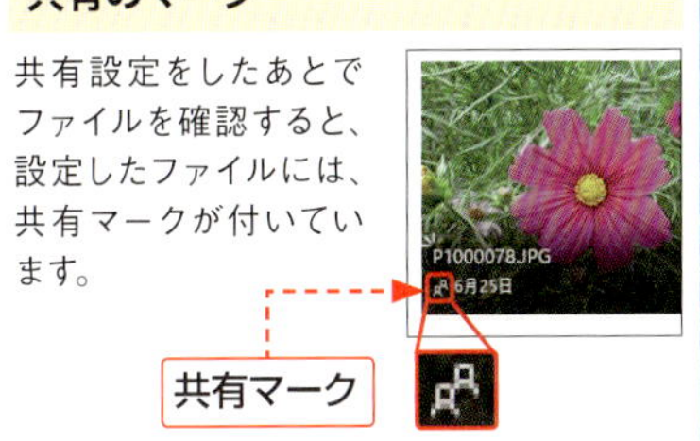

2 公開リンクを取得して共有する

1 共有ウィンドウで、共有を設定します(ここでは<編集を許可する>をオフ)。

2 <リンクの取得>をクリックすると、URLが表示されます。

<その他>をクリックしてオプションを表示します。

3 <コピー>をクリックします。

Memo SNSへ投稿する

<Facebook>などをクリックして、URLを貼り付けて投稿すれば、設定している相手に広く公開できます。

4 共有したい人宛にメールやSNS等でURLを送ります。

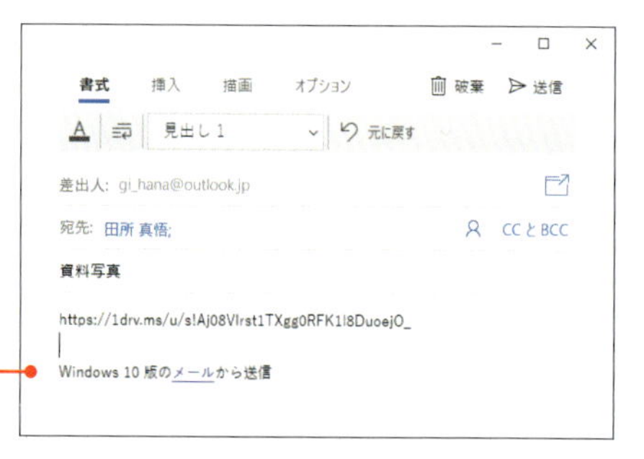

Hint アクセス許可の管理

共有ファイルを選択して、メニュー右端の ⓘ をクリックすると詳細ウィンドウが開きます。現在のアクセス権情報が表示されます。
編集したい場合は、<アクセス許可の管理>をクリックして、<アクセス許可を管理>ウィンドウを表示します。
共有リンクを削除したい場合は、URL右端の × をクリックします。
共有したメールアドレスの下の<表示可能>または<編集可能>をクリックすると、アクセス権を変更できます。

ここで変更できます。

第7章

Windows 10で役立つ技を知っておこう

音声アシスタントのCortanaを使ってみよう

Cortanaは、Windows 10に搭載された音声認識アシスタント機能です。タスクバーにあるアイコンをクリックすると、Cortanaが起動します。初めて利用するときに設定が必要です。

1 Cortanaをセットアップする

1 タスクバーの<Cortanaに話しかける>をクリックすると、

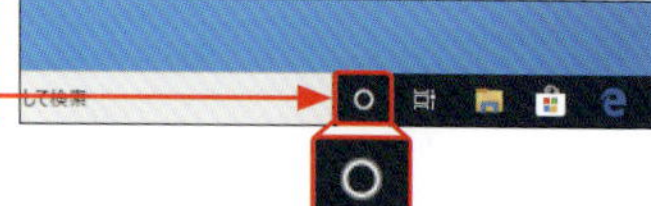

2 Cortanaが起動します。

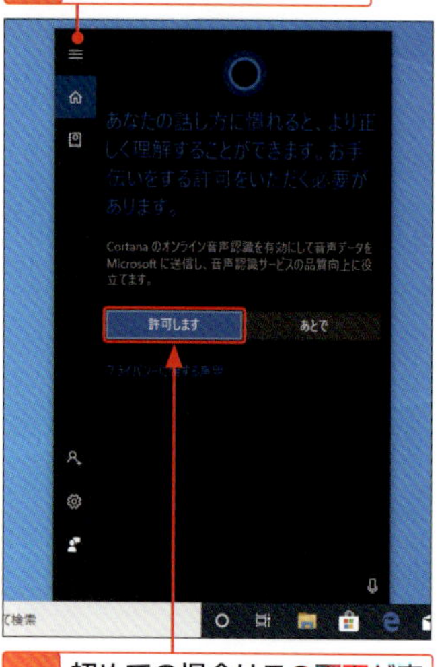

3 初めての場合はこの画面が表示されるので、<許可します>をクリックします。

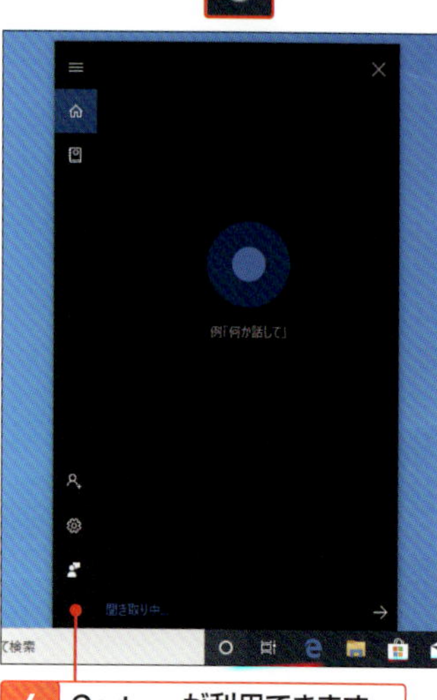

4 Cortanaが利用できます。

Memo

Cortanaを利用する

Cortanaを利用するには、パソコンにマイクが内蔵されているか、外付けマイクが接続されている必要があります。

2 音声で情報を検索する

1 Cortanaをクリックして、

2 検索したい内容をマイクに話しかけます（ここでは「今日の天気」）。

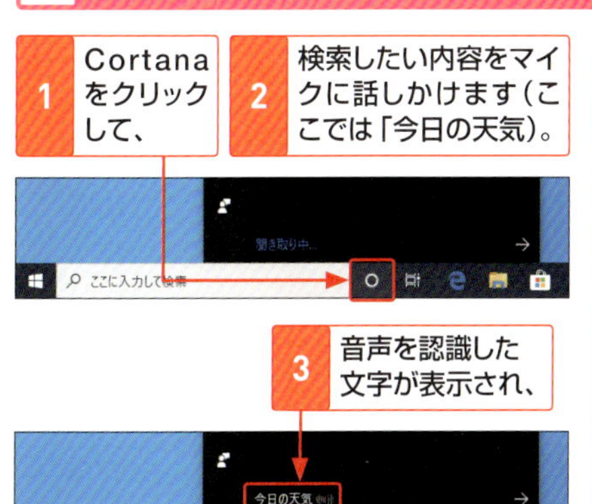

3 音声を認識した文字が表示され、

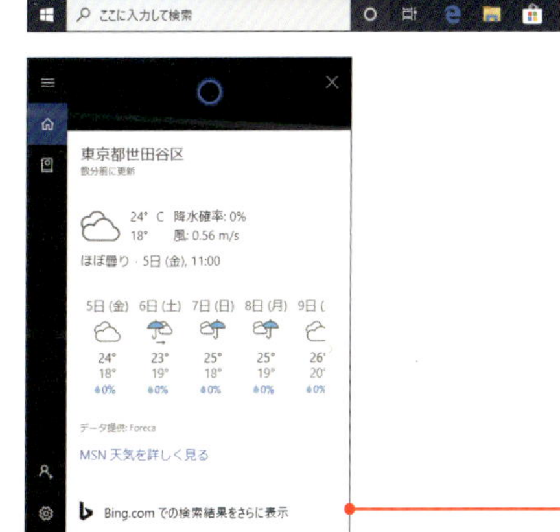

4 検索結果が表示されます。

Hint

Cortanaの表示／非表示

Cortanaのボタンは表示／非表示を切り替えることができます。タスクバーを右クリックして、<Cortanaのボタンを表示する>をクリックしてオフにすると非表示になります。

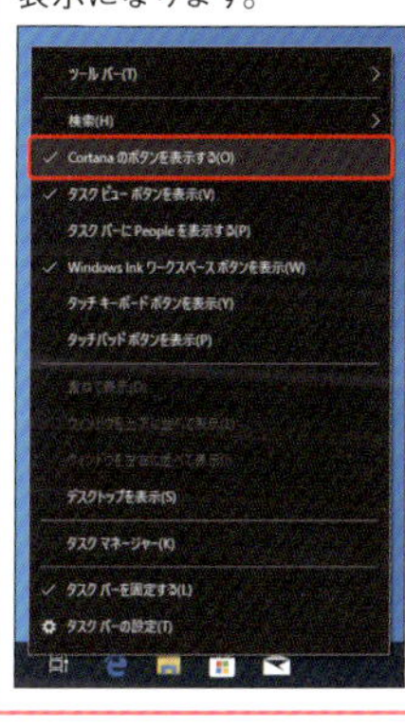

Memo

Cortanaからの応答と検索結果

検索結果の画面表示は、質問の内容や、Cortanaの理解度によって異なります。適切な言葉がない、回答範囲が広い場合などは、Web検索の結果画面が表示されます。

3 リマインドする項目を登録する

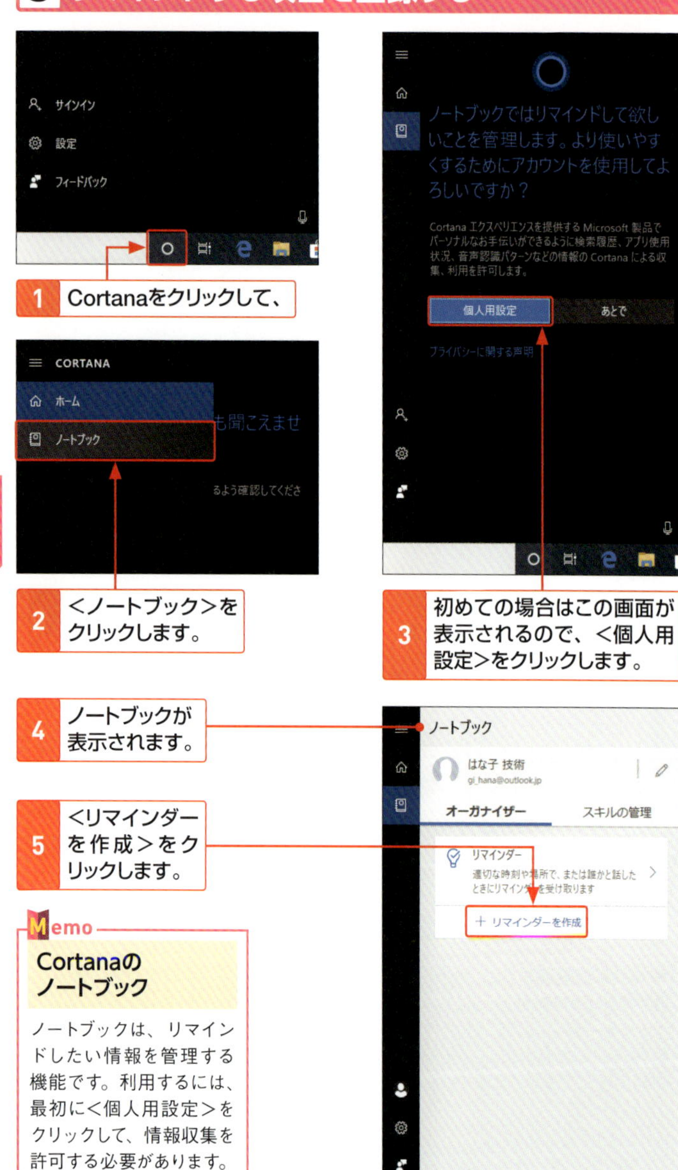

Memo

Cortanaのノートブック

ノートブックは、リマインドしたい情報を管理する機能です。利用するには、最初に<個人用設定>をクリックして、情報収集を許可する必要があります。

6 リマインダーの登録画面が表示されます。

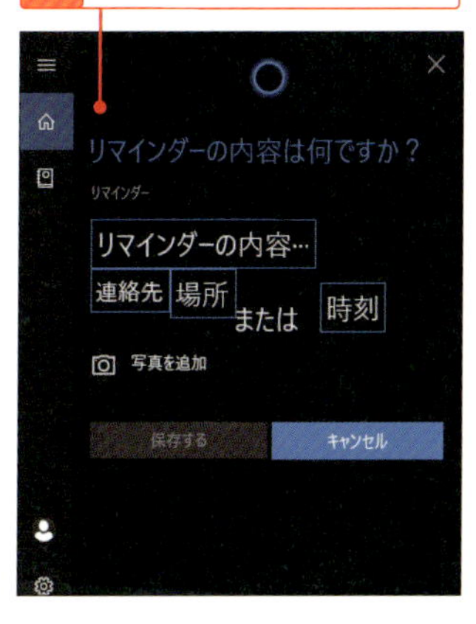

7 予定や日時、周期などを指定して、

8 <リマインダー>をクリックします。

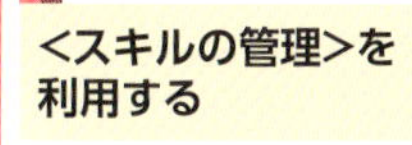

9 リマインダーが登録され、

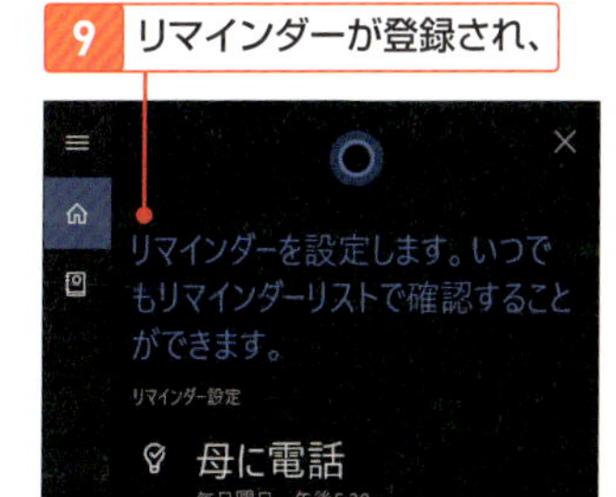

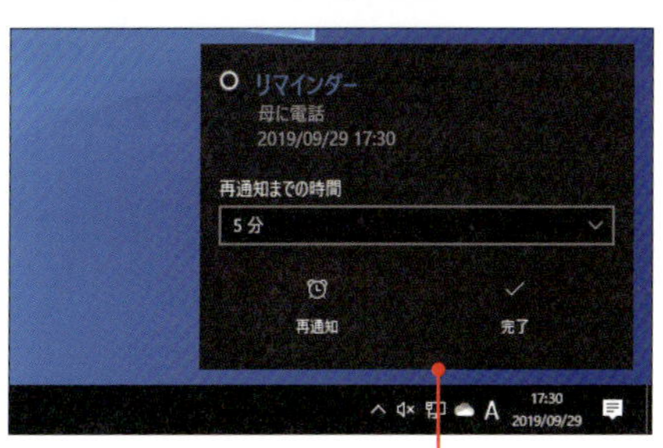

10 指定した日時にメッセージが通知されます。

Hint

<スキルの管理>を利用する

ノートブックの画面で<スキルの管理>をクリックして、確認したい項目やトピックを追加して登録すると、関連する最新情報をいつでも入手することができます。

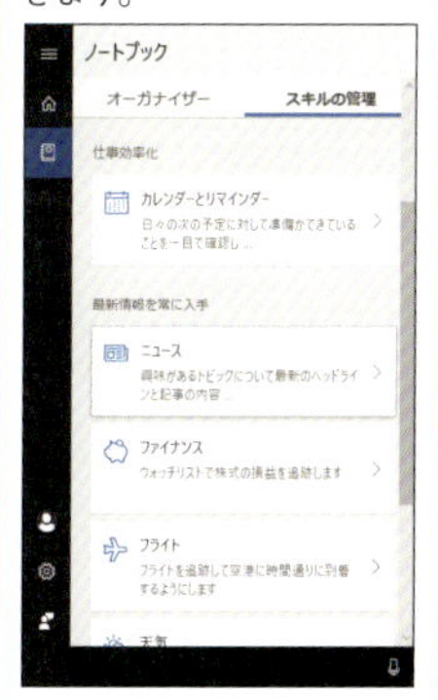

第7章 Windows 10で役立つ技を知っておこう

Windows検索を使って情報を検索しよう

Windowsの検索は、Web上やパソコン内の情報を検索して、表示する機能です。Webページ、アプリやメール、写真などを対象に検索したり、履歴からWebページを表示したりすることができます。

1 検索画面を表示する

1 検索ボックスをクリックすると、

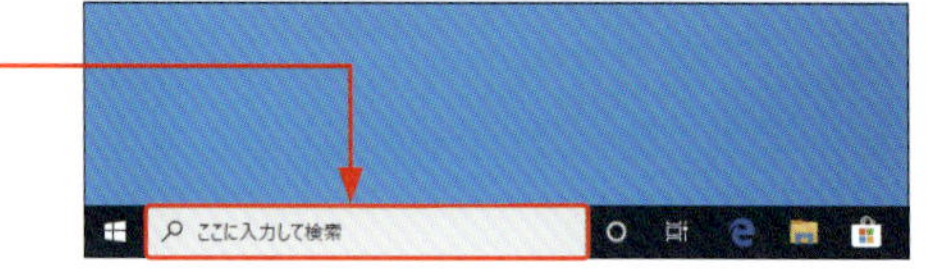

2 検索画面が表示されます。

よく使うアプリが表示されるので、クリックするだけでアプリを起動できます。

履歴のWebページやファイルが表示されます。

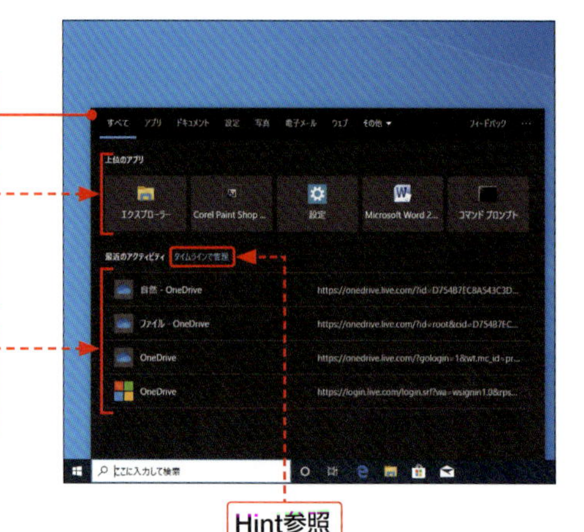

Hint参照

Memo 検索ボックスの表示

検索ボックスをクリックして表示される画面は、パソコンの環境や利用履歴によって異なります。

Hint タイムラインを開く

<タイムラインで管理>をクリックすると、タイムラインが表示されます（Sec.17参照）。履歴からWebページをすばやく表示できます。

2 キーワード入力で情報を検索する

1 検索ボックスにキーワードを入力し始めると、

2 予測結果が表示されます（ここから選ぶこともできます）。

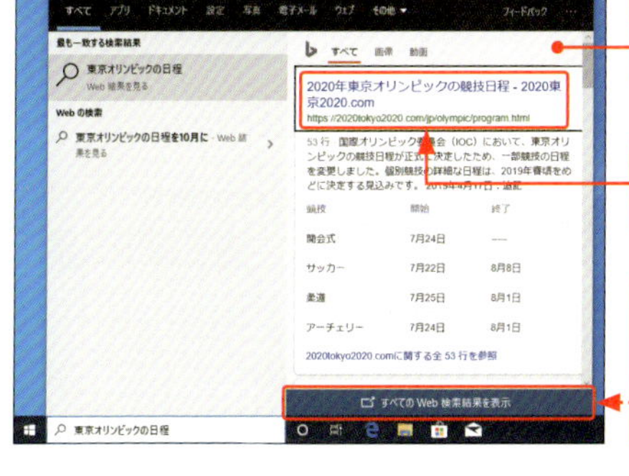

3 キーワードに関する検索結果が表示されます。

4 見たい情報をクリックすると、

<すべてのWeb検索結果を表示>をクリックすると、ブラウザに検索結果画面が表示されます。

5 Webブラウザが起動して、ページを表示します。

3 カテゴリを利用して検索する

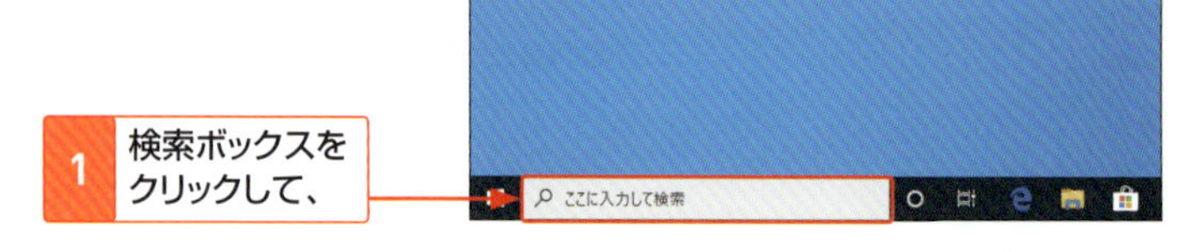

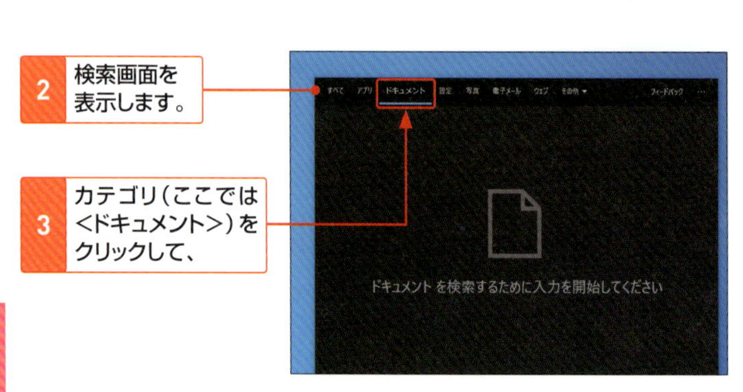

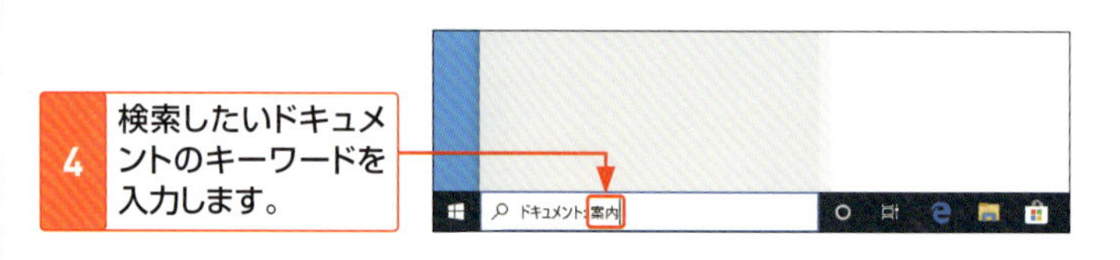

Memo

検索画面のカテゴリ

検索する目的に合わせてカテゴリを選ぶことで、すばやい検索が可能になります。
たとえば、<アプリ>では用途を入力すると、目的に合ったアプリが検索されます。
<ドキュメント>ではパソコン内のドキュメントファイルを対象に、<写真>では写真を対象に検索ができるので、エクスプローラーを起動する必要がありません。
<その他>をクリックすると、<フォルダー><音楽><人><動画>のカテゴリを指定できます。

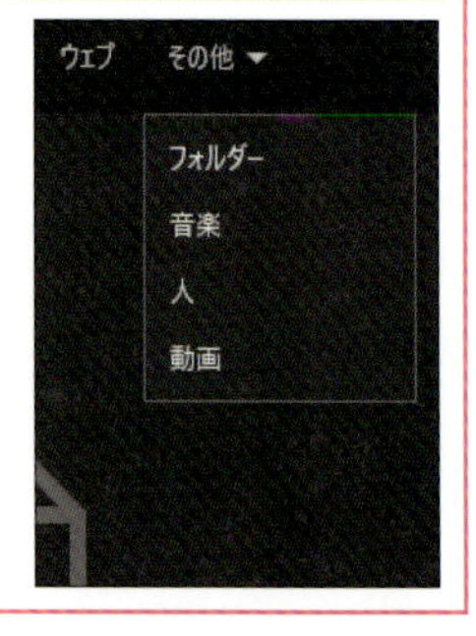

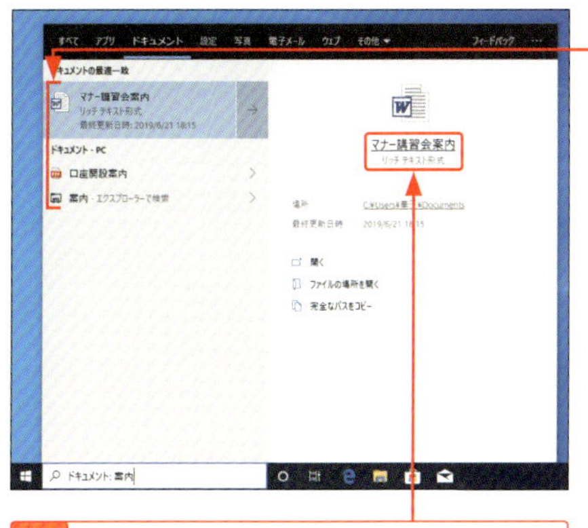

5 該当するドキュメント（ファイル名）が表示されます。

6 目的のドキュメントをクリックすると、アプリが起動してファイルが表示されます。

Hint

エクスプローラーで検索

該当する検索結果が得られない場合は、<エクスプローラーで検索>をクリックします。エクスプローラーが起動して、検索が実行します。

Memo

検索の履歴

次回以降に検索を行う場合、検索した履歴が表示されます。ここから選ぶこともできます。

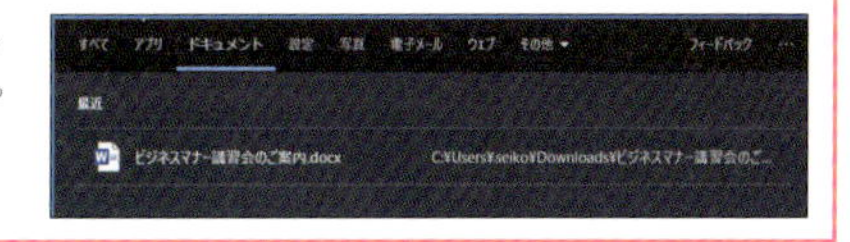

Hint

検索ボックスの表示／非表示

検索ボックスは非表示にしたり、検索アイコンのみの表示にしたりすることができます。
タスクバーを右クリックして、<検索>をクリックし、<表示しない><検索アイコンを表示><検索ボックスを表示>のいずれかをクリックしてオンにします。
タスクバーを下部以外の場所にしたり、<タスクバーの設定>で<小さいタスクバーボタンを使う>をオンにしたりすると、検索ボックスを表示できません。

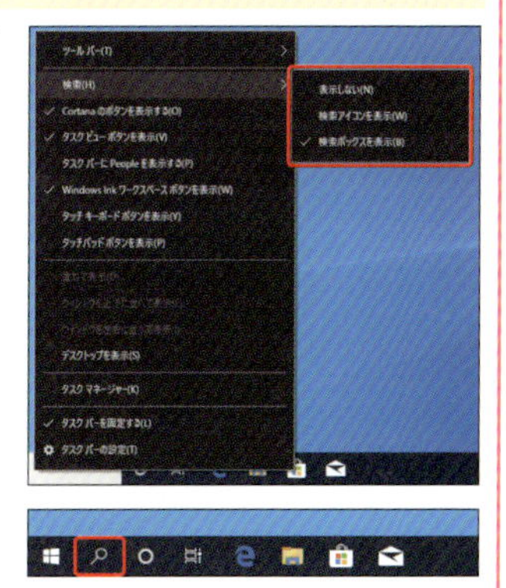

＜設定＞画面を利用してカスタマイズしよう

＜設定＞画面には、Windowsの全般的な設定を行うための機能が集約されています。＜設定＞画面を利用すると、Windows 10の使用環境や使い勝手を詳細に設定することができます。

1 ＜設定＞画面を表示する

1 ＜スタート＞をクリックして、

2 ＜設定＞をクリックすると、

3 ＜設定＞画面が表示されます。

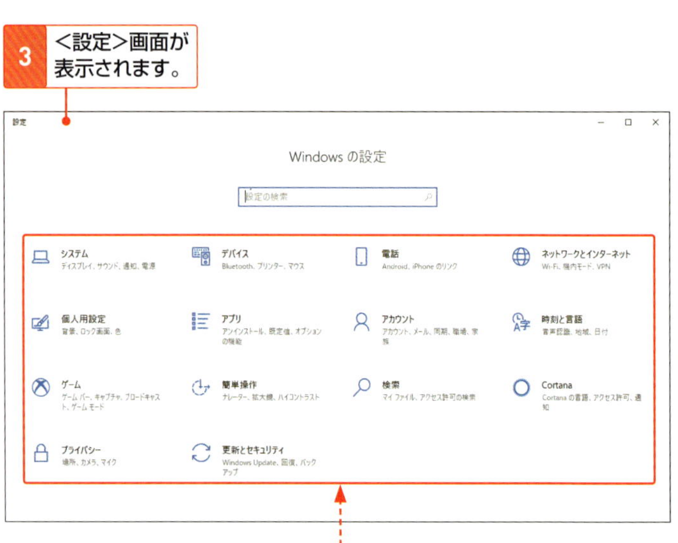

いずれかの項目をクリックすると、詳細な設定画面が表示されます。

＜設定＞画面の機能

項　目	機　能
システム	ディスプレイのカスタマイズ、アプリからの通知の設定、電源とスリープの時間設定などを行います。
デバイス	プリンターやスキャナーの設定、マウスやタッチパッドの設定、自動再生の既定の設定などを行います。
電話	スマートフォンの追加を行います。追加すると、スマホで行っていたWebサイトの閲覧やメールなどをパソコンで続行できます。
ネットワークとインターネット	ネットワークの接続と管理、社内ネットワークや共有、ホームグループの設定、インターネット全般やセキュリティ、プライバシーなどに関する設定を行います。
個人用設定	デスクトップやロック画面の背景、テーマの変更、スタートメニューやタスクバーの各種設定などを行います。
アプリ	インストールされているアプリの管理、既定のアプリの設定、オンラインマップの設定などを行います。
アカウント	Microsoftアカウントの関連付けやアカウント画像の変更、アカウントの追加、サインイン方法の設定、設定の同期などを行います。
時刻と言語	タイムゾーンの設定、日付や時刻の設定、パソコンを使用している地域の変更、表示や入力に使用する言語の設定などを行います。
ゲーム	ゲームバー、ゲームDVR、ブロードキャスト、ゲームモードなど、ゲーム関連の各種設定を行います。
簡単操作	ナレーターや拡大鏡の使用、スクリーンキーボードの使用設定、マウスポインターのサイズや色の設定などを行います。
検索	アクセス許可の選択と検索履歴の管理、Windowsの検索先の設定などを行います。
Cortana	Cortanaを利用するための基本設定、アクセス許可やセーフサーチの設定、履歴管理などを行います。
プライバシー	プライバシーオプションの変更、位置情報の設定、連絡先やカレンダーへのアクセスの許可などの設定を行います。
更新とセキュリティ	Windows Updateや個人ファイルのバックアップ、PCのリフレッシュ、Windowsの再インストール、Windows Defenderの設定などを行います。

通知に邪魔されない集中モードを利用しよう

集中モードとは、通知表示を制限することです。メールや通知が届くたびに気を取られて集中できない、という場合に利用します。設定は<設定>画面もしくはアクションセンターで行います。

1 集中モードをオンにする

1 スタートメニューの<設定>をクリックして、<設定>画面を表示します。

2 <システム>をクリックして、

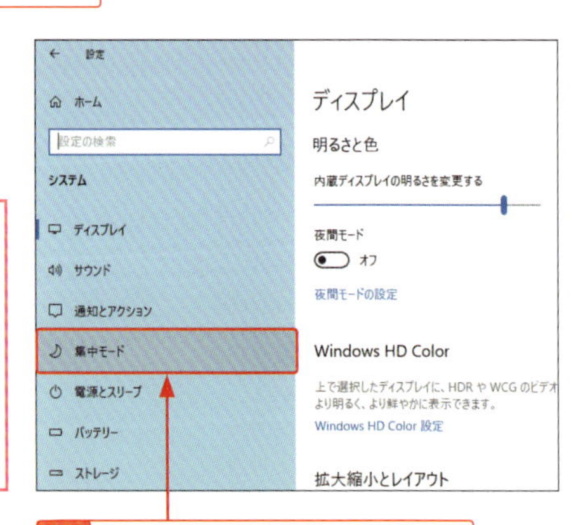

3 <集中モード>をクリックします。

Keyword

集中モード

集中モードとは、仕事に集中させるために、メールなどの通知が表示されたりアラームがなったりしないように設定するモードです。

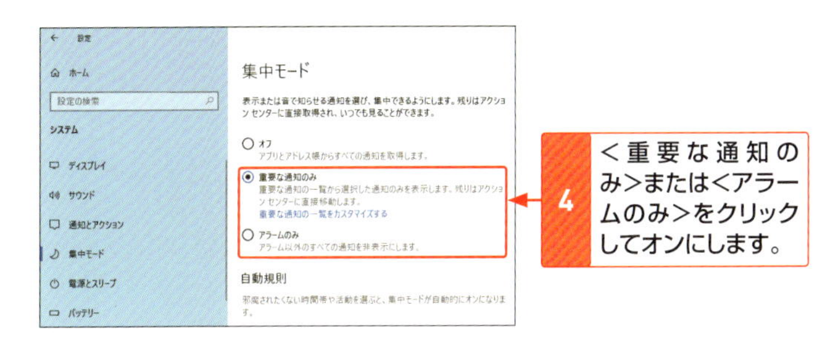

2 集中モードの自動規制を設定する

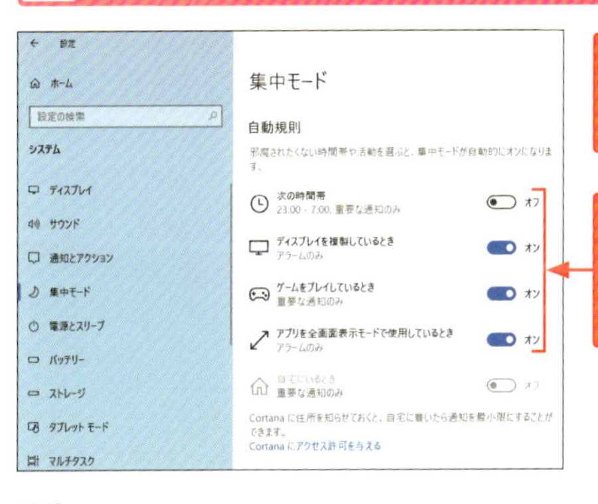

1 P.198を参照して、<集中モード>画面を表示します。

2 <自動規制>の各項目をクリックしてオン／オフを切り替えます。

Hint アクションセンターで集中モードを切り替える

<自動規制>を設定したら、集中モードの切り替えは、アクションセンターでも行えます。<通知>をクリックして、<集中モード>（あるいは<アラームのみ><重要な通知のみ>）をクリックします。クリックするたびに、モードが切り替わります。

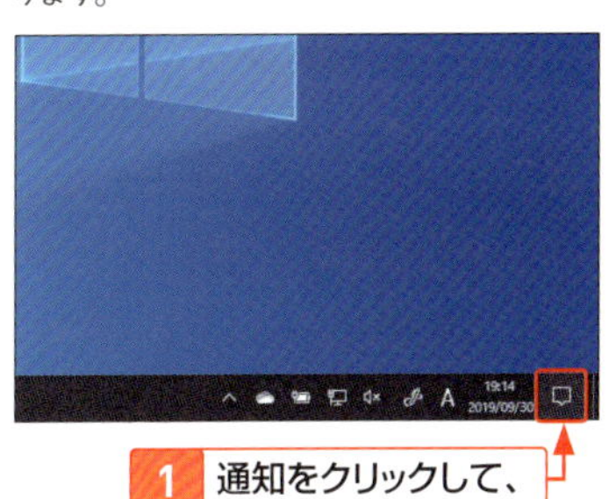

1 通知をクリックして、

2 <集中モード>をクリックします。

アカウント画像を好きな写真に変更しよう

アカウントの画像は、サインイン画面やスタートメニューなど、さまざまな場所で表示されます。初期状態では人物シルエットになっていますが、**ほかの画像に変更**することができます。

1 自分のアカウント画像を変更する

1 スタートメニューの<設定>をクリックして、<設定>画面を表示します。

2 <アカウント>をクリックします。

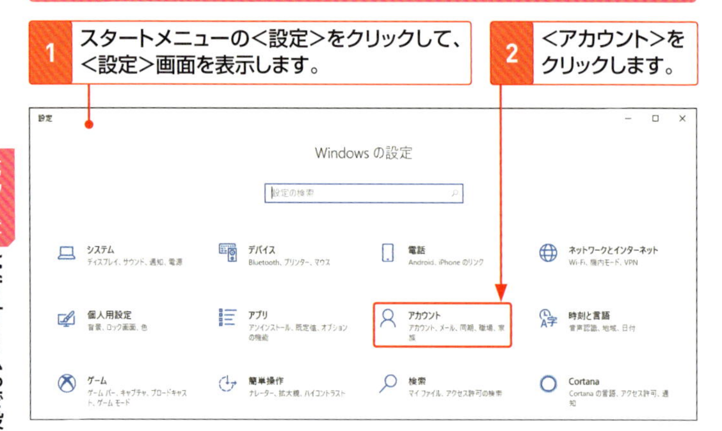

3 <ユーザーの情報>をクリックして、

4 <参照>をクリックします。

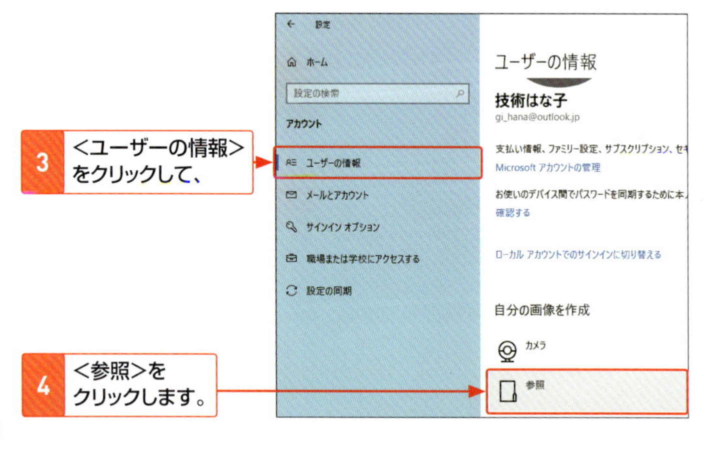

5 画像の保存先を指定して、

6 使用する画像をクリックし、

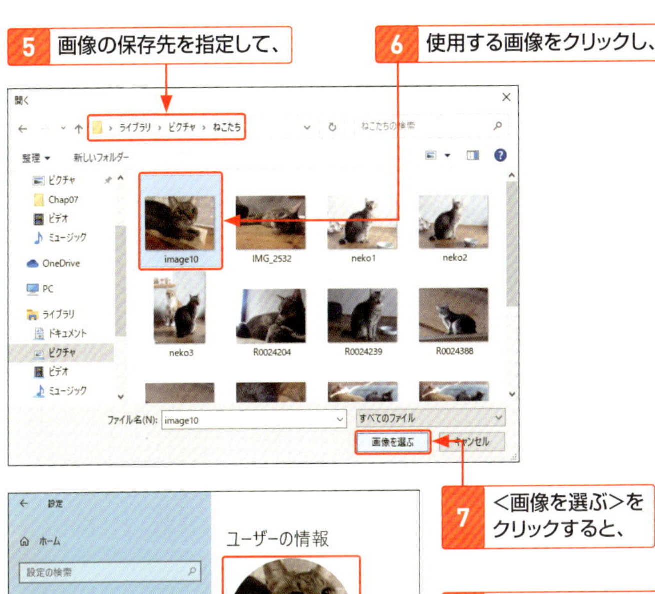

7 <画像を選ぶ>をクリックすると、

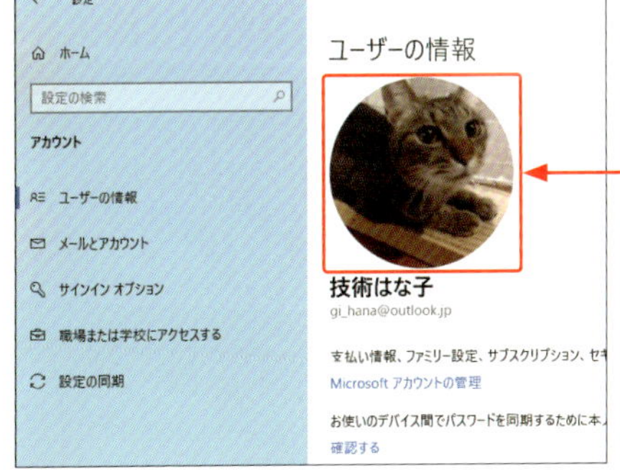

8 アカウントの画像が変更されます。

9 スタートメニューのアカウント画像も変更されていることが確認できます。

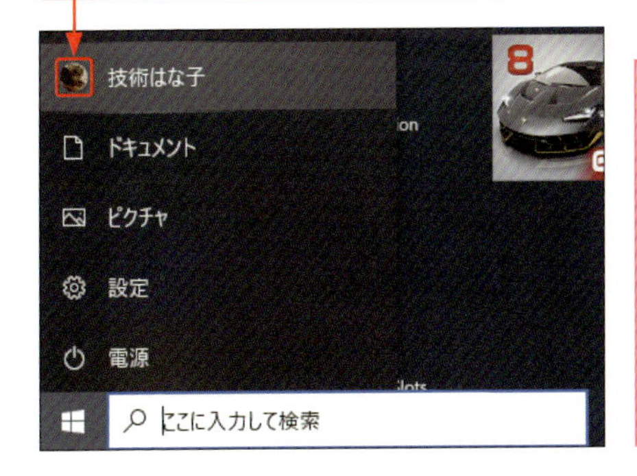

> **Memo**
>
> **アカウントの画像**
>
> Windows 10の起動時に表示されるサインイン画面やロック画面にもアカウントの画像が表示されます。複数人でパソコンを使っている場合など、すぐに見分けがつくので変更しておくと便利です。

家族の利用にアカウントを追加しよう

1台のパソコンを家族などで共有する場合は、それぞれにアカウントを作成するのが一般的です。アカウントを作成することで、それぞれが独立した環境でパソコンを利用することができます。

1 家族のアカウントを追加する

1 スタートメニューの<設定>をクリックして、<設定>画面を表示します。

2 <アカウント>をクリックします。

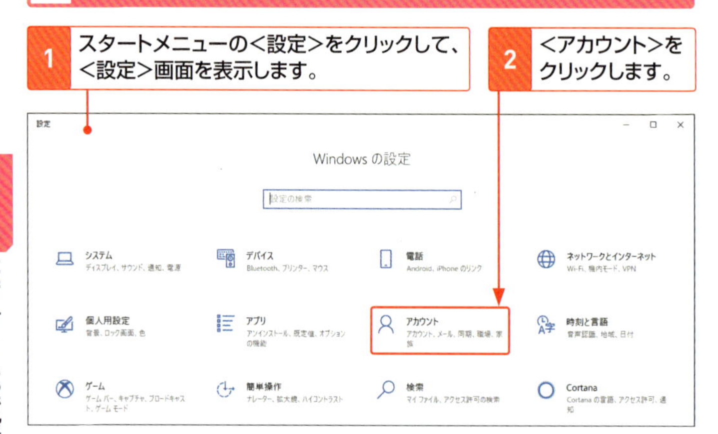

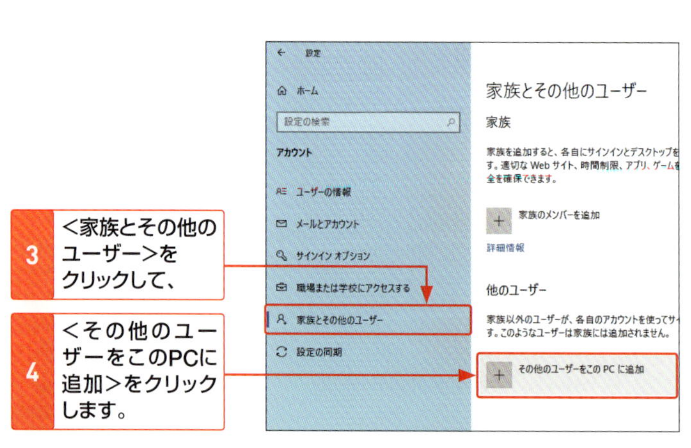

3 <家族とその他のユーザー>をクリックして、

4 <その他のユーザーをこのPCに追加>をクリックします。

5 サインインに使うメールアドレスを入力して、

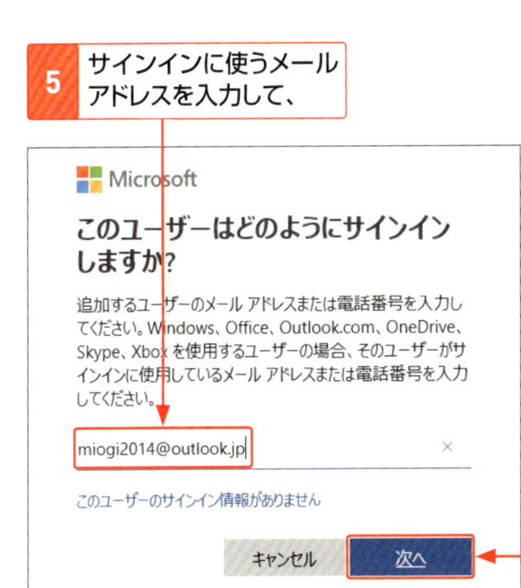

6 <次へ>をクリックします。

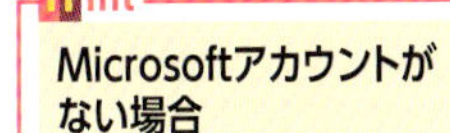

Hint

Microsoftアカウントがない場合

Microsoftアカウントがない場合は、手順**5**の画面で<このユーザーのサインイン情報がありません>をクリックして、新規にアカウントを登録します。また、ローカルアカウントを登録することもできます。

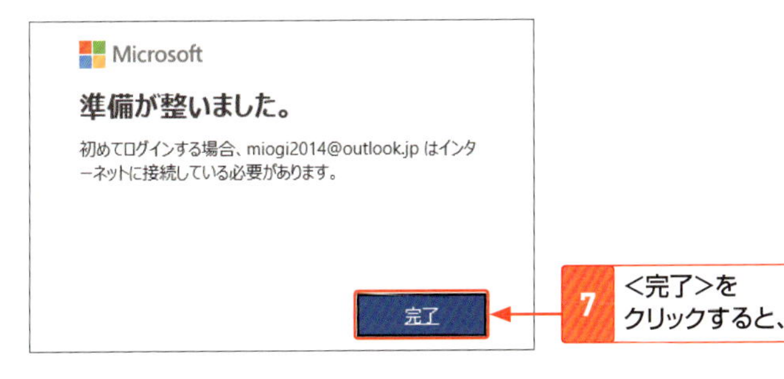

7 <完了>をクリックすると、

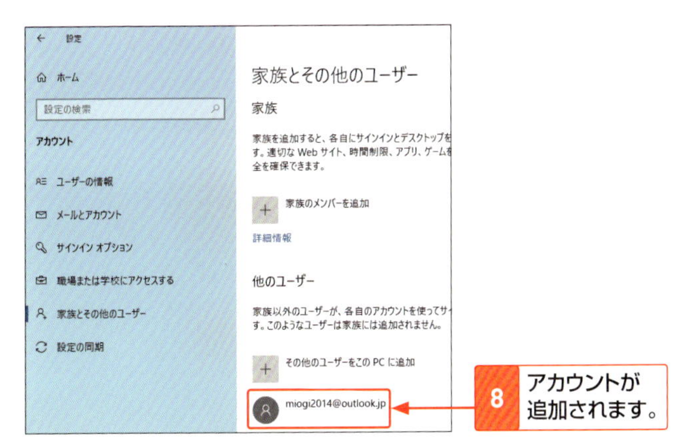

8 アカウントが追加されます。

スタートメニューを使いやすく変更しよう

スタートメニューには、アプリの一覧や主要なタイルが表示されています。アプリを**タイルに追加**したり、**タイルの内容・サイズを変更**したり、使いやすいようにカスタマイズしましょう。

1 アプリをスタートメニューのタイルに追加する

1 <スタート>をクリックして、

2 アプリ(ここでは<OneDrive>)を右クリックし、

3 <スタートにピン留めする>をクリックします。

4 アプリのタイルが追加されます。

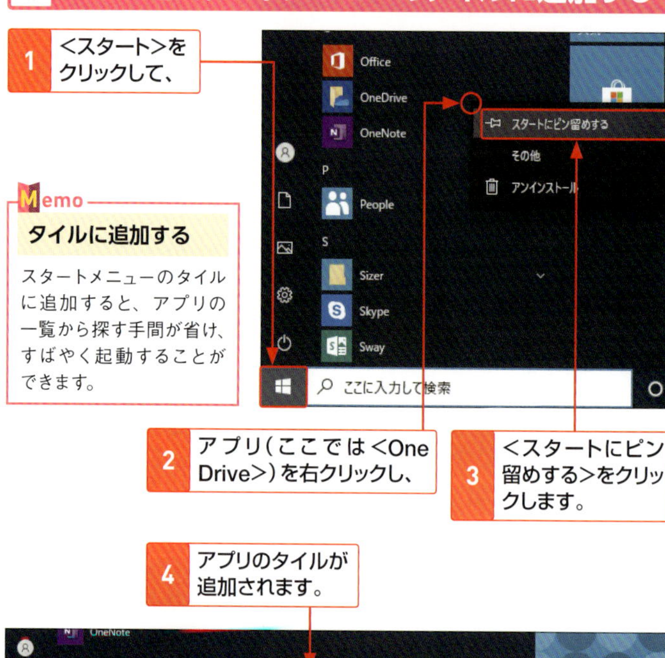

Memo タイルに追加する

スタートメニューのタイルに追加すると、アプリの一覧から探す手間が省け、すばやく起動することができます。

2 タイルをスタートメニューから削除する

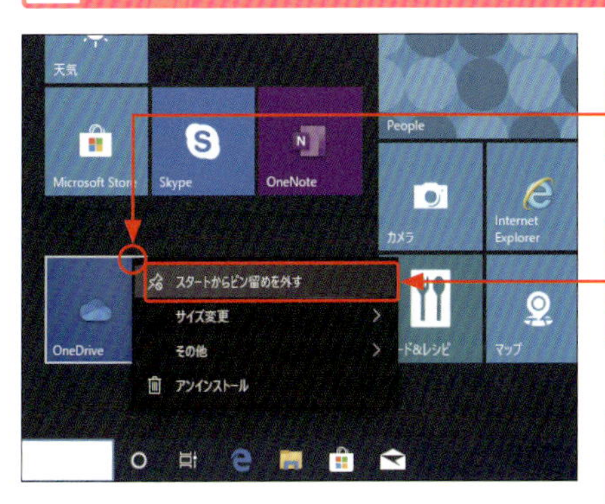

1 削除したいタイルを右クリックして、

2 <スタートからピン留めを外す>をクリックします。

Memo

タイルの削除

タイルを削除しても、メニューから消えるだけで、アプリが削除されるわけではありません。

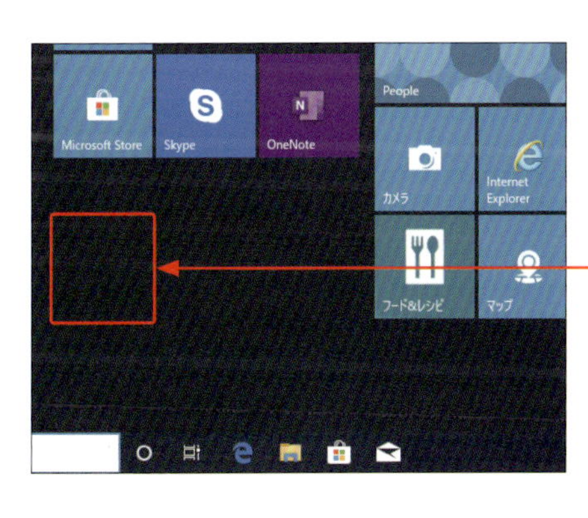

3 タイルが削除されます。

3 タイルのサイズを変更する

1 タイルを右クリックして、

2 <サイズ変更>をクリックし、

3 目的のサイズをクリックします。

Memo

サイズの種類

タイルのサイズの種類は、<小><中><横長><大>がありますが、アプリによって選択できないサイズもあります。

4 サイズが変更されます。

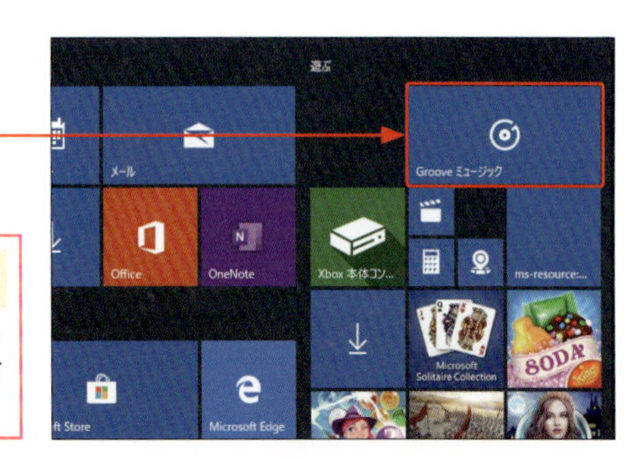

Hint

タイルの移動

アプリのタイルは、ドラッグ操作で自由に移動して配置できます。

4 タイルをライブ表示にする

1 タイルを右クリックして、

2 <その他>→<ライブタイルをオンにする>をクリックします。

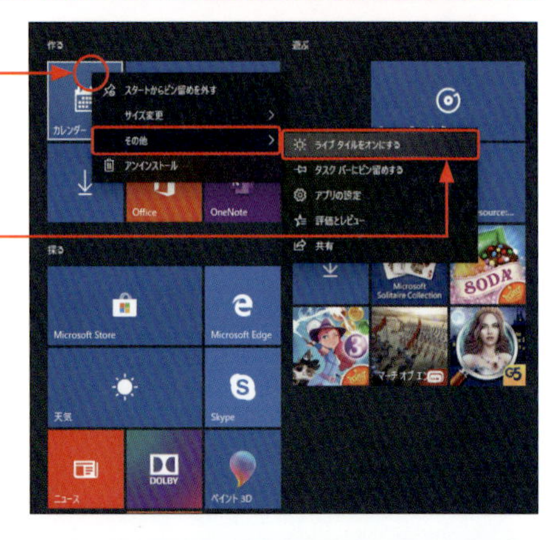

3 ライブ画像が表示されます。

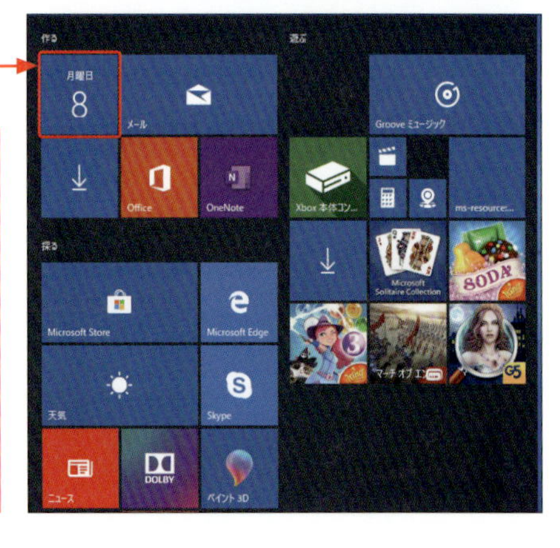

Memo

ライブタイル

ライブタイルはアプリの内容を表示するものです。アプリによっては、ライブタイルにならないものもあります。ライブタイルをオフにするには、タイルを右クリックして、<その他>→<ライブタイルをオフにする>をクリックします。

5 スタートメニューを全画面表示にする

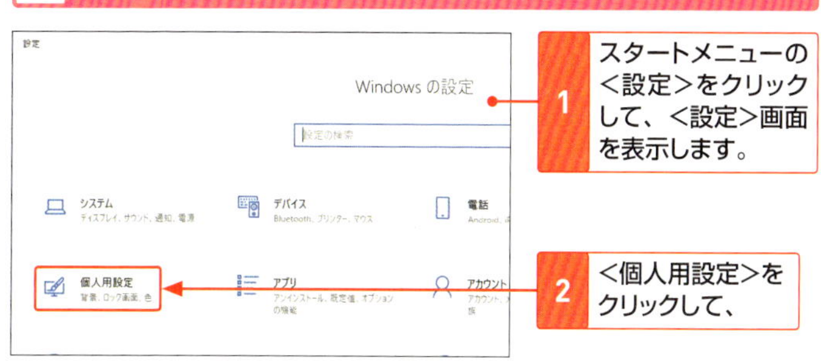

1 スタートメニューの<設定>をクリックして、<設定>画面を表示します。

2 <個人用設定>をクリックして、

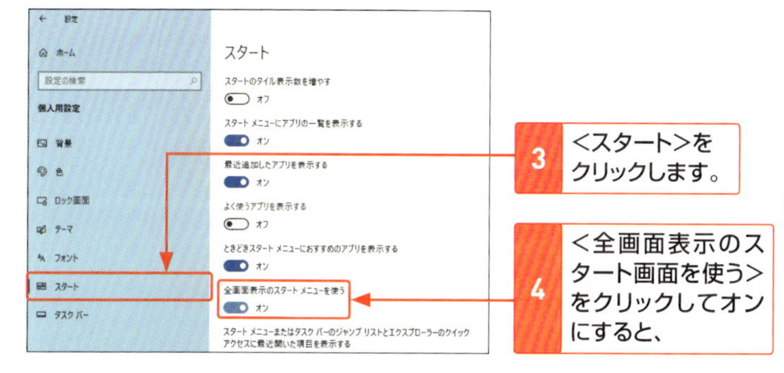

3 <スタート>をクリックします。

4 <全画面表示のスタート画面を使う>をクリックしてオンにすると、

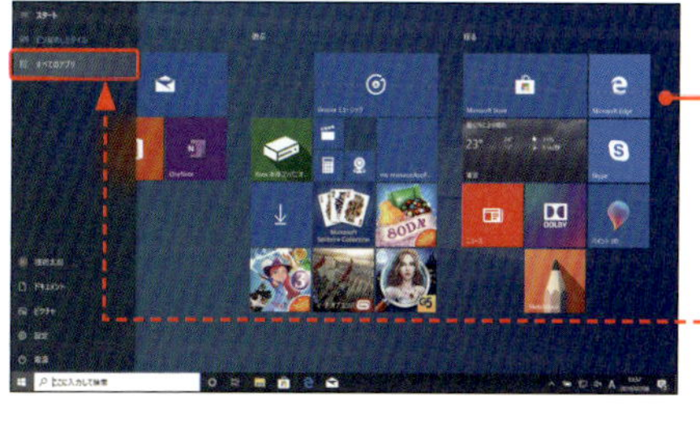

5 スタートメニューが全画面表示になり、ピン留めされたタイルが表示されます。

ここをクリックすると、すべてのアプリが表示されます。

そのほかの設定画面表示方法

デスクトップを右クリックして、<個人用設定>をクリックすると、手順3の画面を表示できます。

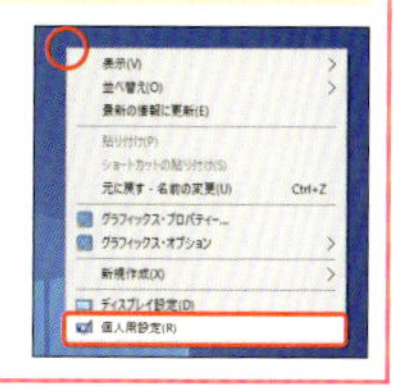

アクションセンターを便利に活用しよう

<通知>をクリックすると表示されるアクションセンターには、各種通知のほかに、クイックアクションが表示されます。この設定は、<設定>画面の<通知とアクション>で変更できます。

1 アクションセンターを表示する

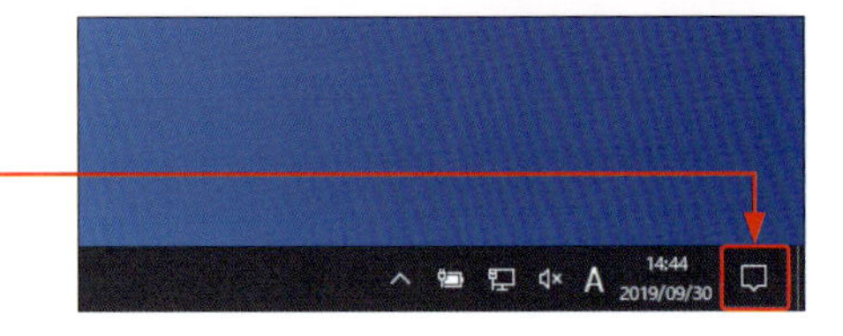

1 <通知>をクリックすると、

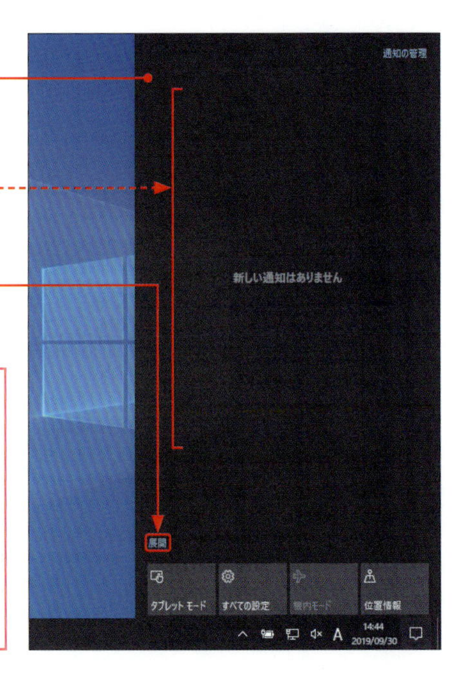

2 <アクションセンター>が表示されます。

ここに通知が表示されます。

3 <展開>をクリックすると、

Memo

アクションセンター

アクションセンターは、通知の表示や設定変更などを行うことができます。<通知>をクリックするか、タッチパネル対応のパソコンでは画面の右端から左へスワイプしても開くことができます。

2 アクションセンターの設定を変更する

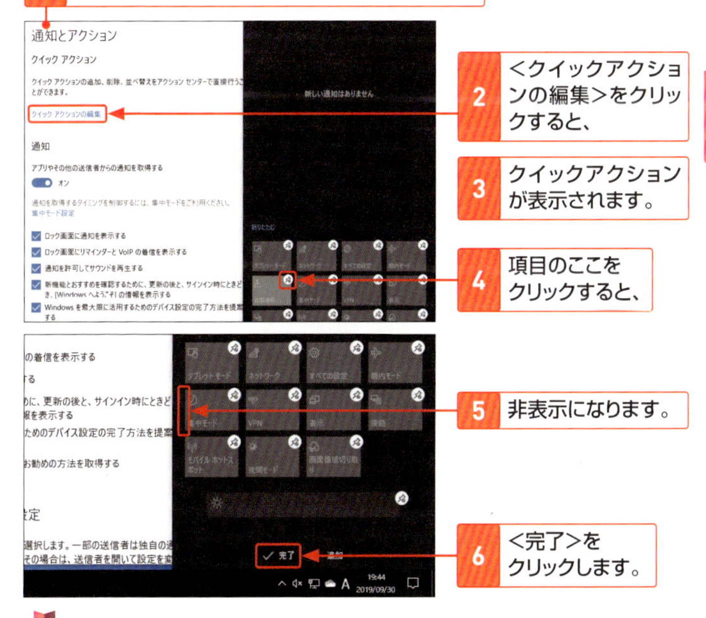

Memo クイックアクションを表示する

非表示のクイックアクションを表示するには、[追加] をクリックして、クイックアクションをクリックします。

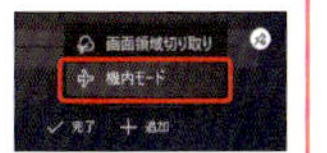

無線LANに接続しよう

パソコンを**無線LAN(Wi-Fi)に接続**するには、使用する**アクセスポイントを指定**します。アクセスポイントは、通知領域のアイコンをクリックするほか、<設定>画面から表示することもできます。

1 アクセスポイントに接続する

モデムやルーターなどに無線LAN機器を接続し、電源を入れておきます。

1 タスクバーにある無線電波のアイコンをクリックすると、

2 アクセスポイントの一覧が表示されます。

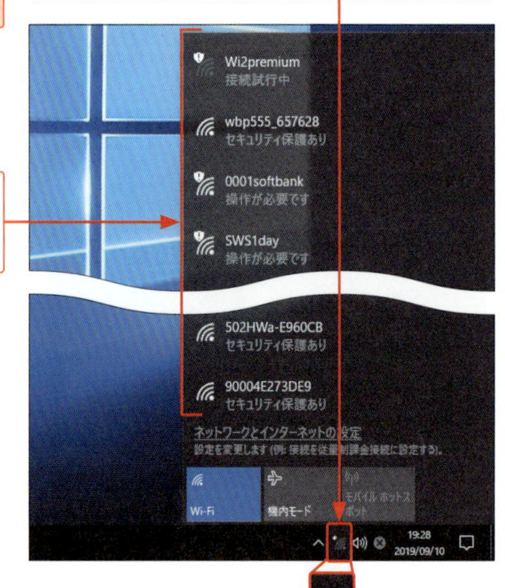

Memo アクセスポイント一覧

アクセスポイントの一覧には、一定レベル以上の電波のアクセスポイントが表示されます。使用するアクセスポイントが表示されない場合は、機器の電源が入っているかなどを確認します。鉄筋コンクリート造の建物の場合は、隣の部屋でも電波が受信できない場合があります。

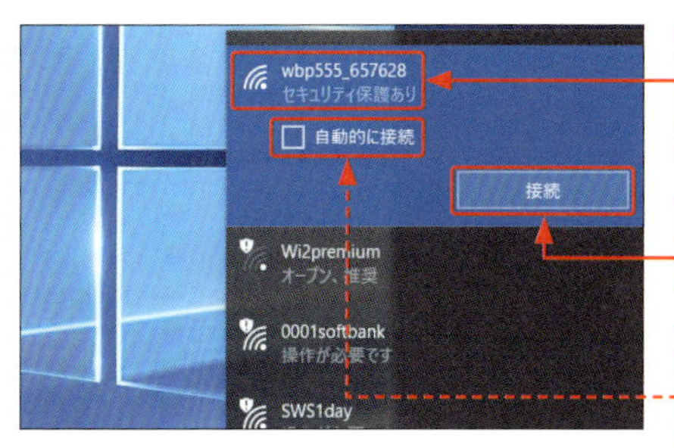

3 使用するアクセスポイントをクリックして、

4 ＜接続＞をクリックすると、

ここをクリックしてオンにすると、次回以降も自動的に接続されます。

5 無線LANに接続されます。

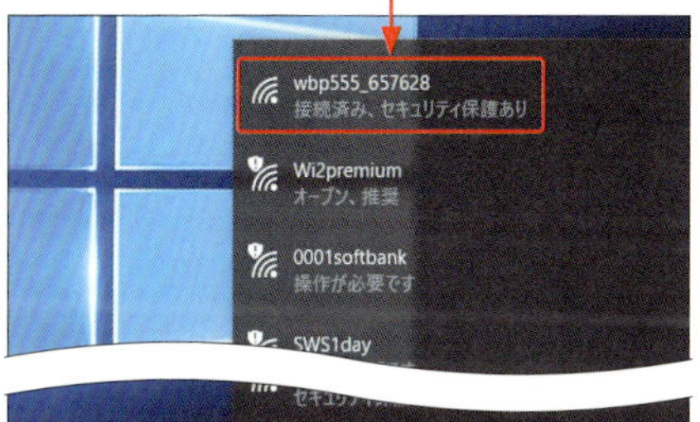

無線電波アイコンの表示が変わります。

Memo

セキュリティキーの入力

手順**4**のあとにネットワークセキュリティキー（暗号キー）の入力画面が表示された場合は、キーを入力して画面の指示に従います。

Memo

そのほかの方法

＜設定＞画面を利用して無線LANに接続することもできます。＜スタート＞をクリックして＜設定＞をクリックし、＜ネットワークとインターネット＞をクリックします。＜Wi-Fi＞をクリックして、＜利用できるネットワークの表示＞をクリックすると、手順**2**の一覧が表示されます。

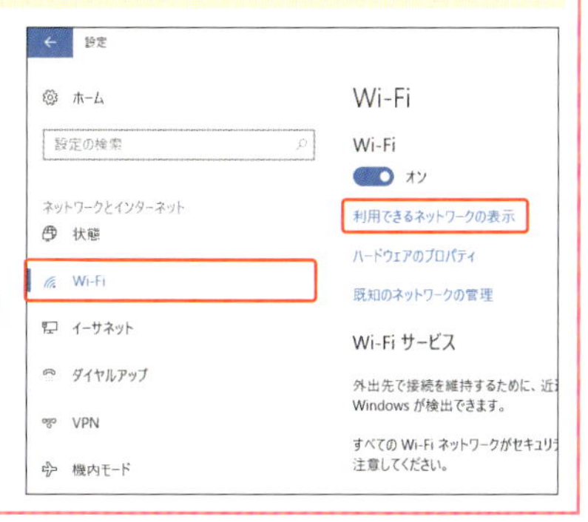

スマホでOneDriveを使ってみよう

パソコンとスマートフォンで画像や音楽ファイルをやり取りするには、ケーブルで直接接続するほかに、OneDriveなどのオンラインサービスを利用して、データを同期させる方法があります。

1 OneDriveアプリをインストールする

1 「Playストア」で<Microsoft OneDrive>を検索して、

2 <インストール>をタップします。

3 インストールが終わったら、<開く>をタップします。

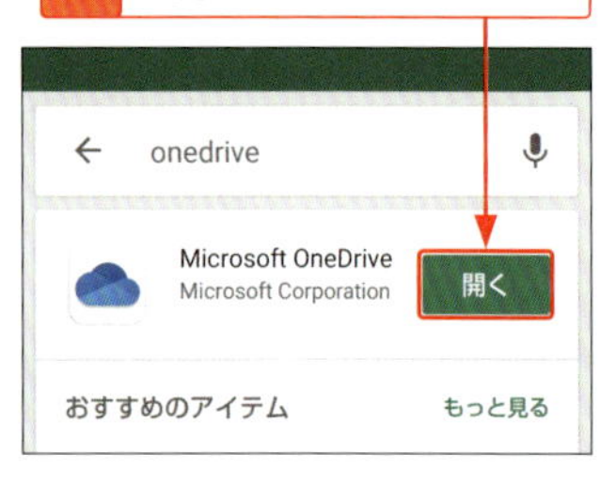

4 「OneDrive」アプリが起動します。

Hint iPhoneの場合は

iPhoneで「OneDrive」アプリをインストールする場合は、<App Store>で検索してインストールします。

2 OneDriveにログインする

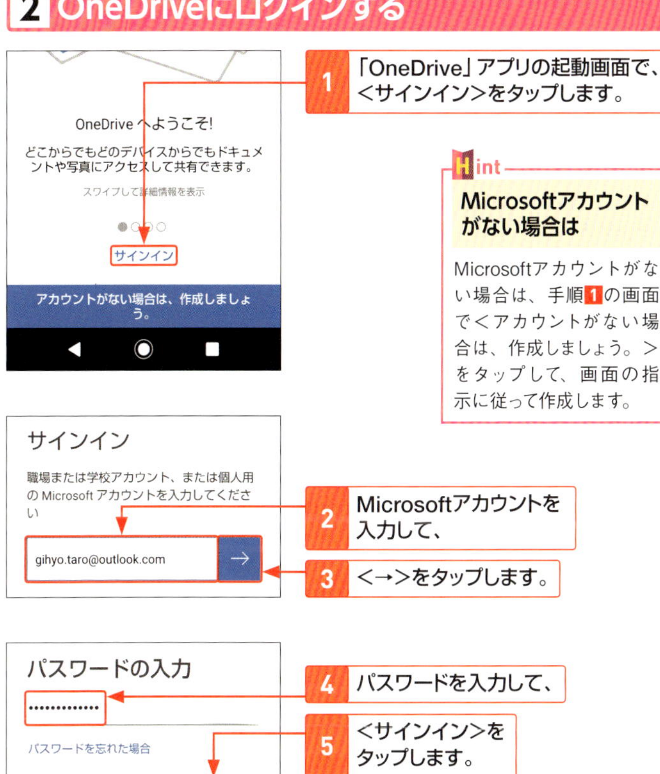

1 「OneDrive」アプリの起動画面で、<サインイン>をタップします。

2 Microsoftアカウントを入力して、

3 <→>をタップします。

4 パスワードを入力して、

5 <サインイン>をタップします。

6 「OneDrive」にサインインすると、OneDriveのフォルダー一覧が表示されます。

ファイル

昇順

ドキュメント
2019/07/01・0KB

公開
7月1日・0KB

添付ファイル
2019/07/01・0KB

画像
2019/07/01・0KB

Hint

Microsoftアカウントがない場合は

Microsoftアカウントがない場合は、手順1の画面で<アカウントがない場合は、作成しましょう。>をタップして、画面の指示に従って作成します。

Memo

iOSのOneDriveの場合

iOSのOneDriveでは、アプリを起動すると手順2の画面が表示されます。下部の「アカウントをお持ちではありませんか?<新規登録>」というリンクからアカウントの新規作成が可能です。

スマホの写真をOneDriveにアップロードしよう

スマホで撮影した写真や動画をパソコンで見たい場合、あるいはパソコンに保存したい場合は、OneDriveにアップロードします。最初に、OneDriveが写真にアクセスする許可が必要です。

1 写真のアップロードを有効にする

1 「OneDrive」アプリを起動して、

2 <画像>をタップします。

3 <オンにする>をタップします。

4 <許可>をタップします。

Hint 初めてアップロードする場合

スマホに保存されているデータを初めてアップロードする場合は、端末内のファイルへのアクセス許可をする必要があります。

Memo iOSの場合の許可手順

下部メニューの<写真>をタップして、カメラアップロードで<有効にする>をタップし、アカウント名右のスイッチをオンにします。「“OneDrive”が写真へのアクセスを求めています」と表示されるので、<OK>をタップして許可します。

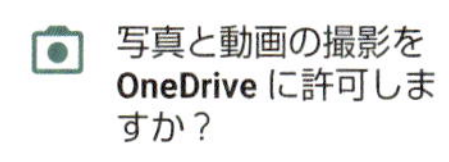

5 <許可>をタップします。

6 撮影した写真や動画、スクリーンショットなどがOneDriveにアップロードされます。

Memo 写真の保存先

パソコンで「OneDrive」フォルダー内の「カメラロール」フォルダーを開くと、スマホでアップロードした写真を見ることができます。

Memo 自動アップロードの設定

<カメラアップロード>を<オン>にすると、撮影した写真などは常時OneDriveにアップロードされます。初期設定ではWi-Fi接続時に自動アップロードされますが、モバイルネットワーク接続時にアップロードすることもできます（下記Hint参照）。自動アップロードを無効にするには、<自分>→<設定>→<カメラアップロード>とタップし、「カメラアップロード」画面の上部にある<カメラアップロード>をタップしてオフにします。

Hint モバイルネットワーク接続時にアップロードする

モバイルネットワーク接続時にアップロードするには、<自分>→<設定>→<次の設定を使用してオフラインファイルを更新>→<Wi-Fiとモバイルネットワーク>とタップします。なお、モバイルネットワーク接続時にアップロードするとデータ通信量が大きくなることがあるので、注意が必要になります。

← 設定
アカウント
個人
gihyo.taro@outlook.com
OneDrive for Business の追加
オプション
次の設定を使用してオフライン ファイ..
Wi-Fi のみ

スマホに音楽ファイルをダウンロードして再生しよう

パソコンからOneDriveにアップロードした音楽ファイルは、スマホでダウンロードや再生ができます。パソコンとスマホをケーブルで接続するという面倒な操作から解放されます。

1 OneDriveのフォルダーに音楽ファイルをコピーする

1 パソコンで<OneDrive>フォルダーを開き、

2 <ミュージック>フォルダーを作成します。

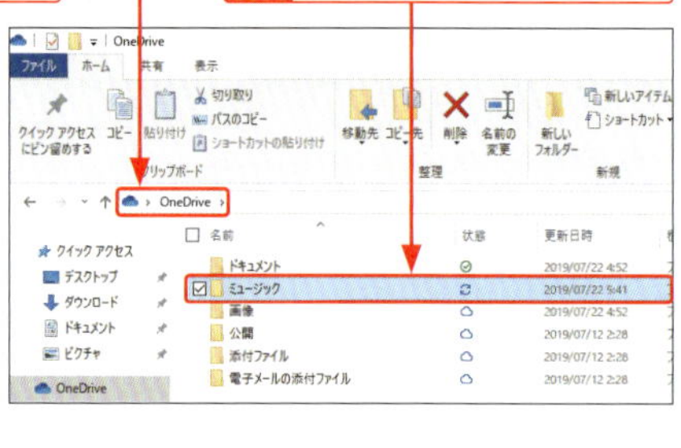

Memo

音楽ファイルをアップロードする

ここでは、パソコンに保存されている音楽ファイルを、OneDriveの<ミュージック>フォルダーにアップロードします。<ミュージック>フォルダーがない場合は作成します。

3 エクスプローラーを開いて、パソコンの音楽ファイルの保存先を開きます。

4 コピーしたい音楽ファイルを選択して、

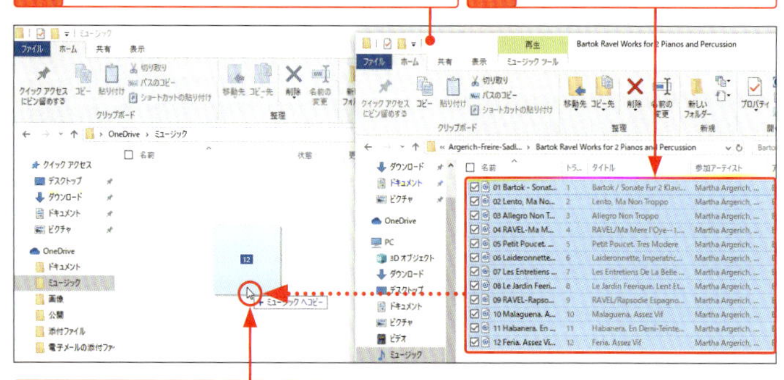

5 Ctrlを押しながらOneDriveの<ミュージック>フォルダー内にドラッグ&ドロップします。

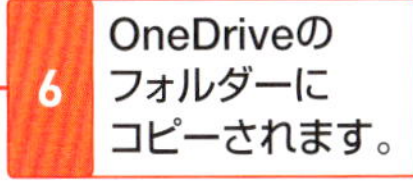

6 OneDriveのフォルダーにコピーされます。

2 スマホで音楽ファイルを再生する

1 スマホの「OneDrive」アプリを起動して、

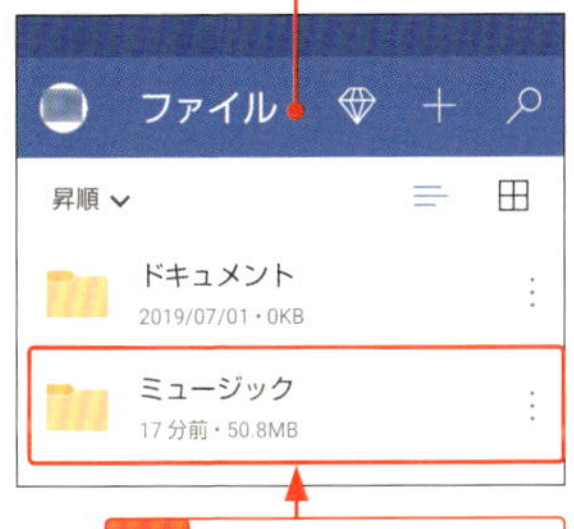

2 <ミュージック>をタップします。

3 再生したい音楽ファイルをタップします。

4 スマホにインストールされている音楽再生アプリが起動し、音楽が再生されます。

StepUp

OneDriveに保存された音楽ファイルを保存する

OneDriveに保存された音楽ファイルは、そのままで再生することもできますが、再生のたびに通信を行うことになります。よく再生する音楽ファイルは、スマホ本体に保存（ダウンロード）するとよいでしょう。音楽ファイルのメニューを開き<保存>をタップして、保存先を指定し<保存>をタップします。

01 Bartok - Sonate Fur 2...
共有
移動
保存
削除

Windowsのセキュリティを確保しよう

パソコンでネットワークを利用する場合、セキュリティの確保がとても重要です。Windows 10では、セキュリティと正常性を管理するWindowsセキュリティとDefenderを利用します。

1 Windowsセキュリティでスキャンをスケジュールする

1 スタートメニューの<設定>をクリックして、<設定>画面を表示します。

2 <更新とセキュリティ>をクリックします。

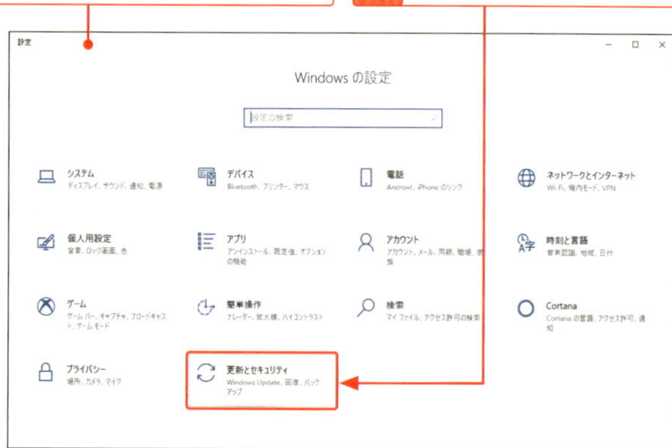

3 <Windowsセキュリティ>をクリックして、

4 <ウイルスと脅威の防止>をクリックします。

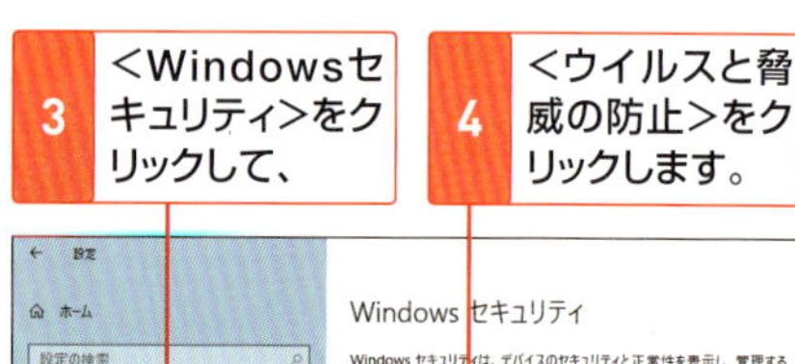

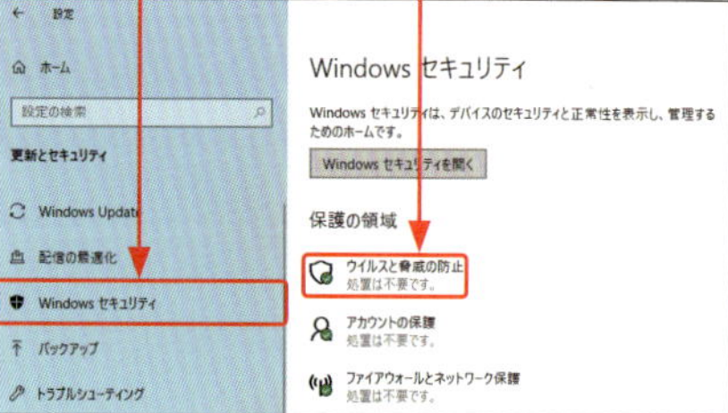

Memo ウイルススキャンする

セキュリティ対策として、パソコン内にウイルスやマルウェアなどがないか定期的にスキャンします。既定では、クイックスキャンが設定されていますが、スキャンのスケジュールやスキャン先を変更できます。

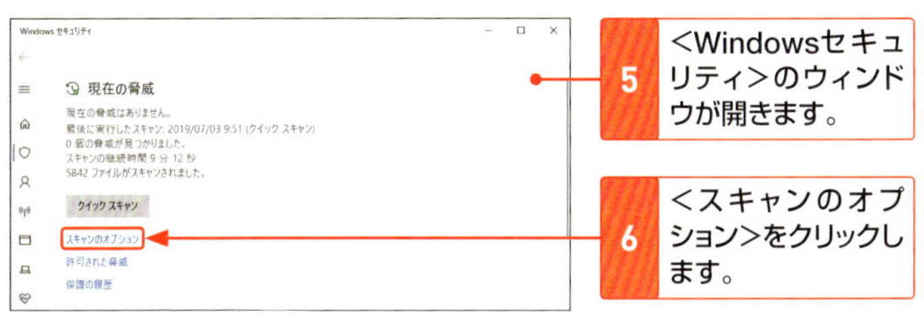

5 <Windowsセキュリティ>のウィンドウが開きます。

6 <スキャンのオプション>をクリックします。

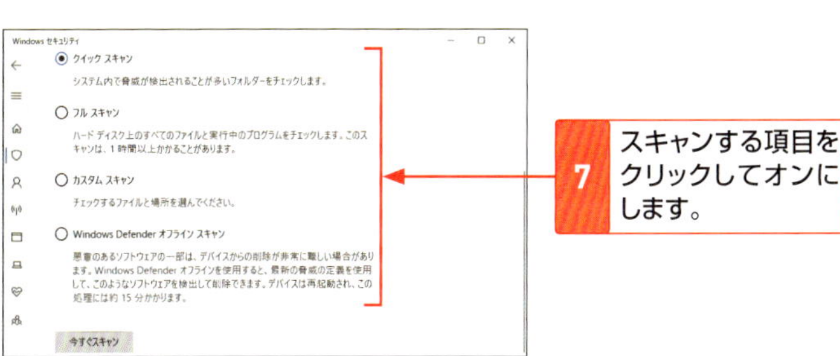

7 スキャンする項目をクリックしてオンにします。

2 Windowsセキュリティのリアルタイム保護を設定する

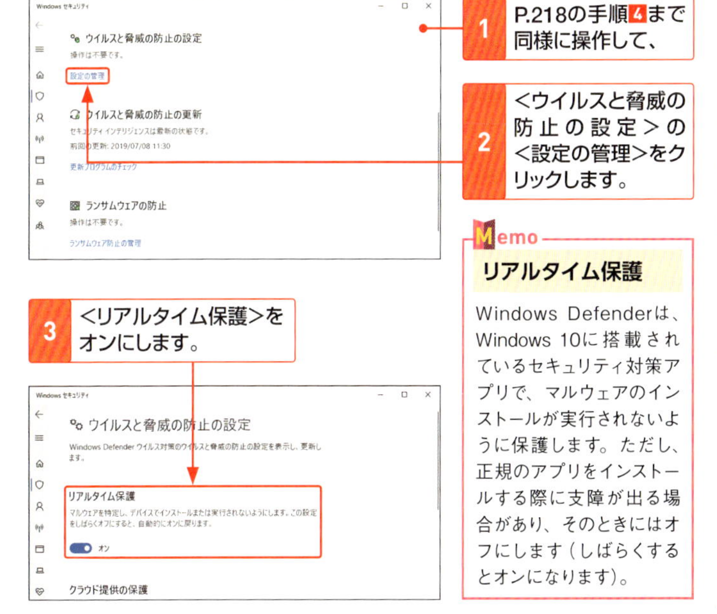

1 P.218の手順4まで同様に操作して、

2 <ウイルスと脅威の防止の設定>の<設定の管理>をクリックします。

3 <リアルタイム保護>をオンにします。

Memo

リアルタイム保護

Windows Defenderは、Windows 10に搭載されているセキュリティ対策アプリで、マルウェアのインストールが実行されないように保護します。ただし、正規のアプリをインストールする際に支障が出る場合があり、そのときにはオフにします(しばらくするとオンになります)。

Windows 10をアップデートしよう

Windowsを安心して使うには、Windowsを更新して、不具合の修正や機能の追加、セキュリティ対策などを実行する必要があります。Windows 10では、自動的に更新されるように設定されています。

1 更新プログラムを確認する

1 スタートメニューの＜設定＞をクリックして、＜設定＞画面を表示します。

2 ＜更新とセキュリティ＞をクリックします。

Memo

更新プログラムのチェック

更新プログラムは自動的にダウンロード、インストールされます。ここでは、更新プログラムを手動で確認してみましょう。

Keyword

Windows Update

Windows Updateは、不具合の修正やセキュリティ上の脆弱性などの解消、新しい機能の追加などを行うために更新プログラムをダウンロードし、インストールする機能です。これにより、Windowsを常に最新の状態で使うことができます。Windows 10では、更新プログラムが自動的にダウンロード、インストールされるように設定されています。

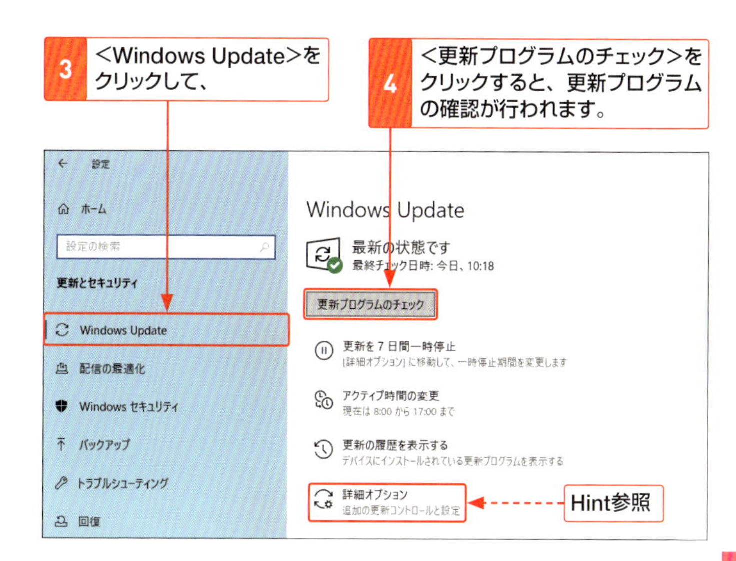

5 更新するプログラムがある場合は、自動的にダウンロードとインストールが実行されます。

Hint

更新時のオプション

<詳細オプション>をクリックすると、更新プログラム通知や更新の一時停止などのオプションを設定することができます。

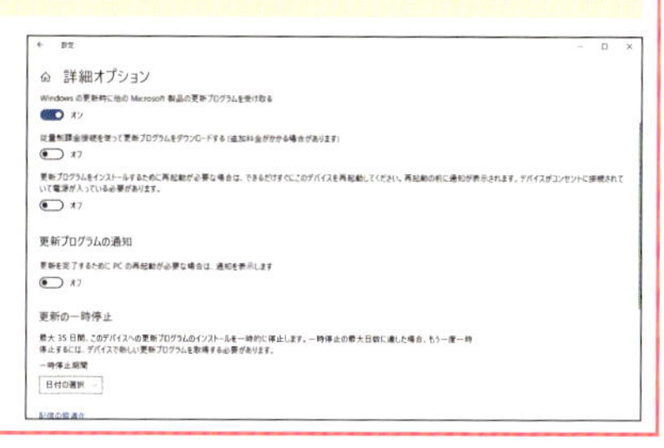

INDEX 索引

た行

な行

は行

ま行

や行

ら・わ行

■ お問い合わせの例

FAX

1 お名前
技評　太郎

2 返信先の住所またはFAX番号
03-××××-××××

3 書名
今すぐ使えるかんたんmini
Windows 10 基本&便利技
[2020年最新版]

4 本書の該当ページ
72ページ

5 ご使用のOSとソフトウェアのバージョン
Windows 10 Pro

6 ご質問内容
手順5の画面が
表示されない

今すぐ使えるかんたんmini
Windows 10 基本&便利技
[2020年最新版]

2019年12月6日　初版　第1刷発行

著者●技術評論社編集部＋AYURA
発行者●片岡 巌
発行所●株式会社　技術評論社
東京都新宿区市谷左内町21-13
電話　03-3513-6150　販売促進部
03-3513-6160　書籍編集部
装丁●田邊 恵里香
本文デザイン●リンクアップ
編集／DTP●AYURA
担当●和田 規
製本／印刷●図書印刷株式会社

定価はカバーに表示してあります。

ISBN978-4-297-10897-7 C3055

Printed in Japan

お問い合わせについて

本書に関するご質問については、本書に記載されている内容に関するもののみとさせていただきます。本書の内容と関係のないご質問につきましては、一切お答えできませんので、あらかじめご了承ください。また、電話でのご質問は受け付けておりませんので、必ずFAXか書面にて下記までお送りください。
なお、ご質問の際には、必ず以下の項目を明記していただきますようお願いいたします。

1 お名前
2 返信先の住所またはFAX番号
3 書名
（今すぐ使えるかんたんmini
Windows 10 基本&便利技[2020年最新版]）
4 本書の該当ページ
5 ご使用のOSのバージョン
6 ご質問内容

なお、お送りいただいたご質問には、できる限り迅速にお答えできるよう努力いたしておりますが、場合によってはお答えするまでに時間がかかることがあります。また、回答の期日をご指定なさっても、ご希望にお応えできるとは限りません。あらかじめご了承くださいますよう、お願いいたします。
ご質問の際に記載いただきました個人情報は、回答後速やかに破棄させていただきます。

問い合わせ先

〒162-0846
東京都新宿区市谷左内町21-13
株式会社技術評論社　書籍編集部
「今すぐ使えるかんたんmini
Windows 10 基本&便利技[2020年最新版]」
質問係

FAX番号　03-3513-6167

URL：https://book.gihyo.jp/116